Baiser

Publiés par la même auteure :

Baiser. Les dérapages de Cupidon, 2015

Histoires à faire rougir (t. 1), 1994, format poche, 2000
Stories to Make You Blush, 2000
Nouvelle édition (Rougir 1 : *Histoires à faire rougir*), 2011

Nouvelles histoires à faire rougir (t. 2), 1996, format poche, 2001
More Stories to Make You Blush, 2001
Nouvelle édition (Rougir 2 : *Nouvelles histoires à faire rougir*), 2012

Histoires à faire rougir davantage (t. 3), 1998, format poche, 2002
Stories to Make You Blush, volume 3, 2004
Nouvelle édition (Rougir 3 : *Histoires à faire rougir davantage*), 2013

Rougir de plus belle (t. 4), 2001, format poche, 2004
Nouvelle édition (Rougir 4 : *Rougir de plus belle*), 2013

Rougir un peu, beaucoup, passionnément (t. 5), 2003, format poche, 2006

Coups de cœur à faire rougir, 2006
(le meilleur des *Histoires à faire rougir*)

Publiés dans la collection *Oseras-tu ?*
Pour les jeunes de 14 ans et plus :
La Première Fois de Sarah-Jeanne, 2009
Le cœur perdu d'Élysabeth, 2009
Le roman de Cassandra, 2010
Le vertige de Gabrielle, 2010
Le miroir de Carolanne, 2011
L'existence de Mélodie, 2012

Publié dans la collection *Dans ta face*
Pour les jeunes de 14 ans et plus :
Frédérick, 2013

MARIE GRAY

Baiser

La vengeance
de la veuve joyeuse

roman

Guy Saint-Jean
ÉDITEUR

Guy Saint-Jean Éditeur
3440, boul. Industriel
Laval (Québec) Canada H7L 4R9
450 663-1777
info@saint-jeanediteur.com
www.saint-jeanediteur.com

. . . .

Catalogage avant publication de Bibliothèque et Archives nationales du Québec et Bibliothèque et Archives Canada

Gray, Marie, 1963-
Baiser
Sommaire : t. 1. t. 2. La vengeance de la veuve joyeuse.
ISBN 978-2-89455-972-7 (vol. 2)
I. Gray, Marie, 1963-   Vengeance de la veuve joyeuse. II. Titre.
PS8563.R414B34 2014   C843'.54   C2014-942585-6
PS9563.R414B34 2014

. . . .

Nous reconnaissons l'aide financière du gouvernement du Canada par l'entremise du Fonds du livre du Canada (FLC) ainsi que celle de la SODEC pour nos activités d'édition. Nous remercions le Conseil des arts du Canada de l'aide accordée à notre programme de publication.

Gouvernement du Québec — Programme de crédit d'impôt pour l'édition de livres — Gestion SODEC
© Guy Saint-Jean Éditeur inc., 2015

Édition : Isabelle Longpré
Révision : Marie Desjardins
Correction d'épreuves : Lyne Roy
Conception graphique de la page couverture : Christiane Séguin
Mise en pages : Olivier Lasser
Photo de la page couverture : pekour/iStock.com

Dépôt légal — Bibliothèque et Archives nationales du Québec, Bibliothèque et Archives Canada, 2015
ISBN : 978-2-89455-972-7
ISBN ePub : 978-2-89455-980-2
ISBN PDF : 978-2-89455-981-9

Imprimé et relié au Canada
1re impression, juin 2015

 Guy Saint-Jean Éditeur est membre de
l'Association nationale des éditeurs de livres (ANEL)

*À Claude, mon amie de toujours, pour
sa complicité, son amitié, sa confiance
et cette merveilleuse idée de Baiser;
comme projet de livres... on a vu pire ! ;)*

*Sans elle, je ne sais pas trop si j'aurais eu
le courage de me lancer dans cette belle
et excitante aventure. Merci, ma chum,
pour tout !*

*À mes amours aussi, Samuel et Charlotte,
comme toujours et pour toujours.*

Encore une fois, ceci est un ouvrage de
fiction… même si l'inspiration vient, elle,
de personnes bien réelles ! Merci aux gentilles
et aux gentils, mais aussi aux pas fins et aux pas
fines qui m'ont permis de créer ces personnages.
On est tous un peu des deux, non ? ;)

Merci également à ma famille, mes amis,
mes collègues et à tous ceux qui, en me lisant
et me soutenant de près ou de loin,
me permettent de vivre un si beau rêve.
Je suis choyée et je l'apprécie chaque jour !

D'après ce que je comprends, le karma est une espèce de loi spirituelle selon laquelle tous les actes que nous posons, grands ou petits, ont des conséquences dans cette vie ou les prochaines. Un beau geste attirera du bonheur, un mauvais, l'inverse. Donc, on est responsables de nos vies futures puisqu'elles sont forgées par ce qu'on fait chaque jour. Une bonne personne va nager dans le bonheur dans toutes ses vies; une mauvaise va avoir une divine et perpétuelle claque sur la gueule. Un très mauvais jour de la marmotte, genre.

J'aimerais ça, y croire. C'est plus cute et exotique que de simplement dire «on récolte ce que l'on sème». Mais... tout d'un coup que la réincarnation ça ne marche pas pour vrai? Ça serait dommage que les cons de ce monde aboutissent dans une «après-vie» où toute la merde qu'ils ont semée disparaît comme par magie, non? Très. Alors, mesdames, ne prenons pas de chances. On a toutes rêvé au moins une fois de se venger d'un imbécile. Allez, avouez, on est entre nous. Mais on n'a pas toutes osé. Laissez-nous, chères membres de Karmasutra.com, le plaisir de le faire pour vous. Ça nous fait plaisir.
Oui, oui. Vraiment plaisir...
Please?

Karma-Mamma

PROLOGUE

Je n'arrive pas à le croire. Moi, Maryse Després, cinquante-deux ans, veuve de Gilles Provost, je suis là, dans un immense lit aux draps défaits par de vigoureuses étreintes avec un homme que je connais somme toute bien peu. Comblée, essoufflée, enfin repue, je me vautre dans un bien-être que je ne pensais plus jamais ressentir. Mon amie Julie serait fière de moi : j'ai le ventre plein de sperme et de papillons, je viens de passer une nuit digne d'une nymphomane qui aurait été privée de sexe pendant trop longtemps, je me suis livrée à mon plaisir avec un abandon total.

C'est vrai, j'avais baissé les bras depuis… des années. Et pourtant, je suis blottie contre un homme bien chaud, son torse massif et confortable sous ma tête, ses bras enveloppants qui me protègent contre mes propres démons. Toute la nuit… il m'a fait bondir de jouissance en jouissance, mon corps s'émerveillant des sensations oubliées, découvrant même des plaisirs renversants. Je revis le choc de le sentir entre mes cuisses, de ses lèvres qui suçotent, de sa langue qui s'immisce. Je tremble de son membre large et imposant qui s'engouffre, lentement d'abord, puis en conquérant, un mâle qui s'approprie sa femelle. Qui aurait cru ? Moi qui ai souvent usé de condescendance envers ma Julie pour qui le sexe a tant d'importance, qui me suis si fréquemment moquée de sa « dépendance » envers les plaisirs de la chair, je me retrouve exactement au même point qu'elle : j'en veux toujours plus. Mais ce n'est pas le plus ironique. C'est par ma faute si j'ai presque raté ce rendez-vous avec ma vie ; un but pas très reluisant m'aveuglait, une croisade bien personnelle qui m'aura tout de même appris une leçon valable : qui suis-je pour jeter la première pierre ? Qui suis-je pour accuser, condamner ? Dans ma douleur, j'ai trop vite montré du doigt, et il a fallu que j'affronte cet homme, pour enfin remettre les choses en perspective.

Autour de moi, je ne vois que des vestiges de notre fol abandon. Les deux bouteilles de champagne vides – Veuve Clicquot rosé, rien de moins –, les vêtements éparpillés que nous avons arrachés fiévreusement les bougies éteintes depuis plusieurs heures. En me levant, j'aperçois mon corps que je peux désormais regarder avec indulgence. Pourquoi ? Parce que malgré les imperfections et les courbes trop pulpeuses à mon goût, j'ai enfin droit au plaisir. Mon visage, encadré de mèches folles, est toujours empourpré, mes yeux bouffis brillent néanmoins d'une lueur toute lubrique.

Je me dirige vers la salle de bains luxueuse de cette suite de rêve. L'eau de la douche, trop chaude, coule sur ma peau qui me semble d'une sensibilité exagérée. Des doigts habiles ont laissé des traces invisibles sur chaque parcelle de mon corps, des marques qui ont pénétré mon épiderme autant que mon ventre assoiffé. Je me savonne, savourant la caresse soyeuse de ma propre main qui glisse entre mes cuisses, éveillant du coup des souvenirs incandescents. Ma vulve palpite, gonfle malgré la tumescence déjà présente, et me voilà prête à renouer avec la tigresse en moi, celle que je ne croyais même plus vivante.

Sans prendre le temps de me sécher, je me faufile entre les draps, me glisse contre mon amant, embrasse son cou puissant, lèche son torse, son ventre, vois son membre qui s'éveille paresseusement d'abord et qui, au contact de mes lèvres, se met au garde-à-vous. Je l'enfouis au fond de ma gorge, tout doucement, lui permettant de s'imprégner de la chaleur de mon haleine, de se régaler du baiser de ma langue. Il enfle, palpite, durcit. Rien à voir avec l'engin de mon cher époux, dont les proportions me rebutaient, non. Celui-ci est… parfait, juste assez volumineux pour bien m'emplir, mais pas au point de m'étouffer lorsque je l'aspire dans ma bouche gourmande. Ses cuisses s'écartent et je les caresse, mes mains ne peuvent se repaître de cet homme, offert et disponible, qui apprécie mes touchers de manière aussi évidente. Je voudrais en faire mon prisonnier, m'attarder sur chaque centimètre de lui, de sa peau, de ses muscles, de sa bouche, surtout. L'embrasser jusqu'à ce que mes lèvres n'en puissent plus, jusqu'à ce que ma langue s'épuise. Tant de pensées, de sentiments, d'intentions peuvent se transmettre d'une bouche à une autre, c'est incroyable. Comment avais-je pu oublier ?

Il est tout à fait éveillé, désormais, et son exigence fait surface. Il me renverse sur ce lit trop grand, m'immobilise en m'écrasant les poignets, m'embrasse trop fort, me mord le cou. J'en aurai des séquelles visibles et j'en soupire d'aise. Oui, à moi les stigmates d'une folle nuit d'amour. À moi la douleur tout épidermique d'un toucher intense, d'une morsure, d'une poigne solide. Sa main s'engouffre entre mes cuisses, effleure ma chair offerte, frotte l'entrée de mon sexe jusqu'à ce que je coule de bonheur tandis que ses lèvres s'emparent de mes seins et les tètent avec une gourmandise qui m'émeut. Puis, sans prévenir, il glisse en moi, d'un seul coup, cognant le fond de mon ventre avec puissance et m'arrachant de petits cris de plaisir autant que de surprise. Et tout à coup, je comprends que je m'aime. J'aime ce corps que je jugeais autrefois beaucoup trop sévèrement. J'aime ces seins généreux, leur souplesse, ces cuisses solides qui s'ouvrent pour libérer un passage onctueux. J'aime son corps, aussi, le corps imparfait d'un homme attentionné, solide et exigeant qui s'empare du mien avec tant de conviction. Je flotte, je nage, je me gonfle de jouissance et j'explose, inondant les draps de satin, inondant nos ventres, inondant mes yeux de larmes de bonheur.

Qui aurait cru, je le répète. Certainement pas moi. Toutes ces années auprès d'un homme qui ne m'appréciait plus, je les ai passées en me résignant à ne plus connaître l'étourdissement des sens. À vivre à travers d'autres, Julie notamment, les frissons de plaisir qui m'étaient désormais refusés. Idiote. Tant de gaspillage ! Il aura fallu que je choisisse de faire souffrir à mon tour pour enfin jouir. Quelle ironie ! Celle que mes amies ont toujours considérée comme étant la sage, la gentille, la généreuse, a dû se transformer en chipie vindicative pour enfin accéder aux plaisirs auxquels elle aspirait. Celle qui a choisi consciemment de châtier, de faire souffrir tous les salauds de la Terre… Me voilà bien avancée ! J'ai été trompée par mon mari pendant je ne sais combien d'années. Toutes ces femmes qui m'ont confié avoir vécu la même chose m'ont donné un but, malsain, soit, mais vital : me venger et infliger des corrections à ces êtres abjects à défaut de punir mon mari. Comme cet homme qui me procure autant de plaisir. Cet homme encore marié, l'exemple apparemment typique de tous ceux que j'ai crucifiés au cours des derniers mois. Y en avait-il d'autres, comme lui, parmi mes victimes ? Peut-être. Sans doute. Parmi tous les hommes que Jessica, Julie et moi avons débusqués, tous ne pouvaient pas être de parfaits salopards... si ? Peut-être. Je ne le saurai jamais et ça vaut mieux. Je me suis déjà pardonnée.

Dans ma colère et ma douleur, je ne pouvais pas m'attarder à voir les deux côtés de la médaille. Pas le temps, pas envie. Je ne ressentais que ce cuisant besoin de détruire, de faire subir à d'autres ce que j'avais subi moi-même, en mon nom et en celui de tant de mes consœurs. C'est tellement con ! Je n'ai cependant aucun regret.

Eh bien, il ne me reste plus qu'à remercier Gilles, feu mon mari. Merci d'avoir crevé, sale menteur. Merci de m'avoir libérée. Il aura fallu que je me rende à un extrême pour enfin atteindre une sorte d'équilibre. Et ça – la trahison, les mensonges, la manipulation, toute la merde que tu m'as fait endurer – aura au moins servi à m'ouvrir les yeux, à me rendre la lucidité qui me faisait cruellement défaut. Je me suis pardonnée de t'avoir laissé faire. Ce n'était pas ma faute. Je préfère de loin avoir cru en toi, en nous, j'aurai tout de même eu la vie de famille dont je rêvais. Pour le reste... je n'en souffrais que lorsque je me comparais, et c'est fini, tout ça.

Merci, Gilles, de m'avoir permis de te détester sans ambiguïté ; de m'avoir fait voir que le plaisir, l'instinct animal d'unir deux corps pour la simple joie de la chose, avait encore sa place dans ma vie, autant que dans la tienne. Merci d'avoir changé ma vie et de m'avoir empêchée de la regarder, impuissante, se dérouler sans plus jamais connaître l'extase de l'abandon. Dire que j'aurais pu être misérable à tes côtés jusqu'à ma mort, amère et frustrée.

Oui, merci d'avoir crevé.
J'aurais aimé ça que tu souffres un peu plus, mais
pas grave.
Peut-être que tu souffres maintenant.

1

Quelques mois plus tôt…

Chères membres,
chères visiteuses de Karma sutra,

Je tiens tout d'abord à vous remercier pour votre
enthousiasme et votre fidélité. Mon billet de cette semaine
vise à vous faire approuver un article que j'aimerais bien
vous voir partager avec vos connaissances masculines.
Tant d'entre vous m'ont confié leurs frustrations!
Je suis si renversée de constater à quel point vos
doléances se rejoignent qu'il me semble nécessaire
que ces chers hommes en prennent connaissance. Qui
sait? Nous arriverons peut-être à quelque chose! Je pense
que la plupart des hommes sont inconscients de ces détails
qui nous irritent tant. Tout comme dans un couple, quand
les deux parties tentent d'arriver à un compromis devant
ces petites choses agaçantes, nous essaierons de sensibiliser
ces éventuels partenaires à ces riens si nuisibles.
Alors que le but de Karma sutra était de nous protéger
contre les énergumènes mâles qui sévissent à perpétuité
sur les sites de rencontre, force est d'admettre que,

heureusement, ces hommes ne sont qu'une minorité.

Ils sont beaucoup plus nombreux, les hommes «honnêtes et simples, au passé réglé, cherchant compagne douce et fidèle pour soupers en duo et complicité», conformes à ce qu'ils prétendent être. Hélas, ils ne savent pas trop comment se mettre en valeur et se donner toutes les chances. Car en plus de voir de bons candidats privés de notre intérêt à cause de simples maladresses ou par paresse, quelques imbéciles s'acharnent à donner mauvaise réputation aux hommes en général, nous rendant ainsi méfiantes et sceptiques. Alors, tentons de remédier à cet état de choses et de redorer le blason de leur masculinité. Ça promet, non? Je sais, on part de loin! Mais si on veut changer le monde, il faut y aller doucement, un homme à la fois.

Je suis très, très fière lorsque je constate que de nouveaux couples se forment grâce à Karma sutra.

C'était aussi notre souhait le plus cher, lors de sa création. Mais ça n'est devenu possible que grâce à vos nombreuses contributions, chères lectrices. Je compte maintenant sur la bonne volonté des hommes pour nous permettre de susciter encore plus d'étincelles entre ceux et celles qui se sont cherchés en vain! Vous êtes prêtes? Allons-y!

Messieurs,

Voici, enfin révélés, les principaux irritants rencontrés par les membres de notre site — des femmes belles, intelligentes, *sexy* et célibataires qui n'attendent peut-être que vous et qui nous écrivent chaque jour. Selon elles, plusieurs aspects désolants sont assez généralisés.

Tout d'abord, vous êtes une race de (trop) peu de mots,

pour la plupart... Ne saisissez-vous pas que ce monde est une jungle, que les femmes reçoivent beaucoup plus de messages que vous, et que si vous ne trouvez pas une façon de vous démarquer, ces beaux efforts seront sans doute inutiles? Allons, vous êtes capables d'un peu d'originalité, ou à tout le moins de dépasser un tantinet de navrantes banalités. Vous ne savez pas comment? Nous allons vous aider. Mais tout d'abord...

Attaquons-nous au plus urgent: la fameuse photo. Sans vouloir faire montre de mesquinerie, il est clair qu'il y a beaucoup plus de jolies femmes que de beaux hommes libres. Surtout passé la quarantaine... et ça empire avec le temps. C'est normal, personne n'échappe au passage du temps, et les femmes ont infiniment plus de ressources à portée de la main pour en combattre les effets. Mais il existe tout de même des façons de contourner le problème. Aidez-vous un peu!

Vous prétendez que votre approche est sérieuse, mais vous êtes trop nombreux à ne même pas prendre le temps ni la peine de vous avantager à l'aide d'une photo intéressante. Pire, un nombre incalculable d'entre vous n'en affiche même pas!

La première réaction d'une femme, dans cette situation: *il doit être vraiment moche!*

Bonne nouvelle, les femmes attachent souvent moins d'importance à la perfection physique et à l'apparence que les hommes. Cela dit, un minimum est tout de même requis. Cependant, si vous avez un corps d'Apollon, vous ne serez pas automatiquement avantagé. Vous vous entraînez au gym cinq fois par semaine? Très bien pour vous, mais il n'est pas nécessaire de montrer vos biceps ou votre torse nu, par un *selfie* pris dans le miroir de votre salle de bains, *duck face* à l'appui.

La première réaction d'une femme, dans cette situation: *il doit être vraiment superficiel!*

Vous ne vous entraînez pas au gym et ne vous adonnez à aucun sport sur une base régulière? Très bien pour vous aussi, mais il n'est pas nécessaire de montrer votre ventre proéminent et vos poignées d'amour se dorant au soleil des Caraïbes (surtout si vous précisez rechercher une femme mince et plus jeune que vous).

La première réaction d'une femme, dans cette situation: *next!*

À ce sujet, vous avez cinquante ans et recherchez une femme de dix-huit à vingt-cinq ans? Libre à vous, vous n'êtes pas le premier ni le dernier à rêver de chair fraîche, et tant qu'à vous offrir un nouveau départ, pourquoi ne pas viser haut? Après tout, c'est sans doute votre dernière chance de vous pavaner au bras d'une pitoune qui n'est pas votre fille. Soit. Mais...

La première réaction d'une femme, dans cette situation (même si elle n'a que trente ans): *maudit vieux cochon!*

Vous mentionnez votre préférence pour les femmes féminines, *sexy,* qui prennent soin d'elles (minces), pas «matantes», douces et affectueuses. Votre photo montre un homme gras, chauve, négligé, mal habillé, ou pire, pas

habillé du tout, à l'allure de fonctionnaire ou d'itinérant.
Ou, je le répète, car c'est vraiment déplaisant, aucune photo
ni le moindre indice sur votre personnalité.

La première réaction d'une femme, dans cette situation:
un chausson avec ça?

Vous aimez la chasse et la pêche? C'est bien, pour qui
partage ces champs d'intérêt. Mais si vous vous affichez
avec une casquette et un manteau difformes, des lunettes
de soleil, cigarette au bec et saumon géant dans les mains
(ou encore posant fièrement avec, à vos pieds, un orignal
sanguinolent), sachez que vous éliminez plusieurs
compagnes potentielles.

La première réaction d'une femme, dans cette situation:
hmmm, il doit sentir le swing!

Messieurs, nous aimerions vraiment vous proposer des
pistes sur les différentes façons d'améliorer votre
présentation. Certains hommes excellent en ce domaine et
ils seront cités en exemple, bien entendu avec leur
permission. Mais gardez en tête que les femmes sont à peu
près toutes curieuses. Autant vous soupirez d'impatience
devant une fiche trop élaborée de notre part, autant nous
sommes exaspérées par votre contenu, au mieux, laconique.
Nous aimerions bien savoir si nous partageons ces champs
d'intérêt que vous jugez si importants, sans toutefois vous
donner la peine de les préciser.
Des milliers de femmes se sentent concernées lorsque vous
nous souhaitez douces, honnêtes, fidèles, aimant le grand
air et les sorties au cinéma et au resto. Mais encore?

Qu'est-ce qui vous démarque de tous les autres golfeurs amateurs de vin rouge et de spectacles d'humour?

Qu'est-ce qui vous différencie des milliers d'hommes dont la description est similaire à la vôtre?

Chers hommes, il est possible d'obtenir de meilleurs résultats sur les sites de rencontre si votre démarche est sérieuse. Mais vous avez des devoirs à faire, et nous, sur Karmasutra.com, pouvons vous aider... On vous passe la *puck!*

Au plaisir de vous lire,
Karma-Mamma

2

Ce billet, publié dans deux magazines pour hommes et sur trois sites de rencontre populaires, a fait fureur. J'ai reçu un nombre impressionnant de messages, à tel point que j'ai dû créer une section « Pour lui » sur Karmasutra.com, mon bébé.

Le site a vu le jour il y a presque deux ans alors que ma copine Julie était à la recherche de son « âme sœur ». C'est elle qui est l'instigatrice de ce site et l'idée lui est venue à la suite d'une période de découragement. Elle avait vécu trop de désillusions sur les sites de rencontre et n'en pouvait plus de gaspiller autant de temps et d'espoir. À la base, il s'agissait de constituer une espèce de banque de différents types de cas décevants et surtout les « professionnels ». Ces hommes qui, abonnés à perpétuité, hantent les sites de rencontre pendant des années sans trouver celle qu'ils cherchent, ou qui y demeurent même après avoir trouvé une compagne dans l'espoir de dénicher mieux. Ils étaient si nombreux que c'en était ridicule.

Julie « testait » ces hommes, au gré de ses propres recherches. L'éventail de comportements douteux, d'anecdotes savoureuses ou dépassant l'entendement s'était considéra-blement élargi. Pauvre elle… elle s'était bien dévouée à la tâche, mais elle avait failli y laisser son équilibre mental. Moi, comme j'étais toujours mariée, je m'étais contentée de colliger tout ça, de mettre un blogue en ligne et d'en faire la promotion sur Facebook; les commentaires et contri-butions n'avaient pas tardé à affluer. Tant de femmes se plaignaient d'hommes indécis, mauvais baiseurs, menteurs que c'en était déprimant. *Fiou!* me disais-je lors de mes fréquents et interminables dialogues intérieurs, *Gilles est pas parfait, mais au moins, il est là!* C'était évidemment à l'époque où j'étais encore innocente, dans tous les sens du terme.

J'avais aussi insisté pour répertorier les « bons gars », ceux qui n'avaient jamais réussi à émouvoir Julie, ma petite chérie idéaliste et refusant tout compromis.

— Je suis sûre qu'il y a un paquet de laissés-pour-compte juste parce qu'ils sont pas assez pétards, frimeurs ou flam-boyants. Parmi tous ceux qui ont l'air de rien, de même, il doit bien y en avoir qui gagneraient à être découverts, non ?

— Ben oui, c'est sûr. Y'a des femmes pour ces gars-là comme y'en a pour les autres, faut juste trouver le bon match !

Elle en savait quelque chose, puisqu'elle avait orchestré des unions qui semblaient solides, par exemple, celle de notre amie commune Valérie, avec Robert, un homme qui avait de très belles qualités et des atouts intéressants, mais devant qui Julie n'avait pas ressenti les papillons tant espérés. Donc, au fil du temps, de nombreuses lectrices ont enrichi ma banque de pseudos, m'ont confié des anecdotes qui alimentent les billets mensuels de Karma sutra, per-mettant au site une expansion incroyable. Les débuts modestes d'un blogue parmi tant d'autres, une espèce de DateAdvisor plus ou moins inspiré du célèbre site de voyages TripAdvisor, se sont assez rapidement transformés en conte de fées. Grâce aux merveilleuses possibilités des réseaux sociaux et à des publicités bien ciblées, le nombre de membres s'est décuplé.

Pour diversifier le contenu et y ajouter des rubriques et des services, j'ai dû le transformer en véritable site, avec une section « Membres » payante. J'offre à celles qui ont choisi de s'abonner la possibilité de partager leurs mésaventures dans le respect et la politesse, autant que possible, et je leur fournis des renseignements privilégiés sur certains pseudos de notre banque en fonction de leurs préoccupations. Toutefois, je ne permets pas l'accès au détail des fiches ; ces renseignements demeurent confidentiels puisqu'il ne s'agit pas de déclencher une chasse aux sorcières, mais bien de faire certaines mises en garde. Le bitchage et les règlements de compte en ligne ne font pas partie des services offerts par Karmasutra.com.

— On veut être *fair,* mais pas trop méchantes, quand même, hein ?

— Parle pour toi, m'avait répondu Julie, avec une moue désabusée. Moi, après autant de *losers,* je sais plus trop… je manque de perspective, on dirait !

— Arrête, c'est pas tous des *losers.*

— Non, mais suffit qu'un homme fasse le con et ça gâche tout pour les autres ! Après les gars se demandent pourquoi on est méfiantes et découragées…

C'était bien le cas, comme en témoignaient nos membres. De fil en aiguille, le site Karmasutra.com est devenu hyper populaire auprès de milliers de femmes qui, aujourd'hui, sont heureuses de payer un forfait pour s'outiller dans leur démarche. La recherche de l'âme sœur est bien la quête la plus universelle qui soit et, sans aucun doute, la plus périlleuse ! Jadis un simple outil efficace, Karma sutra est devenu le choix numéro un des femmes célibataires qui souhaitent augmenter leurs chances et diminuer les pertes de temps incroyables occasionnées par les sites de rencontre traditionnels.

Number one, numero uno ! C'est pas moi qui le dis, c'est Google analytics ! C'est pas merveilleux, ça ?

J'offre en effet un service incomparable : vérification de l'authenticité des pseudos sur les sites les plus populaires, évaluation de leur potentiel et de leur sérieux, tant au lit que pour des relations plus engagées, trucs et astuces pour détecter les menteurs, fraudeurs, courailleux et indécis chroniques, service de « match » basé sur de vraies données et, surtout, écoute et partage de renseignements et de critiques.

Bref, grâce à mes talents en informatique et à mon flair, grâce aussi à Jessica, ma voisine monoparentale ferrée en marketing Web, j'ai réussi à faire connaître le site, à le faire apprécier et à le faire recenser par des magazines et une foule de blogues et de journaux. J'ai même été invitée à en parler sur les ondes d'une quantité impressionnante d'émissions de télé et de radio populaires. C'est d'ailleurs là que mes enfants ont appris la vraie nature de mon travail. J'avais tenté, au début, de préserver l'anonymat du site auprès de mes petits chéris, devenus de merveilleux jeunes adultes, pour des raisons de respect envers leur défunt père. Mais cela n'a plus d'importance aujourd'hui, puisqu'ils ont conclu qu'il ne s'agissait que d'une entreprise de services comme une autre et ne connaissent pas mes motifs. Ils se réjouissent même de ma notoriété sans se douter que c'est ma haine envers mon mari qui m'y a menée. Peu importe. Karmasutra.com obtient aujourd'hui des dizaines de milliers de *clics* par semaine et les offres de publicité de toute sorte abondent. Le site se classe désormais premier sur les moteurs de recherche lorsqu'il est question de rencontres, de clubs de célibataires ou d'activités.

Ces clubs proposant des sorties, cours de cuisine ou activités de plein air réservés aux célibataires deviennent d'ailleurs de plus en plus populaires, et je suis sur le point de conclure des ententes avec plusieurs d'entre eux pour faire des échanges de promotion.

Why not ? comme dirait Julie.

Think big, s'tie, comme dirait l'autre.

J'ai fait de Karma sutra quelque chose dont je suis très fière, et je me retrouve à la tête d'une entité qui deviendra incessamment une entreprise des plus lucratives. Des limites ?

Pantoute. J'en ai trop eu dans mon autre vie. F-i-n-i,
fini.

J'ai même entendu parler d'un blogue qui s'est inspiré de Karma sutra pour créer son équivalent masculin et parler de certains types de femmes sur les sites. Leurs catégories sont différentes des nôtres : les hystériques, les désespérées, les filles à l'argent, celles qui cherchent un homme pour prendre soin d'elles (et de leurs enfants) et les profiteuses, entre autres. Malheureusement pour eux, ça n'a pas marché, mais c'est quand même flatteur de se faire imiter, non ? De toute manière, j'ai un peu de mal à croire que les travers féminins soient aussi dévastateurs que leurs pendants masculins...

Féministe, moi ? Juste un peu.

Quand elle a vu à quel point j'étais emballée et le nombre d'heures que j'y consacrais, Julie m'a laissé les rênes du blogue il y a deux ans, trop occupée qu'elle était avec sa nouvelle vie, et je lui en serai toujours reconnaissante. Je compte bien lui offrir une bonne part des profits ; lorsqu'ils seront considérables, ce sera une belle surprise. Elle protestera, mais elle ne pourra refuser un ordre de celle qu'elle surnomme affectueusement « Maman-Maryse ».

C'est d'ailleurs de là que vient mon nom de plume de Karma-Mamma. Joli, non ? Ça évoque une certaine sagesse, mais aussi une espèce d'aura olé olé qui ne me déplaît pas. Julie m'avait bien fait rire :

— C'est comme si t'étais un mélange de môman, de maîtresse d'école et de patronne de bordel. J'te verrais sur une pub avec des bigoudis sur la tête, des p'tites lunettes, un *g-string,* des jarretelles et des talons hauts !

— Avec une bouteille de vin pis un fouet ! avait ajouté Valérie.

L'image était parfaite, mais du champagne plutôt que du vin. Un jour, peut-être !

Cette vision avait du moins provoqué tout un dialogue intérieur. Je laissais désormais libre cours à ces échanges avec moi-même, en pensée ou parfois échappés à voix haute ou en un murmure à peine audible. Autrefois, j'en étais gênée, mais plus maintenant. Signe de créativité, selon certains ; signe de solitude, selon moi. Bref.

Moi en g-string et jarretelles, avec des rouleaux sur la tête et un fouet. Yeah, right !
Mais ça pourrait être cute, non ?
Cute ? Pas sûr ! Mes enfants triperaient, d'abord !
C'est une excuse, ça. C'est des adultes, si tu leur expliquais, ils comprendraient.
Ha ! ha ! J'imagine leur face !

Oui, ce serait drôle, mais pas pour tout de suite. J'ai changé, je me suis, disons, épanouie, mais pas à ce point...

Mes amies sont fières de me voir ainsi transformée. Mon Gilles doit se retourner dans sa tombe, lui si habitué à la douce Maryse soumise, fade, calme, naïve et résignée que j'étais. Ah! Que de chemin parcouru depuis ce fameux soir où je me suis rendue à son chevet à l'hôpital, inquiète et le cœur en miettes, sans me douter qu'il avait déjà rendu son dernier souffle. Le salaud. Au moins, je n'aurai pas eu à le tuer moi-même, ce qui, avouons-le, aurait pu avoir des conséquences fâcheuses et vraiment emmerdantes. Comme devenir malgré moi un personnage de polar, une meurtrière sanguinaire et sans remords, condamnée à la prison à perpétuité. Ah! ah! Elle était bien bonne! Moi qui n'aurais jamais fait de mal à une mouche, je crois bien que j'aurais été capable de l'assassiner s'il n'avait pas eu la bonne idée de mourir – probablement avec la queue dans la bouche de sa maîtresse ou dans une grotesque position qui n'était plus de son âge.

La prison ? J'en ai fait en masse avec lui pendant toutes ces années.

Je n'avais simplement pas été prête à admettre que notre mariage avait été une blague, du moins au cours de mes dernières années avec Gilles. Il avait tellement ancré ses propres lubies dans mon subconscient – nous vivions la vie parfaite, avec la famille idéale, et je devais m'estimer choyée – que j'avais fini par le croire. Qui étais-je, au fond, pour me plaindre ? Mon mari m'a toujours procuré un niveau de vie des plus confortables ; je vivais dans une belle maison spacieuse et décorée au goût du jour, sans âme, mais en tous points conforme à ce que les magazines de déco suggèrent comme modèle de « chez-soi de rêve », ou presque. On aurait pu manger à même le sol dans cette maison que j'astiquais dans ses moindres recoins, Gilles exigeant un foyer impeccable en tout temps. Je ne manquais de rien, mes placards débordaient de vêtements que je n'avais presque jamais l'occasion de porter, puisque ma vie monotone de femme casanière et semi-retraitée ne me fournissait que peu d'occasions de sorties. Ça me convenait, en ce temps-là. Mes enfants poursuivaient avec succès leurs études à l'université et se préparaient un avenir douillet, je conduisais une voiture récente et j'avais le loisir de pratiquer le yoga et de jardiner à ma guise. Tant que le souper était prêt et la maison propre au retour du travail du maître des lieux, tout allait bien.

Beurk. Fallait vraiment être épaisse...

Oui, mais une épaisse gâtée !

Aujourd'hui, grâce à l'héritage de mon cher mari, je peux demeurer oisive le reste de mes jours tout en étant assurée d'un confort plus qu'enviable. C'est pas beau, ça ? Avoir su, j'aurais bien aimé qu'il meure plus tôt, mais bon. Lorsque le notaire, qui s'occupait de la succession de Gilles, m'a expliqué que j'étais devenue une femme riche, je ne l'ai d'abord pas cru. Je savais que nous étions « à l'aise », oui, mais pas de là à nous considérer comme « riches ». Je ne connaissais pas l'ampleur des placements de ce cher Gilles et je ne savais pas que nous aurions pu nous permettre bien plus de folies – voyages de rêve, sorties chaque fin de semaine et autres extravagances. Mais Gilles n'aimait pas voyager, sauf sur un quelconque terrain de golf, ce qui ne m'attirait absolument pas.

Je crois bien qu'il m'a volontairement caché notre situation ; c'était une autre de ses façons de conserver sa mainmise sur moi. Cultiver mon insécurité, m'empêcher de le quitter comme j'avais plus ou moins songé à le faire à quelques reprises. Chaque fois, j'avais reculé ; pour les enfants, puis par crainte de me retrouver en situation précaire. J'aurais pu poser des questions, chercher à connaître la somme de nos avoirs, mais Gilles avait éparpillé les placements et, au fil du temps, mon faible intérêt pour les aspects financiers de notre quotidien s'est estompé. La comptabilité de mes clients me suffisait amplement, je laissais la nôtre à celui de nous deux qui gagnait le « vrai » salaire. Bien sûr, je ne me privais pas de mes petites escapades à la chaleur en hiver, sans lui la plupart du temps, et je savais qu'un fonds était prévu pour les études des enfants. Mais jamais je ne me serais doutée que je serais un jour dans la classe des gens dont les biens se dénombraient dans les sept chiffres. Champagne et caviar tous les soirs jusqu'à mon centième anniversaire, si le cœur m'en disait. Je pouvais même envisager des gigolos ou, à tout le moins, un troupeau de jeunes serviteurs agréables à l'œil pour prendre soin de mon terrain, de ma maison et de l'entretien général. Ce n'est pas mon truc, mais j'y réfléchissais, ne serait-ce que pour faire chier mon cher mari jusque dans sa tombe.

Chez le notaire, donc, j'avais été estomaquée avant de conclure qu'il me devait bien ça.

J'aurai pas enduré toute sa merde aussi longtemps pour rien, après tout.
C'est lui le grand perdant, au final, le loser.
Et moi je vais profiter de chaque cenne.
Tchin tchin, Gi-Gilles !

J'ai vite pris goût aux bulles et aux mets raffinés, surtout lorsque je me suis rendu compte que je pouvais manger au restaurant ou m'offrir un cuisinier chaque jour. Si ça, c'est pas la libération ultime !…

Il était tout de même étrange de constater que je ne verrais plus jamais cet homme avec qui j'avais partagé une si grande partie de ma vie. J'aurais voulu être triste, mais j'en étais incapable. Sans doute parce que les déceptions des dernières années étaient encore trop fraîches à ma mémoire. J'avais été d'une telle patience ! Ou d'une telle couardise, je ne sais plus et je m'en fous.

Dis-le : épaisse.

Non, pas épaisse. Peureuse, naïve, mais pas épaisse. J'y croyais, je voulais y croire.

Franchement…

Les premières années de notre union s'étaient pourtant avérées prometteuses. Lorsque j'ai rencontré Gilles, il terminait son bac en comptabilité, je commençais le mien en gestion. Les cours me plaisaient, j'adorais apprendre, mais j'aimais beaucoup l'informatique ; je me suis donc offert un double diplôme. Gilles était sûr de lui, déterminé ; il semblait savoir exactement où il allait, avait toujours réponse à tout, ne doutait de rien, et surtout pas de lui-même. Je l'admirais ; il m'avait « choisie », et moi, flattée de cet intérêt, je me suis laissé prendre dans son filet.

Mes parents étaient enchantés. Quand nous leur avons annoncé nos fiançailles – Gilles a fait ça de manière tout à fait vieux jeu : demande officielle à mon père et promesses de respect, d'amour et de dévouement à ma mère –, ils étaient aux anges. Leur fille unique s'était trouvé un bon parti, ils allaient avoir les petits-enfants dont ils rêvaient. Gilles représentait tout ce qu'ils souhaitaient pour leur princesse. Ils n'avaient pas tort, mais moi, je tenais à terminer mes études et à vivre un moment seule, en appartement, avant de cohabiter et de parler de mariage. Mes parents ne m'approuvaient pas, surtout mon père. Il avait peur que Gilles s'impatiente, ne comprenait pas mon entêtement à « jouer les indépendantes ». Étant donné que mon père avait toujours tenu à jouer son rôle de protecteur, de bon pourvoyeur et d'homme responsable, Gilles représentait à ses yeux le gendre idéal. Je crois que c'est pour ça que j'ai tenu bon… Peut-être devais-je me prouver que je n'avais pas besoin qu'on prenne soin de moi ? Peut-être voulais-je, comme ma mère avait tant essayé de me le faire comprendre, m'assurer que je pouvais me défaire du cocon protecteur presque exagéré dans lequel mon paternel m'étouffait depuis ma naissance ? En même temps, je trouvais rassurante et confortable l'idée d'avoir un homme solide sur qui m'appuyer.

Solide, oui. Juste un peu trop, hein ?

Ouain. Je pouvais pas savoir que ça pouvait devenir un problème…

Trop c'est comme pas assez, hein ?

Genre.

Pendant ce temps, nous apprenions à nous connaître. Je n'avais eu qu'un seul amant auparavant, et il me tardait de voir si Gilles serait aussi intéressant à cet égard. Je l'ai découvert bien vite. Je revois les vêtements qu'il portait ce soir-là et qui sentaient la bière, alors que nous revenions d'un spectacle de la Saint-Jean. Nous n'avions pas encore fait l'amour, mais nos caresses devenaient de plus en plus intenses. La soirée avait été bien arrosée et j'étais déterminée à faire avancer les choses. Nous étions enlacés, dans son lit d'étudiant ; notre désir l'un pour l'autre montait rapidement. Je trouvais qu'il embrassait bien et je me sentais très à l'aise avec lui. Me souvenant de mon aventure avec mon prof, j'ai eu envie de lui faire plaisir. Toutefois, en voyant l'ampleur de son érection lorsque je lui ai retiré son pantalon, j'ai presque paniqué. Son membre était énorme, pour autant que mes maigres connaissances me permettaient d'en juger. Connaissances ou pas, c'était impressionnant et pas rassurant. J'étais censée prendre cet engin en entier dans ma bouche, comme je l'avais fait avec Pascal ? Il allait me pénétrer avec ça ? J'avais souvent entendu des filles vanter les mérites d'un membre aussi immense, mais en cet instant décisif, j'étais plutôt craintive et perplexe. Quoi qu'il en soit, je n'ai pas reculé. Je me suis toutefois assurée de garder ma main autour dudit sexe pour l'empêcher de m'étouffer… et ça s'est relativement bien passé. Ce soir-là, Gilles m'a fait l'amour doucement, s'inquiétant de ne pas me causer la moindre douleur. Je ne trouvais pas la situation particulièrement excitante, pas plus que son «arme de destruction massive», ainsi qu'il s'amusait à désigner son pénis hors-norme, mais je me suis dit que je finirais par m'y habituer, au pire, ou même à l'apprécier. Je l'espérais. Bref, après plus d'un an, j'ai accepté la cohabitation et, enfin, le mariage.

L'événement a été aussi parfait que j'aurais pu l'espérer. Gilles aurait voulu une noce traditionnelle, voire quelque peu extravagante, mais j'ai obtenu qu'elle soit sobre, champêtre, et empreinte de simplicité. Nous nous sommes mis d'accord sur une espèce d'entre-deux avec cérémonie à l'église et fête extérieure dans les Laurentides. Le tout tenait davantage de la journée en plein air que du mariage conventionnel. Je ne garde que de bons souvenirs de ce jour, l'un des plus beaux de ma vie. J'étais amoureuse, j'avais confiance en l'avenir, j'avais des rêves plein la tête. C'est beau, la jeunesse, hein ?

Si j'avais su…

Arrête, c'était pas complètement l'enfer.

Non, c'est vrai. OK, j'avoue.

Les premières années de notre mariage, j'ai insisté pour que nous partagions toutes les dépenses du ménage jusqu'à ce que nous ayons des enfants, ce que j'ai repoussé du mieux que j'ai pu. Pas que je n'avais pas envie de procréer, je rêvais au contraire de fonder une famille nombreuse, mais j'avais un travail de gérance dans un bon restaurant du centre-ville, et ce boulot me plaisait. Devenir enceinte m'aurait forcée à choisir entre ma carrière et mon rôle de mère, car Gilles voudrait me voir rester à la maison le moment venu, et je n'étais pas encore prête à ça, même si j'étais d'accord avec le principe.

J'étais heureuse ; notre union m'apportait tout ce que j'avais espéré, j'étais amoureuse d'un homme prévenant, affectueux, romantique, qui me traitait comme une reine. Pourquoi risquer de changer quoi que ce soit à ce tableau parfait ? Pour un jeune couple de notre âge, nous étions très à l'aise ; Gilles avait déjà, même à cette époque, amassé un bon montant d'argent qu'il faisait sagement fructifier. Donc, rester à la maison avec les enfants ? D'accord, mais pas tout de suite.

Mon boulot n'en était pas un de très grande envergure, mais travailler avec le public me passionnait. C'est d'ailleurs dans ce restaurant que j'ai connu Julie et Valérie, mes meilleures amies, celles qui sont toujours là depuis toutes ces années. Pourtant, rien ne nous prédestinait à un rapprochement. D'abord, elles sont toutes les deux plus jeunes que moi. Julie terminait l'université à l'époque et travaillait comme serveuse au restaurant quelques soirs par semaine et j'avais moi-même embauché Val, alors jeune cégépienne, comme hôtesse. Par ailleurs, ces filles étaient tout à fait différentes l'une de l'autre. Julie était extravertie, mordait dans la vie à pleines dents et possédait un magnétisme irrésistible. Elle plaisait aux clients, surtout aux hommes. Sa silhouette athlétique, ses longs cheveux blonds, ses yeux bleus et son sourire de mannequin faisaient leur effet. Valérie, quant à elle, était à l'opposé. Une petite souris timide, mais suffisamment gentille pour bien accomplir son rôle à l'accueil. Elle n'était pas très sûre d'elle, ne faisait pas de vagues, on la remarquait à peine, mais elle était efficace et d'une politesse irréprochable. Je l'appréciais sans vraiment la connaître. Cependant, cette convivialité toute superficielle a basculé un certain soir où j'étais restée jusqu'à la fermeture, ce qui était inhabituel. Cela devait être le destin ; j'y crois, car si je n'avais pas été là, bien des choses auraient pu être radicalement différentes dans la vie de mes amies… qui n'en seraient sans doute pas devenues. Et c'est ce soir-là que j'ai découvert mon côté protecteur et maternel, un aspect de ma personnalité qui ne m'avait jamais été dévoilé aussi concrètement. Oui, j'ai toujours eu tendance à protéger les faibles et les démunis, mais je n'avais pas encore eu de preuve tangible de ce penchant.

Ben oui, une vraie mère Teresa !

N'ayant jamais eu de frères ni de sœurs, encore moins de cousins, je n'ai pas eu à agir en « aînée ». Après l'incident de ce fameux soir, pourtant, c'est naturellement que j'ai pris mes deux employées sous mon aile, tout en évitant de justesse à Julie de subir une terrible agression.

J'entends encore Valérie qui, de la ruelle derrière le restaurant, me crie de venir. Elle est livide. Et là je vois Julie, menacée de la pointe d'un couteau par un client visiblement émoustillé à qui elle a refusé les avances déplacées plus tôt dans la soirée. Ce n'était pas étonnant. Julie possédait déjà ce charme dont elle ne se doute même pas, une sensualité presque animale qui attire les hommes de tous âges comme un aimant. C'était parce qu'elle n'en était pas consciente qu'elle a été entraînée dans cette situation dangereuse. Elle n'y était pour rien : certains hommes sont simplement incapables d'accepter le rejet. Pauvres petites bêtes incomprises. Alors, ils sortent leurs muscles et essaient de prendre ce qu'ils croient être leur dû, comme ils le font depuis l'ère de l'homme de Cro-Magnon.

C'est fou comment l'évolution se fait pas au même rythme pour les hommes et pour les femmes, hein ?
Ouain, leur cerveau a beau grossir, ils pensent encore avec leur queue.
Rien à faire avec ça.

C'était sans compter sur ma présence et ma colère. Lorsque j'ai peur, j'attaque. Du moins, c'était ce que je faisais jusqu'à ce que Gilles, à force de me dénigrer et de me faire douter au fil des années, me fasse rentrer les griffes et remettre mon jugement en question. Je n'en étais pas encore là. Oh, que non.

À l'époque, j'étais une furie lorsque quiconque s'en prenait à plus faible que lui. Je suis sortie, j'ai vu l'homme menacer mon employée, et j'ai vu rouge. J'ai attrapé le plus gros chaudron qui traînait à la cuisine, puis je me suis avancée vers l'agresseur en l'engueulant. Quelle décharge d'adrénaline !

Abasourdi, il a pris la fuite, Julie s'est réfugiée dans mes bras et Val s'est mise à pleurer. Une manière comme une autre de commencer une amitié, non ? Celle-ci s'avère toujours aussi précieuse, bien qu'elle ait subi certaines transformations majeures au fil des ans. Julie est toujours aussi populaire auprès des hommes, Valérie est toujours aussi fragile. Moi ? Je ne suis plus la même. Loin de là.

Depuis ce jour, Julie et Val me voient comme leur protectrice, la femme sage et solide, celle qui garde son sang-froid dans la tempête, qui a réponse à tout. Hmmm. Ça me convient, ça me ressemble, même si pour mes tempêtes à moi, mes réactions n'étaient pas aussi concluantes.

Julie, c'est la fonceuse, celle qui projette une image d'assurance quitte à paraître légèrement arrogante. Je l'ai vue en larguer, des hommes ! Sans le moindre ménagement, en plus. Elle est toujours aussi attirante après toutes ces années, belle et pleine de magnétisme, mais je l'ai sentie beaucoup plus fragile après sa rupture avec Danny, son conjoint durant plus de seize ans. C'est là qu'elle a dû accepter que les choses ne se passent pas comme prévu. C'était sans doute une première, et la « claque dans la face » était spectaculaire. Non seulement Danny a rompu, mais il l'a fait pour une femme plus jeune que Julie, avec qui il voulait, à la mi-quarantaine, fonder une famille.

Ouch. Dans les dents.

Elle a passé un sale quart d'heure. D'abord, l'enfant gâtée qu'elle était n'avait pas ce qu'elle voulait, même si je la soupçonnais d'avoir souhaité mettre fin depuis un moment à cette union qui l'ennuyait. Ensuite, elle a entrepris, après plusieurs mois de célibat, la recherche du prince charmant. Ça a été un dérapage considérable, en fait, durant lequel tous ses repères se sont volatilisés, les uns après les autres.

Comme elle est optimiste de nature et qu'elle a auparavant réussi tout ce qu'elle a entrepris, elle a tenu bon pendant de longs mois. Mais au fil du temps, la mascarade des sites de rencontre a eu raison de sa bonne foi. Elle a fini par comprendre, trop tard, que cet univers constitue en fait un « monde parallèle » qui a bien failli la détruire.

Je ne sais pas tout ce qui s'est produit pendant la fin de cette période, car nous en parlions très peu ; je passais un moment assez pénible moi-même, et nous préférions ne pas revenir en arrière. Cependant, le fait qu'elle a dû gérer cette crise existentielle sans moi me soulage, en quelque sorte. Je ne crois pas que j'aurais pu lui être bien utile, de toute manière. Elle s'en est mieux sortie toute seule que si j'étais intervenue pour essayer de la guider, et c'est ça l'important.

Aujourd'hui, elle semble heureuse ; elle a trouvé ses fameux papillons même s'ils ont pris une forme pour le moins inattendue. Je ne sais pas trop quoi penser de sa situation assez peu orthodoxe, mais ça ne me regarde pas. Elle respire le bonheur, et je me réjouis pour elle.

Valérie aussi s'est transformée. Elle sort enfin de sa coquille, fait des choix pour elle seule, dorénavant, et pas seulement pour le bien de sa princesse d'adolescente. Elle est gentille, sa Sabrina, mais il y a des limites aux sacrifices qu'une mère devrait faire pour compenser l'absence d'un père. Ma douce Valérie me semble aussi heureuse, sereine, et très amoureuse. Enfin ! Je n'en pouvais plus de la voir se ratatiner à coups de « mononcles » ternes et sans intérêt. Qu'est-ce qu'elle leur trouvait ? Ils n'étaient que des béquilles, des trompe-solitude. J'ose espérer qu'ils étaient, au moins, de bons amants, même si l'image qui me vient de certains dans le feu de l'action est, disons… douteuse.

Non, tu veux dire carrément : ouache !

Ouain. C'est pas mal ça.

Je me souviens très bien de sa peine, alors que, petite chose de vingt-trois ans apeurée et anéantie, Valérie m'annonçait sa grossesse en pleurant. C'était moi qu'elle était venue voir en premier, en moi qu'elle avait eu confiance, avant même d'aller voir sa mère ou le père de l'enfant à venir. Je l'avais consolée et aidée à considérer les différentes options, j'avais essayé de la guider et surtout de savoir à quel point son copain s'engagerait. Ils ne se fréquentaient pas, ces deux-là, ça n'avait été qu'une aventure, événement rare dans la vie de Val ; elle refusait de me divulguer la position du géniteur, mais je me doutais qu'il se ferait désormais invisible. J'ai tenté de la convaincre d'au moins lui apprendre la nouvelle. Peut-être avait-il une solution ?

À un si jeune âge, sortant à peine de l'université, Valérie ne savait pas ce qu'elle voulait, était incapable de se décider. L'avortement la terrorisait à tel point qu'elle avait laissé les semaines passer sans agir. Puis, il avait été trop tard pour l'intervention, et c'est comme ça qu'elle est devenue mère. Par autosabotage, sa spécialité. Paniqué, le père de l'enfant avait tout de même tenté d'être plus ou moins correct.

De mon côté, je l'ai aidée du mieux que je le pouvais, mais Gilles n'était pas d'accord. Il la jugeait sévèrement, et j'étais déchirée entre mon mari et mon amie. Depuis que nous étions ensemble, Gilles avait toujours « toléré » mes amies, mais sans leur manifester de réel intérêt. Ça ne me perturbait pas, au contraire. Il me comblait de plusieurs façons, je n'exigeais pas de lui que mes amies soient aussi les siennes. J'aurais dû voir, à ce moment-là, les premiers signes des problèmes qui m'attendaient, mais j'ai préféré les ignorer. De toute manière, j'avais déjà les bras pleins avec

Oli et Fanny, c'est du moins l'excuse que j'ai choisie pour ne pas m'engager davantage dans la vie de Val.

En effet, avant la naissance d'Oli, notre vie de couple avait été plus que satisfaisante, exaltante, même. Mais elle tardait à se rétablir de manière aussi solide qu'elle l'avait été, surtout depuis l'arrivée de Fanny, et je m'inquiétais. Pendant mes grossesses, Gilles se montrait peu enclin à faire l'amour. Il prétendait que c'était parce qu'il voulait s'assurer de mon bien-être, mais je n'en étais pas certaine. Puis, au fil du temps, il m'a semblé que Gilles ne me regardait plus tout à fait de la même façon. Toutefois, je n'avais aucune preuve tangible de quelque problème réel, alors j'ai regardé en avant et je me suis jetée corps et âme dans la vie de mère de famille.

Valérie, elle, s'est installée avec sa mère qui vivait seule depuis que son père s'était volatilisé, quelque dix ans plus tôt. Le père du bébé de Val travaillait sporadiquement et ne s'engageait que de façon marginale envers Val et sa fille. Il n'avait que faire d'un bébé et le montrait de façon tout à fait éloquente. Pauvre Val, elle ne l'avait pas facile, en matière de modèles de pères… Ça a été tout un bouleversement, et je m'en voulais terriblement de l'abandonner comme ça.

Toutefois, la maternité avait été, pour moi aussi, un véritable tremblement de terre. J'avais toujours su que j'aimais prendre soin des gens et je me doutais que cette nouvelle étape de ma vie m'apporterait des joies indescriptibles. Cependant, je ne m'étais pas attendue à un amour aussi démesuré ni à un tel dévouement viscéral. Mes deux grossesses avaient été des sources d'émerveillement sans fin, et rien ne venait gâcher mon plaisir. Grâce aux placements judicieux de Gilles, nous étions déjà installés dans notre belle maison et menions une vie plus que confortable.

Lorsque Oli est né, je suis devenue... comme folle. Obsédée par la perfection de ce petit être, j'étais presque névrosée tant j'étais pâmée. L'idée de travailler à l'extérieur de la maison me paraissait absurde. Gilles était aux anges : avoir un fils correspondait à un tas de valeurs traditionnelles, *borderline* quétaines, que je n'avais pas vues venir, mais je trouvais ça mignon, à l'époque. La lignée des mâles Provost se perpétuait et ça le comblait autant que moi. Mes parents s'extasiaient également, surtout ma mère. C'était comme ça aussi pour les parents de Gilles, Oli étant leur premier descendant. J'étais dans une bulle où rien d'autre n'a existé jusqu'à la naissance de Fanny.

Folle à lier, prise 2.

À travers tout ça, j'ai bien donné quelques coups de main à Val, gardant sa fille à l'occasion et l'aidant de mon mieux, mais alors, même si nous étions toujours amies, nous avions du mal à trouver le temps de nous voir.

Julie, quant à elle, commençait sa relation avec Danny. Elle passait tout son temps avec lui, voyageait et vivait sa vie de professionnelle sans enfants. Julie n'avait que peu d'intérêt pour la marmaille, tant la mienne que celle de Val. Notre amie nous rendait visite, faisait mine de s'intéresser aux adorables jasettes d'Oli, au verbiage de Fanny, articulait quelques « gougou-gaga » sans conviction à l'intention de Sabrina, mais sans plus. Subjuguée par mes enfants, je ne m'inquiétais même pas de savoir si la maternité m'éloignerait de mon amie.

Bref, les années ont passé. Val cherchait continuellement un père pour sa fille et un homme pour prendre soin d'elle. Elle voulait s'émanciper de sa mère qui jouait aux martyrs ; elle se lamentait qu'après avoir élevé sa fille seule, elle devait maintenant voir à sa petite-fille. La vie était injuste, blablabla.

Il était compréhensible que Val veuille y échapper, mais ses choix étaient souvent douteux. Elle a continué ses études, a travaillé fort, et s'est offert une succession d'hommes ennuyeux et moches qu'elle choisissait en fonction de la stabilité qu'ils pouvaient apporter dans la vie de Sabrina plutôt que de la satisfaction de ses propres besoins. Des imbéciles, qui faisaient semblant de s'intéresser à sa fille juste pour se sentir importants et flatter leur ego de mâle protecteur. Mais surtout, juste pour coucher avec la mère. Beurk. Il aura fallu seize ans pour qu'elle comprenne. Grâce à Julie et moi, elle va beaucoup mieux, l'adolescence houleuse de sa fille semble calmée, et elle est heureuse avec Robert qu'elle fréquente grâce à Julie. Pourtant, quelque chose m'agace, un petit pli me barre le front quand je songe à elle et à certaines de ses remarques en apparence anodines, sans que je puisse en cerner la cause. Quelque chose cloche. Mais quoi ? Le temps me le dira.

Pendant toutes ces années, j'ai été la confidente de mes deux amies, leur conscience. Je les protégeais, les écoutais, tentais de les aider à faire leurs choix et à naviguer dans leurs préoccupations. L'époque où j'étais leur mère d'adoption est révolue. Je les aime toujours, je veille sur elles comme avant, mais je privilégie enfin mon propre bonheur. Il m'a fallu longtemps pour y arriver.

Lorsque Gilles est (enfin) décédé, j'ai décidé de penser à moi d'abord. Il était temps. Depuis la naissance de mon fils Olivier, il y a déjà vingt-trois ans, ma vie tourne autour de lui et de sa sœur, ma Fanny, mes deux amours. Je leur ai suffisamment donné, il est temps pour eux de déployer leurs ailes, ce qu'ils font très bien. Et surtout, il est temps pour moi de déployer les miennes.

D'où il se trouve, Gilles croit sans doute que je me casserai la figure en tentant de sauter dans le vide et de me consoler de son départ, toute seule, abandonnée à moi-même sans personne pour me guider. Moi qui ai passé tant d'années à regarder ma vie se dérouler sans intervenir. Ça, c'était l'ancienne Maryse.

Ha ! ha ! ha ! S'il savait combien je me sens enfin LIBRE !

Pas libre de tout, et tu le sais…

Oui, oui, j'ai encore des comptes à régler, mais ça va être le fun…

Vraiment ?

Oh oui, vraiment. J'ai plus peur, j'ai plus de doutes.

3

« Si vous voulez remplacer l'admiration de beaucoup d'hommes
par les critiques d'un seul, allez-y, mariez-vous. »
KATHARINE HEPBURN

J'ai mis beaucoup trop de temps à me rendre compte que mon défunt mari appartenait à la catégorie des hommes qui, dans les cercles psychologiques, sont nommés des « pervers-manipulateurs-narcissiques », ou quelque chose s'en approchant, selon les écoles de pensées. Gilles n'a jamais levé la main sur moi, ses agressions étaient beaucoup plus subtiles et insidieuses, et je crois sincèrement que son comportement, même abject par moments, n'était pas dicté par la méchanceté, mais plutôt par une façon bien inadéquate de compenser de profondes carences affectives. Une espèce d'instinct de survie.

Dans ce schéma, la personne « atteinte » impose son besoin viscéral de bien paraître et de s'élever, quitte à écraser tout le monde pour y arriver. Tant que les gens avec qui cette personne partage sa vie sont conformes à l'image qu'elle souhaite projeter – succès professionnel, équilibre émotif, enfants bien élevés et talentueux, épouse attirante, mère aimante et femme bien domestiquée, résidence enviable dans un quartier prestigieux, possessions matérielles dernier cri –, tout va pour le mieux. Mais dès qu'une parcelle de cet édifice s'effrite, le pervers-manipulateur-narcissique se braque et tente de détruire, à coups de dénigrement, de chantage, de menaces et de critiques, l'objet de sa déception. Devant un auditoire tel que des amis, collègues ou voisins, tout doit être parfait. Sinon… gare à son courroux !

Ainsi, nos premières années ensemble correspondaient à ses critères. J'étais jolie, intelligente, et surtout admirative de mon conjoint. J'ai passé des moments fantastiques avec cet homme, et rien n'aurait pu me préparer à ce qui allait se produire. Notre avenir s'annonçait des plus roses.

J'ai enfin compris qu'en donnant naissance à Olivier je suis devenue, à ses yeux, une simple génitrice. J'ai perdu mon statut de femme attirante au corps de jeune fille, celui que ses copains devaient secrètement envier. Ce n'est pas arrivé d'un seul coup, non. Plutôt comme un cancer qui se propage lentement, insidieusement, sans aucun indice pour en déceler la présence avant qu'il soit trop tard. Je n'avais plus autant de temps à consacrer à l'entretien ménager, ni à mon mari et à ses besoins. De plus, le lien qui m'unissait à mon fils le rendait jaloux. Aurais-je dû le savoir ? Peut-être, mais j'en doute. Gilles a donc tout fait pour développer son propre lien avec lui, ce qui aurait été tout à fait louable s'il avait cherché à reconnaître les traits de personnalité et les champs d'intérêt d'Oli plutôt que lui imposer les siens. Résultat ? Dès que mon fils a commencé à marcher, son père a décidé qu'il en ferait un joueur de hockey chevronné, comme il l'avait été lui-même, grâce aux conseils et à la détermination de son propre père. Oli a patiné à tout juste quatre ans et a fait ses débuts presque immédiatement dans la ligue de hockey de la ville. Ils étaient mignons, ces petits, chancelants sur leurs patins, mais si fiers de porter l'uniforme ! La première année, Gilles tentait de masquer son irritation lorsque Oli, tout candidement, passait tant bien que mal la rondelle à un joueur de l'équipe adverse parce que c'était son ami... Il est vite devenu clair que notre fils n'avait pas la moindre fibre compétitive. Gilles ne s'est pas démonté pour autant. À force de critiques, de menaces, de chantage et d'entraînements excessifs, il a réussi à en faire un joueur talentueux, quoique peu agressif. Ça mettait Gilles hors de lui. Lors des classements, Oli ne se démarquait pas comme étant la petite vedette que son père aurait voulu voir. Il n'était que le passeur, et ça, Gilles ne l'acceptait pas.

— J'espère que tu vas scorer, cette fois-ci ! Tu pourrais bien faire ça pour moi ? Tu sais le Nintendo que tu veux ? Tu sais c'que t'as à faire pour l'avoir...

Je pensais alors que c'était inoffensif, bien que douteux. Tant d'autres pères s'adonnaient à un tel chantage ! Bref.

Au fil des années, l'attitude de Gilles a empiré. Il critiquait son fils moins subtilement, puis, l'année où Oli, à dix ans, s'est retrouvé dans une équipe classée B plutôt que dans le prestigieux AA, ou BB ou même A, tout a dégringolé. Gilles s'est mis à ignorer Oli, n'assistant que rarement aux parties, prétendant qu'il avait honte d'être ainsi la risée des autres parents d'enfants plus doués. Gilles m'avait très tôt fait comprendre que ce domaine ne me regardait pas, mais en voyant mon enfant souffrir de la sorte, j'étais incapable de rester à l'écart. La tension montait et la furie en moi s'éveillait. Je le contredisais de plus en plus ouvertement, prenais le parti d'Oli et compensais du mieux que je le pouvais. Mon fils se rapprochait de moi, et j'étais devenue l'ennemie.

Pour une histoire de hockey ? Con de même ?
Oui, con de même.

C'était juste irrationnel. Il aurait fallu que Gilles fasse
une thérapie, mais il n'aurait jamais voulu.
Il m'aurait sûrement dit : « Es-tu folle ? Si y'a
quelqu'un qui a besoin de thérapie, ici, c'est
certainement pas moi ! »
Ou encore : « C'est des charlatans, les psys, des crosseurs
qui veulent ton argent pour te faire accroire que tes
problèmes datent de ta petite enfance. Faut être épaisse
pour croire à ça ! »

« Épaisse », oui, je l'ai tellement entendu, ce maudit mot.
Jamais directement, presque toujours précédé du fameux
« Faut être épaisse pour pas comprendre que c'est pas juste
du hockey : c'est la discipline, l'effort » ; « épaisse de gâter
ton enfant en l'empêchant de brailler quelques minutes le
soir » ; « épaisse, encore, de les emmener à la clinique pour
un rhume» (plutôt une otite ou même une pneumonie).
Ou : « Faut être paresseuse pour pas être capable de faire le
souper à temps ou de ramasser les vêtements des enfants.
Et encore : « Faut ben rester à maison toute la journée pour
être trop fatiguée pour faire l'amour… »

Ben oui, Gilles, j'étais épaisse ET paresseuse.
Et grosse, et fade.

Lorsque Oli a manifesté son intention d'abandonner le
hockey, vers l'âge de douze ans, ça en a été fini de lui. Il est
devenu l'échec de son père, sa plus grande déception. Qu'il
réussisse brillamment ses études, que ses nombreuses
passions en fassent un jeune homme intelligent, peu enclin
à tâter de l'alcool ou de la drogue comme beaucoup de ses
camarades, n'avaient aucune importance aux yeux du
paternel. Oli ne deviendrait pas l'athlète que son père avait
tant souhaité le voir devenir, rien ne pourrait compenser,

ou encore moins le réhabiliter à ses yeux. Moi ? J'étais passée de mère exemplaire à traîtresse qui ne soutient pas son mari, à celle qui ne sait pas comment faire de son fils un homme et qui le garderait dans ses jupes jusqu'à ce qu'il ait quarante ans.

Ou qu'il « devienne » gai.

Quel con.

Je me suis détachée de lui un jour à la fois, mais irrémédiablement. Je repensais avec nostalgie à nos moments magiques et passionnés et je refusais de croire qu'ils étaient disparus pour toujours. Je voulais désespérément retrouver mon mari, l'homme qui me surprenait avec un bouquet de roses lorsque je m'y attendais le moins, qui me prenait dans ses bras avec amour, qui plongeait ses yeux dans les miens avec tant d'intensité que j'en tremblais. Mais je ne pouvais pas faire abstraction de la douleur de mon fils. On peut s'attaquer à moi, j'arrive à me défendre d'une façon ou d'une autre. Mais qu'on s'en prenne à mon enfant ? Pas question. Les hostilités n'étaient pas ouvertes, nous avions simplement déclenché une guerre d'usure, et je pense que nous avons trouvé tous les deux une façon de nous adapter. Pour la première fois, à l'aube de mes quarante ans, je me suis mise à douter de notre avenir ensemble. Je ne croyais pas à la catastrophe, mais ma bulle de bonheur ne flottait plus aussi légèrement.

Gilles devait vivre à peu près la même chose que moi, puisqu'il redevenait parfois cet homme doux et gentil dont j'étais tombée amoureuse ; il pouvait admettre qu'il allait trop loin et s'en repentir avec une apparente sincérité. Je reprenais alors espoir que tout s'arrange. Ce sont ces moments, évidemment, qui m'ont alors empêchée de partir, et qui m'incitaient à croire que tout n'était pas perdu. Ça et les enfants, bien entendu. Fanny grandissait, elle aussi, et la perspective horrible de bouleverser sa vie et celle de son frère en leur imposant nos discordes me poussait à vouloir arranger les choses.

La relation de Fanny avec son père, d'ailleurs, était très différente. La princesse de Gilles ne pouvait pas le décevoir, elle était parfaite. Il avait au moins eu l'intelligence de revoir ses attentes envers elle en cours de route et au fil de ses déboires avec Oli. Fanny pouvait faire ce qu'elle voulait, son père l'approuvait avec un sourire gaga surtout lorsqu'elle avait manifesté et maintenu son goût pour le soccer. Il est vrai qu'elle savait comment s'y prendre avec lui, flattant son ego, cajolant son orgueil. Je me suis bien souvent demandé si elle n'avait pas hérité des penchants de manipulation de son père, mais je crois bien que toutes les filles ont ce talent inné avec leur géniteur. C'est naturel.

Toi aussi, t'étais une fifille à papa. Tu devrais faire
pareil avec Gilles !
Euh… hein ?
Ben oui, tant que tu le flattes et que t'es d'accord avec
lui, tu peux obtenir ce que tu veux.
Hmmm. Vraiment ?
Pas sûre…

Évidemment, Oli percevait très bien le manège plus ou moins conscient de sa sœur, mais il ne lui en a jamais voulu. De nature généreuse, il se réjouissait plutôt qu'elle ne subisse pas le même sort que lui. Il l'utilisait même pour qu'elle obtienne de leur père le genre de choses qu'il se faisait refuser. Une activité, par exemple, ou un gadget à Noël, comme une console de jeu ou un voyage.

Les sorties en famille, hmmm. Autre sujet pénible.
Gilles accordait une importance démesurée aux bonnes
manières. En public, les enfants devaient avoir une conduite
irréprochable en tout temps. N'ayant jamais compris les
besoins et les étapes du développement des enfants, et par
ailleurs incapable de manifester la moindre empathie, il
acceptait mal que l'un ou l'autre de nos petits devienne
irritable si l'heure des repas ou de la sieste était chamboulée,
ou si le restaurant choisi par Gilles n'offrait pas de menu
qui leur convienne. Et pour cela, même avec Fanny, il était
intraitable. Selon lui, nos enfants étaient capricieux, difficiles, mal élevés, ce qui sous-entendait que je n'avais pas su
leur inculquer les bonnes manières.

— Ça te dérange pas, toi, qu'ils se promènent partout
dans le restaurant ?

— Euh… non, on est pas au Ritz quand même, et il y
en a d'autres enfants…

— C'est pas parce qu'il y en a d'autres que les nôtres
sont obligés d'avoir l'air de mongols !

— Ils dérangent personne, là, ils font juste se promener
en attendant leur assiette.

— Qu'ils mangeront probablement pas, *anyway,* sont
tellement difficiles ! On devrait juste leur faire des sand-
wiches au beurre de peanut, ça serait plus simple et ça
coûterait moins cher !

— …

Je ne me donnais plus la peine de répondre, et ça le
mettait hors de lui. Il aurait fallu que je lui dise :

— Oui, mon petit mari qui sait tout et qui a toujours
raison, on va leur dire de s'asseoir et de rester sages pendant
une demi-heure. On pourrait les attacher, comme ça on

serait tranquilles. Et on leur ferait finir leur assiette même s'ils aiment pas ça, évidemment. Je m'excuse.

Mais non. Je tentais plutôt de lui expliquer que tout serait plus simple s'il acceptait d'adapter nos sorties en fonction du rythme des enfants. Et lui répliquait que c'était à eux de s'adapter, qu'ils allaient toujours demeurer capricieux si nous passions notre temps à nous plier à leurs moindres désirs. Au bout d'un certain temps, j'ai compris et j'ai planifié des activités lorsque Gilles était absent, quitte à nous offrir des sorties de couple à d'autres moments. Au lieu de se conclure dans les pleurs et les crises, mes escapades avec les enfants étaient paisibles, enjouées et amusantes, et celles que je faisais seule avec mon mari étaient souvent agréables. Je me disais que c'était sans doute la solution à nos problèmes. À ma façon, je multipliais les pieds de nez à mon mari tout en préservant ma conviction que mon jugement valait encore mieux que le sien. Selon Gilles, il y avait une seule façon de faire les choses : la sienne. De tempérament plutôt malléable, je m'en suis accommodée, au début. Puis, quand nos soirées pseudo-romantiques se sont mises à tourner au vinaigre, j'ai décroché.

Peu à peu, par contre, je doutais de mon instinct, j'avais de plus en plus de mal à faire valoir mon opinion, surtout en ce qui concernait l'éducation des enfants. Alors j'acquiesçais devant Gilles, mais je faisais à ma tête dans son dos. Lorsqu'il s'en rendait compte, il devenait encore plus méprisant. Étais-je condamnée à sombrer dans un perpétuel état d'insécurité et à me laisser écraser par un Gilles arrogant, omniscient, accusateur et méprisant ?

Ouep. C'est en plein ça qui s'est passé.

Le soir de mon quarantième anniversaire, alors que j'avais un peu exagéré sur ma consommation de vin pendant le repas, nous avons eu une de nos « conversations » au cours de laquelle je lui ai manifesté mon insatisfaction et ma crainte devant notre dérive.

— Qu'est-ce que t'es en train de me dire, Maryse ? Que t'es tannée, que tu veux divorcer ?

— Ben non, calme-toi. J'aimerais juste qu'on essaie de travailler ensemble pour régler nos problèmes.

— On a des problèmes ?

Il me niaise.

— Tu trouves ça normal qu'on fasse rien ensemble ? Y compris qu'on fasse chambre à part de plus en plus souvent ? On s'obstine tout le temps, on est jamais d'accord sur rien…

— Ça, c'est certainement pas ma faute ! Dis-le si t'en peux plus. Je te retiens pas. Mais va pas croire que je vais te faciliter les choses. Si tu penses que je vais devenir un père qui voit ses enfants une fin de semaine sur deux, que je vais te laisser détruire notre famille et tout ce qu'on a bâti pendant autant d'années, tu te trompes. T'as pensé à ce que ça ferait aux enfants ? Tu peux être sûre que je me gênerai pas pour leur dire que c'est ta décision. Tu t'arrangeras avec les conséquences. Tu m'aimes plus, c'est ça ?

— Voyons, Gilles ! Au contraire ! Pourquoi tu penses que je veux essayer d'arranger les choses entre nous deux ?

— Y'a rien à arranger de mon côté. Pis pour l'histoire de faire chambre à part, t'arrêtes pas de me réveiller parce que je ronfle, et je pensais que ça faisait ton affaire…

— Pourquoi ça ferait mon affaire ?

— Parce que tu fais pas grand-chose pour me donner le goût !

— Ah bon ? Et toi, oui, je suppose ?

— Regarde-moi, Maryse, et regarde-toi. Qu'est-ce que tu penses ? Tu te laisses aller, t'as tout le temps l'air bête, tu me critiques à tout bout de champ… c'est pas super *turn on*!

Typique. Tout était de ma faute. Et si je partais, je porterais l'odieux d'avoir « détruit notre famille ».

Je ne pouvais tout simplement pas faire ça.

Ça fait que je suis restée.

C'est pas comme si j'avais eu le choix.

Le temps s'est écoulé, fait de bons et de mauvais moments, et nous n'avons plus évoqué cette discussion. Nos enfants étaient devenus de jeunes adolescents, je me sentais prise au piège, mais j'essayais de tirer parti de la situation le mieux possible. Julie et Valérie ne m'auraient été d'aucun secours; je les fréquentais régulièrement, mais je ne m'ouvrais pas à elles, par orgueil. Ce n'était pas si mal, après tout. Je me plaignais peut-être pour rien; tous les couples devaient en arriver, à peu de chose près, à la même situation.

Lorsque Gilles était heureux, ou du moins pas contrarié, c'était un compagnon généreux, joyeux, optimiste et plein d'énergie. Je manifestais de plus en plus mon désir d'aplanir nos difficultés, de trouver des terrains d'entente pour nous retrouver en proposant des sorties qu'il acceptait en général de bon cœur. Je faisais des efforts pour me rendre attirante, espérant lui plaire, quémandant son appréciation.

Faut-tu être épaisse, qu'il disait?

C'est vrai, au fond. Pourquoi j'avais tant besoin qu'il m'aime?

Pour avoir la vie parfaite, le couple qui dure pour toujours, qui finit ses jours ensemble.

Ouain. Vraiment épaisse…

Ben là ! On rêve toutes à ça, c'est la faute à Disney, y paraît.
C'est n'importe quoi.

Donc, disais-je, nous sortions ensemble, faisions à l'occasion des escapades et même des voyages, laissant les enfants chez ses parents pour passer du temps à deux. J'arrivais miraculeusement à oublier les rancunes et les frustrations, m'accrochant à l'espoir que cette fois permettrait un rapprochement durable. Ces pauses étaient souvent féeriques, surtout lorsque nous partions plusieurs jours. Sans obligations familiales ou professionnelles, Gilles se transformait, et je retrouvais l'homme libre et insouciant qui me plaisait tant. Nous faisions enfin l'amour, en oubliant les disputes et les irritants qui empoisonnaient notre quotidien, resté à Montréal. Il arrivait même que je pleure de bonheur, après un moment particulièrement intense où l'homme que j'aimais encore se dévoilait, se montrait vulnérable et plein d'espoir, comme je l'étais moi-même. Comme cette fois, il n'y a pas si longtemps, sept, huit ans, peut-être ? Nus sur une plage déserte, nos corps enlacés couverts de sable, nos rires se perdant dans les embruns salés. C'était en Virginie, où nous avions loué une maisonnette directement au bord de la mer. Les enfants étaient en camps de vacances, et nous avions deux semaines ensemble, du presque jamais vu.

Ce voyage était arrivé à point, car, pour la deuxième fois, j'en étais à me questionner sérieusement sur les chances de survie de notre couple. Fanny allait entrer au secondaire, Oli n'avait toujours pas rechaussé ses patins et, alors que les inscriptions au hockey battaient leur plein, il ne s'inscrivait pas pour la troisième saison d'affilée. La tension entre lui et son père devenait insoutenable. J'avais eu l'intention de parler à Gilles, de lui faire lâcher prise une fois pour toutes, ça avait été ma mission au cours de ce voyage et il s'était montré plutôt réceptif.

Nous avons passé des jours à jouer dans la mer, cuisiner des poissons et crustacés, nous soûler de vin et d'air salin. De notre chambre, le bruit des vagues berçait notre sommeil. C'était fantastique, mais nous avions voulu, ce dernier soir, être encore plus près d'elles. J'avais apporté une épaisse couverture, et nous nous sommes caressés sous les étoiles, la peau exposée au vent divin. Ça avait été magique… Gilles s'était montré à moi tel qu'il était lorsque nous nous étions rencontrés. Attentionné, doux, charmeur, il parcourait mon corps de ses doigts légers, sa langue accentuant ses caresses ici et là, où il me savait plus vulnérable. Vu les années passées ensemble, mon corps n'avait plus de secret pour lui et ce soir-là, j'ai voulu croire, de toutes mes forces, que notre couple survivrait malgré les intempéries.

C'est fou, pareil, la puissance de ce rêve-là ! Combien de femmes endurent un quotidien à pleurer au nom de ce but absurde ?

Ben là, j'étais quand même pas en train de mourir…

Non, mais j'avoue que les marches que je prenais le soir, un peu soûle, en pleurant ma vie, étaient pas super agréables… Je l'ai fait si souvent, mon parcours dans le voisinage, en braillant discrètement pour être certaine que personne s'en rende compte !

J'aurais eu l'air de quoi ? D'une frustrée, pas capable de faire durer son mariage…

Ben non, niaiseuse, ils t'auraient peut-être demandé si ça allait…

Pis j'aurais eu l'air de quoi ? Je suis super-Maryse, remember ?

Pfff.

Bref, c'était mon fantasme à moi et, à mesure que la moiteur s'intensifiait entre mes jambes, tandis que sa langue mêlait sa salive à ma jouissance, je m'abandonnais à cette chimère. Il avait glissé en moi comme il le faisait souvent, nos corps comme deux cuillers superposées, mes fesses bien au creux de son ventre, et j'étais vraiment convaincue que nous ne faisions qu'un à tout point de vue. Je m'étais laissé bercer par son mouvement aussi régulier que celui des vagues, gémissant mon bien-être dans la nuit, mes seins et mon corps entier se laissant broyer par ce désir simple, naturel et si délicieux. Bribes d'éternité durant lesquelles rien d'autre n'avait d'importance que la proximité et la complicité qui nous unissaient aussi étroitement que mon ventre était soudé au sien. Délice et abandon.

La trêve a duré presque deux mois. Nous étions loin de la lune de miel, mais c'était tout de même encourageant. Un record, assurément. Ça n'avait rien à voir avec le genre de frénésie, de passion dévastatrice dont Julie aimait ponctuer ses histoires, mais nous avons même recommencé à faire l'amour. De temps en temps.

Auparavant, ces moments de grâce commençaient à s'évaporer aussitôt le quotidien revenu, relégués aux souvenirs lointains et parfois intangibles. Deux ou trois jours après le retour à la maison, parfois moins, les reproches et les regards de glace remplaçaient l'insouciance. Le désir faisait place au mépris à un point tel que je me mettais à douter que cette union si récente avait eu lieu. Et surtout, la tension, lourde et insupportable, se réinstallait. C'était inévitable. Pourtant, je continuais d'espérer.

Cependant, je crois bien que cette escapade en Virginie, alors que la mi-quarantaine nous guettait, a été l'une des dernières fois où nous avons été réellement heureux, Gilles et moi. Dès la rentrée scolaire, les moments d'intimité se sont espacés de plus en plus jusqu'à ce que la routine, les regards suffisants et la froideur, tant au lit qu'ailleurs, prennent définitivement le dessus. Gilles avait ses activités la fin de semaine, j'avais les miennes avec mes fidèles amies, et tant que les enfants n'ont pas eu leur permis de conduire, c'était moi qui, le plus souvent, faisais office de chauffeur de taxi. Gilles était bien trop occupé à travailler et à profiter des derniers jours de golf, ou que sais-je. Ça aussi, c'est un trait du pervers-manipulateur-narcissique. Lorsque la situation ne lui convient plus, s'il n'arrive pas à la corriger à coups de critiques et de rabaissements et doit chercher à « acheter la paix », il se désengage. Complètement.

J'avais mes amies auprès desquelles les rires et la complicité étaient plus fréquents et surtout inconditionnels, et ça m'était plus précieux que jamais. J'étais déçue par la tournure des choses, blessée par le manque évident de désir de mon mari qui, après une brève apparition, était disparu de nouveau. Il nous arrivait de copuler, sans sentiments, sans passion. Gilles s'éloignait de moi, son regard sur mon corps en disait long. Nous vivions ensemble sans discuter, sans partager quoi que ce soit ; nous étions des colocataires, menant nos vies en parallèle.

Aurais-je pu continuer ainsi longtemps ?

Sans doute. Et ça me rend malade.

Le jour où j'ai pris conscience du fait que je me parlais tout haut, et que je me répondais, j'ai compris que mon niveau de solitude avait atteint des sommets inégalés. Je ne me suis pas inquiétée. Je ne pouvais pas parler de ces détails personnels avec mes amies, je ne pouvais pas communiquer avec mon conjoint ni discuter de mon malaise avec mes enfants. Je le faisais donc avec ma propre conscience.

Pas grave, y'a rien là, et ça fait de mal à personne.
Ouain, c'est vrai, ça. J'ai mal en dedans, mais c'est pas la fin du monde. Y'a pire, quand même.
Faut ben que j'évacue un peu, non ?
Ouain. Prends donc un autre verre... tu brailleras après, ça va te faire du bien.

4

À la même époque – Gilles devait avoir quarante-quatre ou quarante-cinq ans –, mon mari s'est transformé. J'aurais bien dû me douter qu'il y avait anguille sous roche, mais il n'y a pas pire aveugle que celle qui refuse de voir, n'est-ce pas ? Il avait toujours pris soin de sa personne, cependant c'est devenu excessif. La crise de la quarantaine le frappait tardivement, mais de plein fouet. Le « démon du midi » comme le voulait l'expression. Quoi qu'il en soit, il s'est mis à s'entraîner au gym de manière assidue, presque maladive. Il a perdu du poids, s'est acheté des vêtements d'un style différent et qui lui allaient bien, sans lui ressembler. Il a aussi entrepris de se teindre les cheveux et la barbe. Discrètement, peu à peu, en cachette.

Je ne m'en plaignais ni ne m'en inquiétais outre mesure, même si je trouvais qu'il exagérait. Mais un bon jour, Olivier lui a fait la remarque, à la blague, qu'il était le seul homme de son âge qu'il connaissait chez qui le nombre de cheveux gris diminuait avec le temps au lieu d'augmenter. Nous avons ri doucement, mais Gilles s'est offusqué, a demandé à la ronde si nous préférerions avoir un mari et un père décrépit qui se « laissait aller ».

Comme leur mère.

Il ne l'avait pas dit, mais je l'ai tout de même entendu, même si c'était faux. Depuis notre escapade en Virginie, je faisais un réel effort pour soigner mon apparence, je pratiquais le yoga et faisais du vélo. Je n'étais pas une pitoune à la Julie, mais je n'étais tout de même pas si mal. J'en avais assez de cette sensation de ne pas être assez bien pour lui et je le trouvais vaniteux.

Dis-le donc que t'aurais envie de lui jouer un tour ?
Genre ?
Genre remplacer sa teinture par quelque chose qui fait tomber les cheveux ou par du peroxyde. Il serait cute, en blond !

J'aurais aimé avoir le courage d'un tel geste. J'en avais assez de son attitude de supériorité, j'aurais aimé lui faire avaler son arrogance. J'imaginais trop bien son allure, la chevelure brune teinte devenant soudainement clairsemée de mèches *bleachées,* et ça me faisait rire. Je le voyais tenter d'offrir une explication à ses collègues, aux enfants et même à moi. Je riais intérieurement tout en sachant que je n'en ferais rien.

Les choses n'ont fait que dégénérer. Il s'est mis à s'épiler le torse, les bras et les épaules ; lui qui n'avait jamais semblé accorder d'importance à sa pilosité, il s'est même rasé le ventre, offrant à son membre et à ses couilles légèrement flétries un environnement des plus lisses. Devant mon étonnement, il a répondu qu'il croyait que ça m'exciterait, que lui, en tout cas, en tirait une sensation très agréable. Il m'a suggéré d'en faire autant, comme s'il me mettait au défi de faire un geste pour nous rapprocher physiquement. Était-ce tout ce que j'avais à faire ? Ce serait si simple... Je n'avais rien contre, mais je n'étais pas certaine d'en avoir envie. La fréquence de nos ébats laissait à désirer, bien sûr, et si un petit geste de ce genre pouvait revigorer notre libido, eh bien pourquoi pas ? J'ai tenté le coup, mais ça n'a pas eu le résultat escompté.

Ah, la première fois qu'il a constaté que j'avais soigneusement dégarni ma chatte pour lui faire plaisir, il a bien réagi, très bien, même. Nous en avons été quittes pour une nuit très satisfaisante. J'ai dû avouer que la sensation était des plus excitantes, et que de le voir, autant que de le sentir, s'engloutir en moi alors que j'étais aussi exposée était exquis. Mais j'avais un malaise. Je ne savais pas trop où ce genre de choses allait nous mener. J'ai choisi de laisser aller, puisque mon homme semblait apprécier et qu'il se montrait moins taciturne qu'à l'accoutumée. Presque joyeux. Nous faisions l'amour, alors tout n'était pas perdu, n'est-ce pas ? J'ai vu poindre un maigre espoir.

Nenon, je me suis emballée, j'ai pensé que ça réglerait tout, ou presque.

Parce que tu te rasais pour avoir l'air d'une porn-star à quarante-trois ans même si c'est super inconfortable et que c'est un paquet de troubles à entretenir ?

Pas juste pour ça ; si Gilles me désirait, tout allait bien.

Ben oui. Wow.

Puis, enhardi, Gilles s'est mis à me suggérer d'autres choses. Rien de très choquant, Julie aurait même ri devant autant de fausse audace, mais c'était nouveau. C'est bien, la nouveauté, hein ? Je n'avais rien à perdre. Il s'est mis à me proposer différentes positions assez acrobatiques ; il m'en a même montré, sur certaines vidéos pornos, qui l'échauffaient. Encore une fois, je n'avais rien contre. Nous n'en étions pas à nos premiers visionnements de ce genre, même si les derniers dataient de l'époque où Oli était bébé. Si ça pouvait nous rapprocher, pourquoi pas ? Mais j'ai vite compris que cet univers avait pris une place importante dans les loisirs de mon époux et le malaise est revenu en force. Il me montrait des clips qui l'excitaient particulièrement, mettant en vedettes des femmes qui n'étaient pas encore majeures, à peine plus âgées que Fanny. Et ça, je n'arrivais pas très bien à l'avaler. J'ai compris que, jamais auparavant, je ne m'étais sentie menacée par les éventuels fantasmes de Gilles. En fait, il me semblait sain de discuter de nos fantaisies respectives et d'élargir nos horizons sexuels à cette étape de nos vies. Sauf que je me suis rendu compte de l'ineptie de mon imaginaire sexuel alors que celui de Gilles foisonnait. Ses pensées n'étaient pas bien originales ni menaçantes, et pourtant... Il nous imaginait avec une autre femme, un autre homme, avec quelques accessoires ou dans des situations hors de notre quotidien. Mais moi ? Rien. Je n'avais jamais réfléchi à ce qui m'inspirait. C'était troublant d'arriver à cette conclusion dans la quarantaine. Comme si le fait de satisfaire mon époux et de recevoir ses fantasmes devait me suffire. Quelle blague ! De me voir soumise aux moindres désirs de mon mari et tellement à son écoute m'a un peu secouée, sans toutefois déclencher en moi quelque fantasme que ce soit. Alors, j'ai inventé. Des scènes où un inconnu me séduisait et me faisait l'amour, tout ça en un temps record et dans des endroits incongrus, comme les toilettes de la station-service, la voiture, le supermarché, etc. Je donnais le change.

Ces histoires, je les trouvais amusantes, mais elles ne provoquaient rien de spécial en moi. Je n'aurais jamais eu l'idée de mettre ces scénarios à exécution ; je croyais sincèrement qu'il ne s'agissait que d'imaginer et d'en parler, tant pour moi que pour Gilles. Je ne pouvais m'empêcher de me demander à quel point il était sincère quand il prétendait que tout ça lui suffisait également. Car ses allusions devenaient de plus en plus précises, il en est même venu à me désigner certaines personnes, lorsque nous sortions, avec qui il lui plairait bien de partager ses fantasmes. Je souriais, me rendant complice de ses élucubrations, mais le doute s'était bel et bien insinué. J'étais de plus en plus persuadée que si je lui en avais fait la proposition de manière concrète, il aurait sauté de joie et se serait sans doute plié au moindre de mes caprices pour voir se concrétiser l'une ou l'autre de ses fantaisies. Mais moi, jusqu'où étais-je prête à aller ? Je dois l'avouer : ces images étaient parfois tentantes, troublantes, même. Certains des hommes qu'il repérait me plaisaient même. Mais de là à franchir l'étape de les aborder et tout le reste pour mener à une chevauchée frénétique sur un nuage de concupiscence, ça me semblait complètement absurde. En fait, j'étais superstitieuse. Terrorisée, même. Ouvrir la porte à ce genre de chose ne risquait-il pas de nous projeter dans une spirale incessante vers de nouveaux plaisirs toujours plus audacieux ? Où cela s'arrêterait-il ? Je ne voulais pas devenir l'un de ces couples ayant toujours besoin de sensations fortes pour se retrouver. Je voulais être certaine qu'il nous serait toujours possible de nous contenter de nous deux, d'apprécier le fait d'être ensemble, sans artifices, sans partenaire « supplémentaire », qu'il soit réel, mécanique ou purement imaginaire. Était-ce si mal ?

Toutefois, mon conjoint me donnait de plus en plus d'indices, parfois très subtils, parfois pas du tout, me confirmant qu'il était prêt à passer à l'acte. Je n'arrivais pas à en parler avec lui et je sentais un mur se dresser entre nous. Je jouais l'autruche, faisant celle qui ne comprend pas ou qui prend tout ça à la légère. Pourquoi ? Parce que je n'avais pas vraiment envie de me lancer dans ces petits jeux et sans doute parce que je sentais que Gilles tentait encore une fois de me manipuler, de m'amener, à coups d'allusions faussement complices, à faire des gestes qui, au fond, ne me tentaient pas.

C'est sans doute là que j'ai commencé à comprendre plusieurs choses et à me braquer. Il a arrêté d'insister, mais nos nuits s'en sont ressenties. Pendant des semaines qui, mine de rien, se sont transformées en mois, il ne s'est rien passé de bien excitant dans le lit conjugal. Monsieur boudait. Moi, je faisais comme si tout était normal tout en angoissant. Gilles s'est mis à retarder l'heure de son coucher, prétextant des rapports de vente à examiner ou des budgets à préparer. Il était devant son ordinateur, bien sûr, mais ce qui défilait devant ses yeux attentifs n'avait rien à voir avec des colonnes de chiffres. Il visitait plutôt des sites d'échangistes.

Piquée au vif, j'ai paniqué. OK. Il voulait mettre du piquant dans nos vies ? Il envisageait vraiment de me proposer ça ? J'ai d'abord été choquée. Je m'étais attendue à ce qu'il me propose d'inviter quelqu'un chez nous, et cette perspective me rebutait. Au-delà du premier geste et de ce qui s'ensuivrait – j'imaginais facilement la gêne –, il y avait quelque chose de trop intime, d'envahissant, là-dedans.

On fait ça comment, au juste ?

Je devrais sûrement me soûler solide !

Je voulais bien m'ouvrir l'esprit, mais pas nécessairement ouvrir ma maison et encore moins mon lit. J'ai donc fait l'effort de cueillir quelques renseignements sur l'échangisme, puisque ça semblait titiller mon mari. Encore une fois, rien à perdre.

Sauf ma dignité, peut-être ?

La confiance en moi et en mon mari ?

Ouain, pis ? C'est rien à côté d'un divorce, quand même.

J'en suis vraiment à envisager ça de peur de perdre mon mari, moi-là ? C'est con !

Vingt ans de mariage qui se résument au cul. Wow.

Aimerais-tu mieux qu'il ait une maîtresse quelque part ?

Niaiseuse ! Ben non !

Arghhh. Je vois pus clair !

Renseignements, donc. Je pouvais au moins faire ça.

À mon ordinateur, j'ai eu l'impression d'ouvrir la porte à un univers irréel. Échangisme. Mélangisme. Triolisme. Voyeurisme. Exhibitionnisme. Tant de subtilités qui m'échappaient, mais dont le sens n'était pas très compliqué à déchiffrer. Clubs de danse, soirées privées, orgies, partys *sexy,* les possibilités étaient presque infinies.

Les plaisirs d'habiter dans une grande ville !

Enwèye, la mère, regarde ça !

Oui. Non. La curiosité l'a emporté, et je me suis mise à réfléchir aux différentes avenues. Les soirées privées m'ont d'abord attirée plus que les clubs. Sans doute parce que je ne me voyais pas tellement me déhancher sur une piste de danse vêtue de... de quoi, au juste ? Sauf qu'en y regardant de plus près, ces événements m'ont semblé beaucoup plus intimidants. Pas question de se défiler quand on a été sélectionné soigneusement par un hôte soucieux de la qualité de ses invités ! Alors que dans un club, au moins, je pourrais peut-être convaincre Gilles de nous contenter de regarder, d'observer, sans pour autant intervenir... Je ne savais plus rien de rien. Un club me semblait « anonyme ». Sur les photos, ça avait l'air tellement bondé que tous ces corps devenaient moins réels et ça me dérangeait moins.

T'as vu ? T'as dit que ça te dérangeait moins, pas que
ça te tentait plus.
Te rends-tu compte au moins de la différence ?
Oui. Mais faut sortir de sa zone de confort des fois,
non ? Je suis une grande fille.

Je me suis couchée ce soir-là avec toutes sortes d'images
en tête : Gilles en train d'embrasser une autre femme devant
moi, des hommes me faisant des avances devant mon mari.
C'était troublant. Très, très inconfortable, mais en même
temps, intrigant.

T'es ben straight, Maryse ! Si y'a autant de possibilités,
c'est parce qu'il y a de la demande.
Plein de monde que tu connais doit faire ce genre de
choses, pis tu t'en doutes même pas !
Déniaise, fille !

Déniaise, oui. Ouf.

Comme que je m'y attendais, Gilles a accueilli ma proposition avec joie.

— Wow ! Je suis surpris ! Tu me fais plaisir. Je te promets
qu'on ira pas plus vite ni plus loin que t'en as envie. On est
pas obligés de rien faire, on peut juste passer la soirée à
regarder. C'est comme un film, mais *live*.

Live, oui.
Vu de même… c'était presque rassurant.
Tu peux plus reculer, anyway. Assume.

J'ai pris une profonde inspiration. Puis, pour me
convaincre de la réalité de la chose, je suis allée magasiner.

Je me sentais un peu grotesque dans mes sous-vêtements
sexy et ma petite robe trop échancrée. J'avais eu peur de

ce que j'aurais l'air, parmi ces hommes et ces femmes sans doute plus jeunes que nous, avec mes formes de femme mûre ; aussi, je m'étais permis deux bons verres de vin avant de partir. Peur ? Non. J'étais terrorisée. J'avais bravement combattu ma panique jusqu'à ce que nous arrivions au fameux club, et là, je devais lâcher prise. De toute manière, question d'apparence, je m'inquiétais pour rien. Il y avait des couples de tous âges, des grands, des petits, des grassouillets, des maigrichons, des beaux et des moches. Pas autant de monde que sur les photos que j'avais vues sur le site, mais suffisamment pour que je puisse avoir l'impression de me fondre dans la foule. Je n'étais pas pire que la plupart de ces femmes, et mieux que plusieurs. Gilles aussi, d'ailleurs, et ce constat m'a donné un peu confiance.

Mais vraiment juste un tout petit peu.

Mon mari était aussi intimidé que moi, mais visiblement heureux de se trouver là. Je tenais sa main au point de lui écraser les os.

Qu'est-ce que je fais ici ? Merde. La matante de quarante-quatre ans qui joue aux guidounes.
J'veux partir.
Non, tu peux plus reculer, là. Prends ça comme une expérience.
Pour qui ? Pour Gilles ? Pas pour moi certain.
Ben là, épaisse, pourquoi t'as dit oui, d'abord ?
Je sais ben pas. Qu'est-ce qui m'a pris ?
Enwèye, c'est pas la fin du monde.
J'espère…

— Tu me lâches pas, hein ?

— Je pourrais pas, même si je voulais, tu me fais mal ! Écoute Maryse, on fait un *trip,* là. On s'engage à rien, et si on le fait juste une fois, c'est pas grave, on pourra en rire et dire qu'on l'a essayé. On va quand même pas attendre d'avoir soixante-dix ans !

— Tu reviendras pas sur ta parole, hein ? On est pas obligés de rien faire…

— Non, pas obligés. On fait ça ensemble, à notre rythme.

Ensemble. Vraiment ?

Moi qui me plaignais que nous ne faisions plus rien ensemble depuis tant d'années, j'étais servie !

— OK. On y va, d'abord.

Mais Gilles était ailleurs. Son regard était posé sur une grande blonde qui dansait avec son compagnon. Elle était belle sans être spectaculaire. L'homme qui l'accompagnait était séduisant, mais pas mon genre. Fanny aurait dit que c'était un vieux *douchebag* ridicule : la cinquantaine avancée, torse nu, musclé, imberbe et apparemment huilé, s'exhibant avec sa compagne comme s'ils étaient le roi et la reine de l'endroit. Bof.

Nous avons pris un verre, question de nous imprégner un peu de l'ambiance et de sentir pleinement dans quel genre d'endroit nous nous trouvions. Puis, un deuxième. C'était surréel. Moi ? Ici ? J'ai dansé un peu pour essayer de compléter l'effet de détente que le vin ne me procurait pas autant que je l'aurais voulu. Je me sentais observée, jaugée, sans toutefois ressentir le moindre jugement de la part de ces inconnus. On observait, on admirait, tout était parfaitement respectueux, comme le site du club le promettait.

Oui, mais… je suis TELLEMENT pas à ma place !

Au bout d'un moment, Gilles m'a entraînée dans une autre pièce, il voulait « visiter ». Plus nous nous éloignions de la première salle, plus les couples prenaient leurs aises. Dans la seconde, nous avons vu deux femmes se faire cajoler les seins par deux hommes à tour de rôle. Je ne pouvais pas m'empêcher d'imaginer quelle serait la sensation. Malgré moi et à ma grande surprise, j'étais excitée.

La pièce suivante était divisée en une série d'alcôves dans lesquelles des couples se prélassaient, certains ayant l'air de se « présenter » à d'éventuels partenaires, d'autres déjà en action, seuls ou avec un autre couple. Gilles a été déstabilisé un moment, mais s'est vite ressaisi. Il a placé ma main sur son entrejambe ; son érection était déjà à son maximum. Il m'a embrassée, là au milieu de cet endroit curieux où des corps — des amas de chair, plutôt — s'étreignaient sans la moindre pudeur. J'ai regardé mon mari sans le reconnaître. Ses yeux brillaient d'une lueur que je ne leur avais jamais vue et qui m'apparaissait étrange. Il s'est placé derrière moi et a entrepris de me caresser devant ces gens. J'étais désarçonnée par son audace et j'ai songé à protester, mais j'étais comme paralysée. Nous étions pourtant bien dans une situation qui était déjà contre nature pour moi ; aussi bien jouer le jeu.

Avec une réticence que je tentais de camoufler, j'ai laissé Gilles palper mes seins et glisser une main entre mes cuisses. Son toucher était fébrile, trop direct, et j'ai couvert sa main de la mienne pour lui indiquer d'alléger quelque peu ses ardeurs. Il a cru que je voulais me toucher seule et m'a pétri les seins de ses deux mains, les dégageant même de ma robe, d'abord, puis de mon soutien-gorge comme s'il voulait les montrer à toute l'assistance, ce qui était sans doute le cas… Ainsi exposée, je ne savais pas trop comment réagir. Un couple à notre droite a interrompu ses ébats pour nous regarder et ça m'a fait tout drôle.

Ils me regardent et moi je me laisse faire. Moi !
C'est pas si pire, finalement, non ?
Oui, c'est si pire ! C'est trop weird !

Relaxe. Personne te connaît, tu reverras plus jamais ces visages de ta vie.

J'espère bien! Comme malaise, ça serait dur à battre!

J'ai réussi à me détendre un peu et à me laisser aller au moment présent grâce en partie à Gilles qui se comportait comme mon mari, propriétaire et protecteur. Quoi qu'il en soit, il a recommencé à m'agacer, plus doucement cette fois, et je suis presque parvenue à apprécier son toucher. Ses doigts glissaient aisément en moi et je sentais son membre en érection, libéré de son pantalon, qui tentait de s'immiscer entre mes cuisses.

Wô, là! Debout, de même, devant ces gens?

Je n'arrivais pas à me laisser aller. Gilles m'a guidée vers l'une des alcôves et s'est allongé derrière moi avant de me pénétrer presque trop rapidement. J'étais crispée, à peu près pas lubrifiée, et ça m'a fait mal. L'autre couple nous observait toujours et lorsque j'ai vu ces gens se diriger vers nous, j'ai presque paniqué. Mais Gilles m'a dit:

— Ils veulent juste nous regarder. Comme on le fait nous autres. OK?

— ... OK.

Quelque peu rassurée, j'ai fermé les yeux et j'ai tout fait pour me laisser enfin aller au plaisir. L'autre couple s'est placé dans l'alcôve en face de nous et tentait de modeler ses gestes aux nôtres. C'était étrange, mais ça devenait plus confortable. En fait, si je faisais abstraction de l'incongruité de la situation, j'étais fascinée de les voir, si près que je pouvais presque discerner la couleur de leurs yeux. Je me suis accrochée au fait que cette proximité comportait toutefois une barrière, invisible mais bien réelle, qui nous séparait, et que sans mon accord, elle demeurerait aussi solide qu'un mur de béton. Si nous répétions l'expérience, et j'insistais sur le « si », peut-être en viendrais-je à accepter un toucher, mais cette étape était encore bien loin. En attendant, je me suis surprise à apprécier le fait que Gilles était excité et qu'il me désirait avec une ardeur peu commune au point où, à ma grande surprise, j'ai eu envie de me donner quelque peu en spectacle, en exagérant mes soupirs et en prétendant prendre plaisir à tout ça.

Ha ! ha ! Maryse la porn-star ! Te rends-tu compte ?
Oui, un peu trop.

Puis Gilles m'a retournée et s'est agenouillé entre mes cuisses avant de me posséder à nouveau, son visage tourné vers l'autre couple plutôt que vers moi. Soudain, j'ai eu l'étrange impression de n'être devenue qu'un accessoire à sa performance et ça m'a ramenée instantanément à la réalité. J'ai tenté de me convaincre qu'il était bien là, avec moi, en le forçant à me regarder, mais ça n'a duré qu'une seconde. D'un geste du menton, il m'a invitée à contempler l'autre couple.

L'homme était agenouillé derrière sa compagne qui, elle, les fesses bien bombées, se laissait sodomiser avec moult gémissements. Gilles était fasciné. Il m'a positionnée comme elle, et j'ai craint qu'il veuille me faire la même chose… mais il n'en avait apparemment pas l'intention. Cependant, il était si excité qu'il me pénétrait trop rudement. Il savait combien j'avais du mal à le prendre en entier lorsqu'il était aussi effréné et il avait toujours respecté ma réticence. Ce n'était pas un caprice : sa corpulence était juste trop imposante pour mon corps et ça n'avait jamais semblé l'incommoder. Or, cette fois-là, il ne s'en préoccupait pas le moins du monde. Malgré mes plaintes, il me défonçait de plus belle, s'enfonçant toujours davantage, plus profondément dans mon ventre qui, je le croyais, allait déchirer.

Il m'empoignait les cheveux, me tapait les fesses, il était déchaîné, et moi, je ne pouvais que subir en me crispant, espérant qu'il en finirait rapidement.

Tu te rends compte que t'es pratiquement en train de te faire violer, hein ?

On charrie pas, là.

Euh... t'as vraiment envie de ça ? Si t'étais à la maison, tu dirais rien ?

... Ouain. Vu de même...

Fuck.

La femme de l'autre couple haletait de plus en plus fort, se caressait alors que son amant usait de la même force que le mien, et j'avais du mal à croire qu'elle puisse y prendre autant de plaisir qu'elle le montrait. Pourtant, ses gémissements ne semblaient pas feints. Était-ce moi, le problème ? Ou alors, cet homme devait être moins membré que Gilles... peu m'importait. Mon ventre me faisait souffrir plus que jamais et j'ai décelé, dans le rythme endiablé de Gilles, les halètements précurseurs de sa jouissance imminente. J'ai étiré le bras pour emprisonner sa bourse dans ma main, sachant que ça l'achèverait. Il s'est enfoncé une dernière fois et son corps entier s'est secoué alors qu'il émettait le grognement qui m'était si familier.

Enfin.

Je ne lui ai pas donné l'occasion de me prendre dans ses bras et je suis partie à la salle de bains. Là, j'ai pleuré, autant de confusion que de désarroi. Qu'est-ce qui venait de se passer ?

Il m'a fait mal, le chien. Il le savait et s'en foutait.

J'aurais pu être n'importe qui, il aurait fourré n'importe quel autre vagin que le mien et ça aurait eu le même résultat !

T'exagères, quand même.

Non, pis tu le sais.

J'aurais dû analyser l'expérience avec calme, froidement. Au lieu de ça, j'étais confuse. Gilles avait été trop excité, c'était évident. Mais il m'avait promis que nous faisions cette expérience ensemble. Or, il n'était pas avec moi, quand il me défonçait de son engin. Il était ailleurs. J'étais déçue, amère, en colère, perturbée. Ces sentiments anéantissaient tous les autres que j'aurais pu ressentir, ceux qui m'avaient étonnée plus tôt: curiosité, excitation, désir partagé. Envolés. Je voulais juste partir.

J'ai pris encore un peu de temps pour me calmer, je ne voulais pas faire de scène. Je laisserais donc à Gilles le temps de se ressaisir, lui aussi, puis nous partirions ensemble. Ça, au moins, nous le ferions en couple.

J'avais été partie quoi, dix minutes? Quinze? En retournant dans la salle, j'ai vu que notre alcôve était vide. Où était donc mon cher mari? M'attendait-il à la sortie, le remords évident et les excuses au bord des lèvres? Avait-il deviné qu'il me tardait de partir, que par sa faute je n'étais plus du tout encline à étirer la soirée? J'allais me diriger vers la sortie quand j'ai remarqué que l'alcôve d'en face était toujours occupée. La femme était étendue sur le dos, son mari lui caressait les seins. Et entre les cuisses de cette dernière, un visage d'homme était enfoui, ses mains écartaient le sexe offert tandis que sa langue le léchait goulûment. Gilles. Je suis restée plantée là à le regarder, stupéfaite. L'autre homme m'a souri et s'est approché de moi. Il a embrassé mon cou et m'a tâté un sein. Le gauche.

C'en était trop.

Je me suis dégagée et, poussant Gilles du bout du pied, je lui ai dit :

— Je m'en vais.

— Voyons Maryse, viens, aie donc un peu de *guts* !

J'avais envie de l'engueuler, de lui crier mon mépris, ma déception, ma colère, mais ce n'était ni l'endroit ni le bon moment. Il a enfin compris en voyant mon visage. Il s'est levé, a commencé à se rhabiller et a dit au couple :

— Je suis désolé, c'est notre première fois et faut croire que la madame tripe pas. La prochaine fois sera sûrement mieux !

La madame tripe pas ?

Ayoye.

L'homme l'a regardé avec un drôle d'air. J'aurais pu croire qu'il y avait du mépris, là aussi, et envers Gilles, pas envers moi. La femme, elle, nous a pratiquement ignorés.

Je suis partie sans attendre Gilles. Il me fallait à tout prix quitter cet endroit. Je me sentais humiliée comme je ne l'avais jamais été. D'un pas mécanique, j'avançais sans rien voir jusqu'à ce que j'entende mon nom, prononcé par une voix masculine qui n'était pas celle de mon mari :

— Maryse, si j'avais pensé te voir ici ! Euh… je suis un peu gêné, là, mais faut croire que j'ai pas à l'être, hein ?

Un de mes clients, Laurent, un propriétaire de quincaillerie pour qui j'avais conçu un programme d'inventaire l'année précédente, me souriait. Il avait l'air embarrassé, mais ce n'était rien à côté de ce que je ressentais. J'allais exploser de honte.

Sans même me donner la peine de lui répondre, je me suis ruée vers la sortie. La rue. L'air.

J'allais héler un taxi lorsque Gilles est arrivé. Nous sommes partis ensemble même si c'était la dernière chose dont j'avais envie. Gilles, à regret, avec un sourire de déception qui le faisait avoir l'air d'un attardé, salive aux lèvres et regard perdu ; moi, presque catatonique. Je n'avais jamais été aussi près de le quitter de toute ma vie.

5

« Trois espèces d'hommes n'entendent rien aux femmes :
les jeunes, les vieux et ceux entre les deux. »
PROVERBE GAÉLIQUE

La dernière fois qu'il nous a été donné de discuter de l'incident a été à notre retour à la maison, ce soir-là. Le trajet s'était fait dans un silence de plomb. Puis, en arrivant, Gilles m'a apostrophée :

— C'est quoi, ton problème ? T'es fru parce que j'me suis laissé un peu emporter et que j'ai touché une autre femme ?

— Touché ? T'avais la face entre ses jambes, j'appelle ça plus que toucher...

— Ben là, c'était rien, dans une place de même !

— Ah bon ? La place a de l'importance ? Si tu l'avais baisée, ça aurait pas été grave non plus, c'est ça ? Une chance que tu venais de jouir parce que sinon c'est ça que t'aurais fait, hein ?

— Ben non, Maryse, t'exagères encore. T'es tellement *drama queen* ! J'pensais vraiment pas que t'étais aussi jalouse !

— *Drama queen* ? Jalouse ? Tu comprends rien, hein ? On est allés là pour regarder, tu m'as dit qu'on pourrait juste faire ça, que je serais pas obligée d'aller plus loin.

— Et ? T'as rien fait, justement. Je t'ai pas forcée, je t'ai même pas demandé d'essayer quoi que ce soit.

— Tu me niaises ? Que toi tu te retrouves la face beurrée d'une autre femme ça fait pas partie d'aller plus loin ? On est allés en couple, Gilles. Mais t'es devenu tout seul au moment où on est entrés dans c'te maudit club. Quand tu me fourrais trop fort, t'étais pas vraiment avec moi, et je le sais. C'était une erreur, je le savais depuis le début.

— Qu'est-ce que tu racontes, j'étais pas avec toi ? Trop fort ? Ben oui, des fois j'aime ça me laisser aller, me semblait que c'était la place, pis j'étais excité. Toi aussi, tu peux pas le nier. De toutes les filles qui tripent sur les grosses queues, y'a fallu que je tombe sur LA femme qui aime pas ça ! Peut-être que j'ai juste pas toujours envie de faire attention !

— Oui, j'étais excitée, parce que je pensais qu'on se rapprochait enfin, toi et moi. J'avais l'impression qu'on était complices de quelque chose, ensemble, pour une fois. Mais je me suis trompée. Tant pis.

— Ça veut dire quoi, tant pis ?

— Rien, Gilles. Ça veut rien dire. J'suis juste tannée de me battre et de m'accrocher à quelque chose qui est pus là *anyway,* et depuis longtemps.

— Tu penses vraiment ça ?

— Je sais pus ce que je pense, Gilles. Tout ce que je sais c'est que là, j'veux aller me coucher.

— C'est ça, sauve-toi. T'avais pas le *guts* de profiter de la soirée, t'as pas le *guts* d'aller au bout de ta pensée. OK, mais viens pas chialer après que ça va pas comme tu voudrais.

J'étais si fatiguée. Je revoyais des scènes de la soirée à l'infini, jusqu'à la rencontre avec mon client, et j'avais la nausée. Comment pourrais-je même envisager de revoir cet homme sans ressentir la honte de ma vie ? Comment pourrais-je trouver normal de voir Gilles agenouillé entre les cuisses d'une femme ? Comment avais-je pu croire que cette expérience aurait quelque effet positif ?

Je n'en pouvais plus de ressasser les mêmes choses, de me demander quoi faire pour mon couple, ma famille. Tellement lasse de ces discussions stériles.

Vraiment, vraiment tannée.

Écœurée.

C'est pour ça que tu t'es soûlée, ce soir-là, toute seule pendant que Gilles ronflait ?

J'avais pas eu l'intention de me soûler.

Mais c'est ce qui est arrivé quand même.

Ouain, je sais. Pas fort.

Ben coudon.

Après cette soirée désastreuse, nous nous sommes encore plus éloignés. Mon mari passait des heures devant son ordinateur, chaque soir. Il prétextait un surplus de travail, mais je savais bien qu'il visionnait des vidéos XXX. Il n'était évidemment pas le seul homme à privilégier ce genre de passe-temps, et si ça me permettait d'avoir la paix, c'était peu payé. Car c'était bien ce que je voulais : la paix. J'avais fait mon effort ultime, j'avais repoussé mes limites au-delà de ce que j'avais cru possible et ça avait été un fiasco. J'avais le cœur froid. J'en voulais à Gilles de m'avoir infligé cette nouvelle douleur, j'aurais voulu qu'il souffre autant que je souffrais, qu'il ressente la confusion qui m'habitait. Je le savais là, bavant devant son écran, et j'aurais voulu me venger. Lui faire subir l'humiliation, la désolation de voir notre couple s'effriter sous mes doigts, j'aurais voulu qu'il pleure, qu'il ait mal, lui aussi. Mais non, il se soulageait sans le moindre remords.

Ce penchant m'horripilait sans commune mesure. Alors moi, au lieu de me morfondre seule dans mon lit, je m'offrais un verre de vin. Ou deux. Puis, j'en suis venue à boire toute la bouteille plus souvent qu'à mon tour. Et même là, je n'étais pas toujours aussi soûle que j'aurais été en droit de l'être après une telle quantité d'alcool. Quoique… quiconque aurait essayé d'avoir une conversation avec moi se serait rendu compte de mon état d'ébriété. C'était le bon côté de céder à ce penchant en fin de soirée alors que les éventuels « témoins » se faisaient rares. J'avais une bonne tolérance à l'alcool, mais avec tout cet entraînement, ma capacité d'absorption s'en est trouvée accrue. J'ai même fini par aménager une petite cachette de bouteilles dans mon garde-robe ; une grande boîte de bottes contenait ma réserve, ainsi qu'un tire-bouchon, ce qui m'évitait de vider le cellier et d'éveiller les soupçons de Gilles. Certains soirs, donc, de plus en plus fréquemment, je me rendais au fond de la bouteille avant de sombrer dans un sommeil lourd et comateux pour me réveiller le lendemain, nauséeuse et dégoûtée.

Pendant ce temps, mon époux devenait de plus en plus distant et ne se gênait pas pour passer des commentaires arrogants qui se voulaient autant d'attaques sur mon supposé manque d'intérêt pour la chose. Manque d'intérêt ? Il n'y était pas du tout. Mais alors que lui se voyait dans des postures plus osées les unes que les autres – facile de retracer l'historique de ses visionnements – avec des femmes à peine sorties de l'adolescence au corps mince, luisant, et aux seins siliconés s'adonnant à des séances de pénétration anale ou autre avec des objets aux proportions ridicules, moi je rêvais de tendresse, de complicité, d'ébats passionnés, mais naturels avec l'homme que j'avais épousé, mais dont les désirs se situaient à des années-lumière des miens. Que faire ? J'ai fait ce que bien d'autres femmes ont dû faire avant moi depuis le début des temps : rien.

T'es plus sa femme, Maryse.
Et lui, c'est plus ton mari.
Vous aviez une chance de vivre quelque chose de
particulier ensemble, ça aurait pu vous rapprocher.
Mais c'est le contraire qui s'est passé.
T'as entendu le crac ?
J'pense que c'est ta p'tite vie tranquille qui vient de se
briser d'aplomb.

C'est à peu près à cette époque que j'ai réintégré le marché du travail en prenant quelques contrats de comptabilité à la maison. J'avais quarante-cinq ans, les enfants étaient de jeunes adultes, il était temps. Il a été plus facile que je le croyais de faire le saut ; j'avais su me garder suffisamment à jour pour accomplir certaines tâches simples. Ce n'était pas particulièrement passionnant, mais ça me procurait une diversion dont j'avais grand besoin… Le regard de Gilles sur moi, sur mon corps, se faisait de plus en plus méprisant, et la douleur que je ressentais devenait cuisante. Est-ce pour cette raison que j'ai voulu me prouver que je pouvais accomplir des choses sans lui ? Probablement.

En plus de travailler tous les matins, je me suis inscrite à des cours d'informatique. La comptabilité à elle seule m'ennuyait et j'avais besoin d'un nouveau défi. C'est vite devenu une passion. Je possédais plusieurs notions de base, mais ce domaine avait tellement évolué depuis mes années d'université que j'avais du rattrapage à faire. Ça n'allait pas m'arrêter.

Gilles a accueilli mon nouvel engouement avec un enthousiasme tiède ; il ne comprenait pas ce qui pouvait me donner envie d'étudier et de travailler alors qu'il gagnait assez d'argent pour que je puisse demeurer la femme au foyer oisive que j'étais devenue. Cette remarque n'a fait que me motiver davantage. Le mépris, dans sa voix et son regard, était palpable.

Je me suis offert tous les cours qui me faisaient envie et, comme je m'y attendais, j'excellais. J'avais une soif d'apprendre incroyable, et les possibilités de l'informatique pour tout ce qui touchait au marketing m'enchantaient au plus haut point. Le Web et l'avènement des médias sociaux me fascinaient et il me fallait en apprendre davantage. Je me suis inscrite dans une école privée spécialisée, et Daniel, un des professeurs, a tout de suite vu en moi une élève prometteuse.

J'aurais pu l'écouter parler pendant des heures. C'était un grand homme dans la quarantaine, passionné, passionnant, qui s'émerveillait devant l'explosion d'Internet et qui prédisait un développement phénoménal dans ce domaine au cours des années à venir. Nous n'étions qu'un petit groupe et, à quarante-cinq ans, j'étais la plus âgée. Mais c'était moi que Daniel avait repérée, c'était à moi qu'il adressait ses plus beaux sourires et ses plus chaleureux compliments sur tel ou tel projet. Quand il me regardait, je me sentais importante, intelligente, pertinente, ça n'avait rien à voir avec la façon dont mon époux me considérait dorénavant.

Au fil des semaines, le regard de Daniel est devenu de plus en plus intense, ses sourires encore plus complices et ses marques d'attention se sont multipliées. J'étais flattée et aux anges.

Au bout d'un certain temps, nous avons pris l'habitude de boire un café ensemble après les cours. Je ne souffrais pas de la moindre culpabilité, je ne faisais strictement rien de mal, au contraire. Je me gavais de ses petits témoignages d'admiration, les accueillant comme autant de preuves que mon mari était un con et que je valais bien mieux que lui. Ces moments m'étaient si précieux que je me suis mise à les anticiper avec de plus en plus d'excitation chaque semaine. Il ne m'a pas fallu bien longtemps pour m'imaginer comment serait ma vie avec un homme tel que Daniel. Au lit, bien sûr, mais pas seulement là. Si Gilles avait pu lire dans mon esprit, il aurait vu que mon intérêt pour « la chose » était loin d'être aussi mort qu'il le croyait !

L'intelligence de Daniel me fascinait, sa culture générale était impressionnante, ses champs d'intérêt illimités. Il était aussi attiré par les arts que par la science, les sports ou la politique, et il appréciait la bonne chère tout autant que l'activité physique. Daniel était célibataire, avait une fille un peu plus jeune que Fanny qui habitait avec lui une semaine sur deux. Il disait se satisfaire de son célibat, la plupart du temps, mais m'a avoué que la solitude lui pesait de plus en plus. Lorsqu'il me parlait, plongeant ses beaux yeux myopes dans les miens, je fondais. Il était évident que l'attirance était mutuelle. J'aurais dû le décourager d'emblée, mais je refusais de me priver de ce petit plaisir. Me sentir désirée, admirée, respectée ne m'était pas arrivé depuis tellement longtemps ; je n'allais pas m'en priver ! Oh, la joie de sentir des palpitations quand son regard se posait sur moi ! Julie aurait été fière de me voir me pâmer, les mains moites et le cœur battant... J'avais l'impression de rajeunir chaque fois que je le voyais, et ça, c'était aussi merveilleux que le reste. Je me voyais annoncer à Gilles que je le quittais pour un homme qui m'appréciait et me désirait, et cette pensée me faisait sourire comme une idiote pendant des heures. Mais le jeu devenait dangereux.

Daniel m'a invitée à souper, un soir où Gilles était à l'extérieur. J'ai accepté sans la moindre hésitation. Nous avons passé quatre heures à parler avec entrain et j'étais subjuguée. Il était curieux de moi, de ma vie, de mes valeurs, et ça représentait pour moi un aphrodisiaque des plus puissants. Nous sommes sortis du restaurant très tard, avons marché un bon moment au bord du fleuve. Nous étions étonnamment à l'aise. J'avais l'impression d'avoir trouvé une âme sœur, quelqu'un avec qui j'aurais pu passer des semaines à ne rien faire d'autre que de le découvrir sous toutes ses coutures : ses croyances, ses convictions, ses rêves et ses désirs. Surtout, quelqu'un à qui j'aurais eu terriblement envie de confier mes propres coutures, de me dévoiler, de montrer celle que j'étais maintenant et que mon mari, mon compagnon depuis tant d'années, ne connaissait plus.

Il m'a embrassée, et je l'ai laissé faire. Incroyable. Moi qui croyais ma libido éteinte à tout jamais, je combattais un geyser d'émotions, de désir, de passion trop longtemps contenue. Je me suis abandonnée à ce baiser qui me laissait entrevoir un monde de possibilités et me donnait le vertige. Je me suis soudainement vue nue devant lui, puis dans ses bras, je pouvais sentir ses mains qui parcouraient mon corps avec une douceur empreinte de curiosité et d'impatience, et mon ventre qui se tordait en un spasme d'attente incroyable. Gilles aurait été bien choqué de voir la moiteur de ma culotte à cet instant ! Une vraie chatte en chaleur ! Il aurait été si facile de succomber... Mais Daniel m'a doucement repoussée et s'est excusé.

— Je ne sais pas ce qui m'a pris, Maryse. Tu es une femme mariée, et une femme de principes et de valeurs que j'admire beaucoup trop pour t'entraîner dans une situation que tu regretterais. Excuse-moi, je n'aurais pas dû...

— Je t'en prie, ne t'excuse pas. Je le voulais tout autant que toi, sans doute même plus. Mais ça n'ira pas plus loin, tu m'as bien cernée. Je ne pourrais jamais tromper mon mari. C'est peut-être stupide et sans fondement étant donné l'état de notre relation, mais c'est comme ça. Tant que je serai mariée à lui, je ne me donnerai à aucun autre même si, très honnêtement, j'ai rarement eu aussi envie de quelque chose que de te suivre chez toi, là, maintenant. Je suis *straight,* hein ?

— Non, pas *straight.* Si tu n'étais pas aussi intègre, tu ne m'attirerais pas autant. C'est ironique, quand même, hein ?

— Ironique, je ne sais pas, mais j'ai l'impression que je fais une grosse gaffe, que je vais regretter d'avoir d'aussi beaux principes !

— C'est mieux de regretter quelque chose qu'on n'a pas fait que de faire un geste qui va nous suivre toute notre vie, tu penses pas ? Je ne voudrais pas être celui qui t'a fait faire quelque chose qui va à l'encontre de qui tu es...

Bon. Bien beau toutes ces paroles, mais il fallait que je parte au plus vite parce que je sentais ma résistance faiblir chaque seconde et j'avais l'impression que Daniel réveillait un monstre en moi.

Un monstre, moi ? Ha ! ha ! Ben oui, comme si j'allais du jour au lendemain lui sauter dessus, le sucer et le laisser me faire toutes les cochonneries que je voyais sur les sites préférés de Gilles. Tellement !
Quoique...

Je l'ai quitté sur une étreinte qui m'a paru mélancolique. Elle l'était, oui, tout à fait. J'ai soupiré bruyamment, me félicitant tout de même de ma droiture. Idiote.

Idiote ? Non…

Épaisse, comme dirait Gilles.

6

À partir de ce moment, c'est devenu plus facile d'endurer Gilles, et j'ai quelque peu délaissé mes excès d'alcool. Comme si le fait de savoir que je plaisais à quelqu'un pour les bonnes raisons me suffisait, comme si j'avais enfin la certitude de ne pas être responsable ni aussi repoussante que Gilles me le laissait croire. Quand je suis rentrée à la maison, ce soir-là, j'ai eu l'impression que ce qui s'était passé était écrit en grosses lettres sur mon visage. Je me sentais rougir quand Gilles me parlait et, au creux de mon ventre, une douce chaleur subsistait. Au lit, je me suis même approchée de mon mari, je l'ai caressé doucement, espérant qu'il sente mon besoin d'une étreinte avenante. Il ne m'a pas repoussée, au contraire; il avait l'air étonné, mais il n'a pas posé de questions et a simplement profité de l'occasion. Je l'ai laissé m'embrasser, c'était plus facile en évoquant les lèvres de Daniel. C'est à lui que je pensais, me demandant si ses caresses seraient plus habiles que celles de Gilles. Il avait pourtant été relativement doué, mon mari, autrefois. Mais tout ça était devenu si mécanique que son toucher ne me procurait que bien peu de plaisir. Cette fois, par contre, ce sont les doigts de Daniel qui se glissaient entre les plis de mon corps; c'était sa langue dans ma bouche et ses lèvres à lui qui léchaient et mordillaient mes seins. Gilles ne faisait rien de tout ça, ce n'était pas nécessaire. Tout se passait exactement comme je le voulais dans ma tête. Je pouvais ressentir chaque rotation de ses doigts sur mon clitoris, ses dents qui agaçaient mes mamelons dressés, son membre dur, impatient, qui n'attendait qu'un signe de ma part pour m'envahir. J'ai accueilli en moi la rigidité trop familière et volumineuse de mon mari, m'imaginant ressentir sur mon visage le souffle chaud de Daniel, laissant ma main compléter les caresses entre mes cuisses qui me faisaient ruisseler.

Gilles m'a retournée et m'a écarté les cuisses. J'ai redressé les fesses et l'ai accueilli en moi avec un gémissement de plaisir malgré les souvenirs plutôt mauvais de la dernière fois où j'avais adopté cette position. En fait, il était encore plus facile, ainsi, de substituer mon professeur à cet homme qui s'activait et pour qui je ne ressentais plus qu'un vague dégoût. Des pensées folles couraient dans ma tête : et si je le quittais pour être avec Daniel ? Si je choisissais mon propre bonheur, pour une fois, quitte à adapter mon train de vie, à me retrousser les manches et à me construire une existence bien à moi, remplie d'amour et de plénitude ?

J'y croyais presque, mais la peur est revenue. La peur de ne pas en être capable, de me retrouver sans ressources, de devoir partir en guerre contre cet époux qui, je le savais, ne me laisserait aucune chance si je le quittais. Son orgueil serait à ce point blessé qu'il me le ferait payer cher, trop cher. Alors j'ai ravalé ma déception et j'ai fermé les yeux encore plus fort lors de la jouissance de Gilles, me demandant de quelle façon l'homme qui habitait mes pensées atteignait l'orgasme, lui.

Pis ?

Pis quoi ?

C'était mieux comme ça, non ? Et ça fait de mal à personne !

Un peu, à moi, oui.
Tough luck.

J'ai continué à suivre mon cours avec Daniel, mais une distance s'était installée entre nous. C'était mieux ainsi, de toute manière. Je n'allais pas quitter Gilles, je ne le tromperais pas non plus. Les pensées qui m'envahissaient l'esprit, je les cultivais et les utilisais au besoin, si bien que mon quotidien s'en trouvait embelli. De l'extérieur, j'étais toujours la bonne vieille Maryse, calme, en contrôle et sereine. Personne ne se doutait de tout ce qui m'habitait, et je gardais ce secret jalousement. Qu'auraient pensé Valérie et Julie de leur pseudo-mère, hein ? Si elles avaient su… Julie, surtout, pour qui le sujet du sexe est inépuisable, et qui me croyait si comblée avec Gilles. Si elle avait connu les détails de notre récent *trip,* elle se serait étouffée de surprise, tout autant que si elle avait appris que j'avais presque trompé mon mari. L'image qu'elle se faisait de moi en aurait pris pour son rhume !

Julie s'était passablement assagie avec Danny. À cette époque, ils avaient passé plus d'une décennie ensemble, et c'était de loin un record inattendu de la part de mon amie. Julie la frivole semblait avoir enfin trouvé l'homme de sa vie. Mais qu'en savais-je, au juste ? N'étais-je pas la mieux placée pour savoir que les apparences ne veulent rien dire ?

C'est aussi à peu près à la même époque, ou peut-être un an ou deux plus tard, que nous avons eu de nouveaux voisins. Les anciens propriétaires étaient un couple âgé dont le mari venait de décéder. Une jeune famille à l'apparence idéale les remplaçait: un couple à la fin de la vingtaine, peut-être un peu plus ; ils étaient tous les deux beaux, charmants, sympathiques, tout comme l'étaient leurs enfants, un garçon d'environ deux ans et une fille, tout petit bébé à l'allure de chérubin. Dès notre première rencontre, j'ai pu voir la lueur de désir dans les yeux de mon mari pour Jessica, la brune et pulpeuse voisine. Elle était réellement jolie, avait un corps parfait malgré les grossesses récentes, des yeux bleus de poupée et des jambes qui n'en finissaient plus. Son mari n'était pas déplaisant au regard non plus : grand, athlétique, basané, un ténébreux au style vestimentaire impeccable, aux dents trop blanches, au sourire ravageur et au charme de vendeur. Le couple semblait très à l'aise financièrement, comme en témoignaient leurs voitures luxueuses et les importants travaux qu'ils avaient entrepris sur la maison et particulièrement dans la cour arrière, avant d'emménager. Nous avons eu droit à plusieurs semaines de machinerie et d'ouvriers de toutes sortes pour lesquels Jessica et Mathieu sont venus s'excuser profusément, bouteille de vin à l'appui.

Les travaux ne me dérangeaient pas le moins du monde. C'était un peu bruyant, mais bien installée dans mon bureau, je n'étais pas incommodée. Daniel avait donné mon nom à une entreprise d'informatique, et je remplissais pour eux des tâches de saisie de données, en plus de mes autres contrats. Je me sentais valorisée et quelque peu sécurisée. Autonome ? Non, pas encore, pas tout à fait, mais ça viendrait. Je n'avais pas l'intention de travailler à temps complet, j'appréciais, surtout l'été, cet horaire flexible qui me permettait de profiter de ma piscine et des beaux jours. Mon but était bien davantage de me sentir utile, de me désennuyer et surtout d'avoir le sentiment d'apprendre de nouvelles choses. Me servir de ma tête, en somme. J'avais le loisir de ne pas être obligée de travailler, ceci constituait donc une semi-retraite que je pourrais faire durer aussi longtemps que je le souhaitais.

Après environ un mois de travaux, Jessica m'a invitée à voir le résultat. Une magnifique piscine creusée, un spa et un patio équipé de meubles confortables donnaient une atmosphère luxuriante à leur environnement. Des plantes magnifiques, des trottoirs de dalles, tout était somptueux et digne d'un magazine de décoration. Nos nouveaux voisins nous ont invités à inaugurer cette merveille avec eux et leurs amis. Nous avons accepté avec plaisir. Nous avons donc passé la soirée chez eux, entourés de quatre autres couples d'amis, aussi jeunes et séduisants qu'eux. Nous étions les plus âgés, et de regarder ces belles personnes sauter dans la piscine ou se prélasser dans le spa m'a flanqué une bonne bouffée de nostalgie.

L'effet n'a pas été le même chez mon époux. En rentrant chez nous ce soir-là, Gilles m'a sauté dessus et m'a offert une performance express comme ça ne lui était pas arrivé depuis des lustres. Je me suis laissé faire en pensant à Daniel. Il était évident que Gilles était attiré par Jessica au plus haut point. Je ne pouvais pas le blâmer. Et si j'avais pu lui trouver ne serait-ce que le plus petit défaut, j'en aurais peut-être profité pour « mettre la switch à bitch », même si ce n'était pas du tout dans ma nature, et déblatérer contre notre nouvelle voisine. Je n'y arrivais tout simplement pas. Elle était charmante, drôle, intelligente, gracieuse, géné-reuse, douce et gentille. Elle avait tout, la garce. Impossible de la détester. Alors j'ai choisi de me lier d'amitié avec elle plutôt que le contraire, ce qui me ressemblait davantage. Je savais que mon époux bénéficierait de chaque occasion pour reluquer la belle en maillot de bain, profitant du soleil sur sa magnifique terrasse, mais ça m'importait bien peu, en vérité.

Notre vie était au beau fixe. Même si certains des comportements de Gilles m'agaçaient au plus haut point, j'avais pris le parti de m'accommoder de ce qui m'était offert et d'utiliser le souvenir du baiser de Daniel, au besoin. J'étais choyée et je le savais. D'un point de vue matériel, du moins. Pour le reste, je me réprimandais en me répétant que j'avais épousé cet homme pour le meilleur et pour le pire ; forcément, notre relation était appelée à changer au fil des ans, nous étions dans une espèce d'entre-deux, entre les années de jeunesse et de passion et celles de tendresse et de raison.

J'avais hâte qu'une certaine sérénité s'installe. Car le voir saliver devant notre voisine était tout de même moins répugnant que de le voir s'asseoir près de notre propre piscine les jours où les enfants amenaient leurs amis se baigner. Gilles avait eu une recrudescence de gentillesse envers eux lorsqu'il s'était rendu compte que leurs amies, maintenant de jeunes adultes, étaient devenues des jeunes et jolies filles qui prenaient plaisir, dans toute leur candeur, à se pavaner dans de minuscules maillots de bain. Curieusement, mon mari, qui avait toujours détesté voir débarquer les amis de nos enfants, s'en accommodait dorénavant très, très bien. Je le trouvais ridicule et pathétique. Il se croyait subtil, avec ses lunettes de soleil sur le bout du nez, assis dans les marches de la piscine tandis que les naïades s'épivardaient autour de lui. Il bombait le torse, redressait les épaules, comme s'il avait eu la moindre chance d'attirer le regard d'une de ces filles autrement que pour être considéré comme un vieux pervers. Me croyait-il aveugle ? De toute évidence, ce n'était pas très préoccupant pour lui. Un jour, il a dit à Oli :

— Il va faire beau, vous devriez inviter vos amis à venir se baigner, vous pourriez faire un barbecue, ou quelque chose.

C'est là que j'ai compris que mon fils était devenu un homme. Oli l'a regardé et a mis un moment avant de répondre :

— Ouain, t'aimerais ça ? Sont *cutes,* mes amies, hein ? Ben ça leur tente pus de venir ici, elles trouvent ça un peu gênant, elles ont l'impression de se faire regarder tout le temps. Je leur ai dit que c'était juste des idées qu'elles se faisaient, mais entre toi pis moi, p'pa, on sait bien que c'est vrai, non ? En tout cas, c'est dégueu.

Dégueu ? T'as pas idée, mon gars.

Des belles filles comme tes amies, ton père se masturbe en les regardant se lécher entre elles et se faire enculer par des gros Noirs. Es-tu fier de ton père, chéri ?

Moi, en tout cas, je le suis TELLEMENT !

Ark.

Je lui donnais entièrement raison. Et j'étais très, très fière de lui. Les enfants ont cessé d'emmener leurs amis à la maison. Gilles a continué de fantasmer sur Jessica, et moi, j'ai gardé ma tête bien confortablement enterrée dans le sable chaud de mon déni.

Au cours de sa première année d'université, Oli a rencontré Josiane. Ce n'était pas sa première copine, mais certainement la plus sérieuse. Elle lui a mis le grappin dessus en moins de deux, et elle m'a énervée dès que je l'ai rencontrée. Ce n'était pas quelque chose de précis qui m'agaçait chez elle, plutôt son attitude générale. Elle était mielleuse, trop gentille, et il m'a semblé évident, dès le premier instant, qu'elle avait l'intention de faire de moi une alliée, tout en restant sur ses gardes. Elle faisait bien. Julie et Valérie se sont moquées de moi, prétendant que j'aurais eu la même attitude envers n'importe quelle fille ayant l'audace de s'approprier mon Oli, mais c'était faux.

— *Come on*, Maryse, avoue! Y'a aucune fille assez bonne pour ton Oli! plaisantait Julie.

— C'est pas vrai! Je vois juste pas ce qu'il lui trouve. C'est une princesse habituée à se faire servir et à avoir tout ce qu'elle veut! Pis en plus, elle est végétarienne. Comme si c'était pas assez compliqué de faire des repas pour tout le monde! J'ai rien contre, au contraire, et vous le savez. Mais elle est radicale, et pas mal plus *hard core* que moi. Le jour où je vais faire manger du tofu à Gilles, je fais un méchant party!

— Tu vas pas me dire qu'Oli va lâcher son filet mignon pour sa blonde? a demandé Valérie, sceptique.

— Ben oui, ça c'est la cerise sur le *sundae*! Elle est super radicale, dans ses convictions, et elle les impose à tout le monde. Même mon carnivore de fils – vous le savez qu'il donnerait tout pour un bon steak au barbecue – me regarde avec une expression pleine de dédain quand je lui en offre. Et je parle pas du bacon du samedi matin… c'est comme si je voulais l'empoisonner! Il lève les sourcils, l'air horrifié. Pareil avec les hamburgers. C'est bien ses affaires; s'il veut acheter sa propre bouffe et se préparer lui-même à manger, j'ai aucune objection, mais… il aime mieux chialer et c'est ça qui m'énerve le plus.

Mes amies sympathisaient en ricanant.

Oli et Josiane se sont fréquentés tout le reste de l'année. Puis, juste comme il commençait sa deuxième année d'université, mon fils m'a annoncé qu'il quittait le domicile familial. Il partait vivre en appartement avec Josiane et un autre couple, dès le mois suivant, puisqu'elle perdait sa colocataire. J'ai tenté de le raisonner ; c'était beaucoup trop tôt, ils se connaissaient à peine ! De plus, Oli n'avait rencontré l'autre couple que quelques fois ; et comment se débrouillerait-il financièrement ? Chacune de mes objections était renversée. Comme les frais universitaires d'Oli étaient payés grâce au Régime enregistré d'épargne-études, auquel Gilles souscrivait depuis la naissance de nos héritiers, l'argent qu'il gagnait avec son emploi de gérant adjoint au supermarché suffirait amplement pour payer sa part. Il ne s'agissait que de faibles tentatives de dissuasion… Mon bébé partait de la maison, et je n'y étais tout simplement pas préparée. J'étais certaine qu'il faisait une erreur, mais je n'avais pas le choix de le laisser vivre sa vie comme il l'entendait. Ça me bouleversait, mais comme toujours, je l'ai soutenu, surtout en voyant l'attitude de Gilles pour qui il était temps que son incapable de fils quitte enfin les jupes de sa mère. J'ai offert à Oli de transformer le sous-sol en appartement, dans une ultime tentative de briser ce projet qui me chavirait, mais cet argument a été démoli comme les autres :

— Maman, tu sais bien que ça serait pas idéal, et puis j'ai vraiment envie de partir. J'en peux pus d'entendre p'pa me critiquer sur tout et me chialer dessus vingt fois par jour !

Je ne pouvais pas le blâmer, et j'en ai voulu à Gilles d'éloigner mon fils de moi avant que j'y sois prête. Je n'ai donc fait qu'ajouter une récrimination de plus à la longue liste qui accablait déjà mon mari. En fin de compte, j'ai pris le parti d'aider mon fils de mon mieux. Je l'ai gâté ; je lui ai acheté quelques meubles, des serviettes et autres babioles, mais comme Josiane était déjà installée là depuis l'année précédente, il ne lui fallait que bien peu de choses.

Le jour du déménagement, j'oscillais entre la fébrilité et le désespoir. Au fond, j'étais heureuse pour lui, sachant que c'était ce qu'il voulait et qu'il se débrouillerait mieux que je souhaitais l'admettre. La boule qui me bloquait la gorge était bien réelle. J'aurais voulu l'aider à emménager, mais je ne me sentais pas à l'aise ; j'étais dans les affaires de Josiane, et l'autre couple qui partageait l'appartement n'était pas très avenant. Je les ai donc laissés à leur nouveau chez-eux et suis retournée au mien. Là, je me suis effondrée, sans combattre ma réaction démesurée.

Je perds mon fils.

Ben non, du calme, y'est juste en appart, y'est pas parti en Chine !

Non, mais si c'était pas de Gilles, il serait encore à la maison.

Peut-être pas, et tu le sais. Puis, ça allait arriver un jour ou l'autre, non ?

Pas obligé… y'a à peine vingt ans, c'est encore un bébé !

Euh… vraiment ?

C'était étrange, les premiers temps. Je m'attendais à tout moment à voir Olivier arriver à la maison et, quand c'était le cas, trop rarement à mon goût, je m'en réjouissais même si Josiane était presque toujours avec lui. J'aurais aimé leur cuisiner des petits plats, leur offrir de menus cadeaux pour les aider à mieux s'installer, mais ma cuisine ne leur plaisait pas et ils semblaient ne manquer de rien, sauf d'argent pour des sorties ou des loisirs. Je les aidais avec certaines dépenses, à l'insu de Gilles, puisque c'était tout ce que je pouvais faire. Je ne leur rendais pas visite non plus, car mon sentiment d'être une intruse persistait. Était-ce parce qu'ils étaient quatre jeunes adultes à partager cet appartement ? Je n'en savais rien, mais je sentais qu'on m'enlevait un petit fantasme que je m'étais construit depuis que j'avais pris conscience que mon fils grandissait et qu'un jour il partirait. J'avais l'intention de me reprendre avec Fanny même si j'espérais que ça n'arriverait que plusieurs années plus tard.

Ça s'est produit vite, beaucoup trop vite. Fanny a été acceptée à l'université de son choix… à Québec. Ça me semblait l'autre bout du monde ; elle aurait très bien pu demeurer à Montréal, mais elle avait envie de vivre l'aventure universitaire en entier, et je la comprenais. Elle résiderait là-bas pour son plus grand plaisir, dans un minuscule studio qui la comblait. Elle y emménagerait tôt en été, puisqu'elle avait déniché un emploi qu'elle pourrait conserver pendant ses études. Curieusement, j'étais moins inquiète pour elle que pour son frère, même si elle était plus jeune encore. Fanny me semblait plus apte à prendre soin d'elle-même, plus débrouillarde, aussi. C'était tout de même une grosse pilule à avaler. Avais-je seulement le choix ? Eh non.

Peut-être que je pourrais déménager avec elle ?

Ha ! ha ! ha ! Gilles aimerait ça !

M'en fous, moi j'aimerais ça…

Laisse vivre ta fille.

Oui, mais ça veut dire que je me retrouve toute seule avec Gilles…

Et ?

Et… je sais pas trop ce qui va se passer.

Arrête de freaker d'avance et pour rien. Tu verras bien.

Ouain, OK, pas tellement le choix…

Je suis donc allée à Québec quelques fois pour aider Fanny à s'installer, avec et sans Gilles qui se contentait de bougonner. Il était encore plus troublé que moi de voir sa fille quitter le domicile familial. J'aurais bien voulu me moquer de lui comme il l'avait fait pour moi lors du départ d'Oli, mais je me suis abstenue. Je refusais de m'abaisser à employer ses tactiques, bien qu'en moi-même, je jubilais de le voir souffrir. Ça m'a même consolée, peut-être par opposition. Ridicule ? Sans doute, mais c'était plus agréable de me réjouir pour et avec Fanny que d'être dans le même état d'esprit que son père. Nous avons donc passé de joyeux après-midi, ma fille et moi, à acheter des draps, de la vaisselle et autres nécessités. Je la gâtais avec un plaisir fou. Ces moments avec elle étaient précieux. Nous jouissions d'une belle complicité, ce qui n'était pas aussi fréquent que je l'aurais souhaité, et j'étais très fière de la jeune femme qu'elle était devenue.

En mai, juste avant le déménagement de Fanny, Julie nous avait annoncé que Danny venait de rompre avec elle, et d'une façon assez cavalière. Elle le prenait très mal, et Valérie et moi avons fait de notre mieux pour lui remonter le moral. Cet homme avec qui elle venait de passer seize ans lui avait bêtement annoncé, un soir comme tous les autres, qu'il était amoureux d'une femme plus jeune avec qui il voulait fonder une famille. C'est sans doute ce qui a heurté Julie le plus profondément. Ils avaient tous les deux décidé, bien des années plus tôt, qu'ils n'auraient pas d'enfants, et voilà qu'il changeait d'idée. Elle était blessée, déçue, amère.

Danny avait dû passer un mauvais quart d'heure… Julie sait être malcommode et, même si je soupçonnais qu'elle avait elle-même déjà songé à le quitter, il avait piqué son orgueil. S'il y avait une chose que Julie avait du mal à accepter, c'était le rejet. Pas parce que ça lui était arrivé trop souvent, au contraire. C'était toujours elle qui rompait. Alors Valérie et moi avons fait ce que de bonnes amies doivent faire et l'avons accompagnée dans sa peine à grands coups de fondue, de chocolat, de vin et de critiques sur la nouvelle flamme de son ex.

Pauvre chouette... elle était vraiment maganée !
Oui, mais avoue que si elle l'avait laissé avant qu'il le fasse, t'aurais trouvé ça pas mal plus acceptable, non ?
Euh, ben oui, c't'affaire.
C'est mon amie, c'est évident.

Nous la laissions parler et s'épancher même si nous avions constaté dans son couple, depuis plusieurs années déjà, une lassitude et un manque de proximité qui ressemblaient trop, dans le secret de mon âme, à ce que je vivais. Aux yeux de mon entourage, Gilles et moi étions LE couple par excellence, celui qui fait mentir les statistiques alarmantes sur les taux de séparation et de longévité. Nous étions soudés, unis pour le meilleur et pour le pire. Julie, elle, ne se contentait pas comme moi de son petit bonheur tranquille, je la connaissais suffisamment pour le savoir. Elle avait besoin d'éclat, de passion, d'excitation, et plus les années passaient, plus Danny, autrefois flamboyant, *sexy* et énergique, se transformait en un homme tranquille, prévisible, terne, pépère. Comme Gilles, en somme. Sauf qu'entre Julie et moi, il y avait un monde. J'avais toujours préféré les hommes mûrs, responsables, solides, et une partie de moi s'obstinait à prétendre que mon mari était tout ça malgré son caractère particulier et sa crise sans doute passagère. En dépit de ses défauts, de son intransigeance, de ses critiques et de son mépris, il avait essayé d'être un père présent, bien que maladroit, et un bon pourvoyeur.

Bref, nous avons aidé Julie à passer ce dur moment et avons repris, plus régulièrement, nos soupers de filles en trio avec Valérie. Il était temps ! Nous n'avions jamais tout à fait renoncé à ces soirées, mais elles étaient devenues moins fréquentes. Ça nous manquait à toutes.

Simultanément, Fanny a déménagé et ce jour fatidique a été plus éprouvant qu'il l'avait été dans le cas d'Oli. Je suis allée la voir plusieurs fois, nous avons marché autour de l'université, visité les alentours, repéré les commerces utiles. Nous avons passé de belles soirées dans la vieille ville – j'adore Québec et son ambiance unique – et flâné pendant de magnifiques après-midi parmi les touristes. Ma fille me manquait déjà…

Quoi qu'il en soit, avec le départ de Fanny, je me retrouvais donc chez moi, libre comme l'air. J'avais cru que ce jour me plongerait dans une forme de dépression, cependant ça a été le contraire. Je ressentais un soudain sentiment de liberté. Gilles était là, bien sûr, mais nous n'avions que peu d'activités communes et les moments passés ensemble se faisaient de plus en plus rares.

Rares ? Come on, Maryse.

Vous faites jamais RIEN ensemble !

Je ne m'en plaignais pas. J'avais bien l'intention de profiter de cette nouvelle étape de ma vie pour faire d'importants changements. Lesquels ? Je n'en savais trop rien encore, ça viendrait. Je travaillais toujours et je venais de terminer une formation en marketing Web super intéressante, j'étais insatisfaite. Quelque chose manquait à ma vie, je m'ennuyais. J'avais beau me prélasser dans ma piscine, jardiner et faire mon yoga régulièrement, il me fallait plus. Quoi ? Je m'accordais l'été pour réfléchir.

La belle saison est passée doucement; entre le papotage avec Jessica et mes amies, tout était à peu près calme. Je rendais visite à Fanny régulièrement; Oli venait nous voir de temps en temps et Julie redécorait son condo. Jessica et Mathieu personnifiaient la petite famille parfaite, tandis que Valérie se chamaillait avec sa fille pour tout et pour rien. La routine, quoi. Mon quarante-neuvième anniversaire s'est passé sans éclat particulier, un souper comme d'habitude, bien arrosé, avec Julie et Val, beaucoup de commérage et de rires. Je n'avais pas d'angoisse ou de déprime à l'idée de passer dans le camp des quinquagénaires, je me laissais voguer d'une semaine à l'autre.

En août, dans une léthargie émotive impressionnante, j'ai cessé de me torturer avec mon mariage insatisfaisant. Si Gilles pouvait prétendre que tout était normal, je pouvais faire de même. Nous étions les deux protagonistes d'un film plutôt mauvais et assez prévisible, mais ça me convenait. C'était calme, à tout le moins.

Finalement, je me suis un peu secouée en prenant quelques autres contrats d'informatique pour de petits commerces de mon quartier et j'ai pensé aux préparatifs de l'automne au jardin.

Julie prenait du mieux, mais il était clair qu'elle n'était pas guérie. Je l'observais avec discrétion lors de nos soupers, tandis que nous buvions allègrement, parlions de la vie et des hommes et nous jurions une amitié éternelle. Elle essayait d'être forte, mais, au fil des mois, je la sentais tour à tour fragile ou remplie d'optimisme. Jusqu'à son anniversaire, en septembre. Là, j'ai compris qu'à quarante-six ans, elle avait peur. Peur de vieillir seule, peur de ne plus connaître la passion, les débordements amoureux, les papillons.

L'automne a avancé et je l'ai regardée se lancer dans la jungle des célibataires avec un mélange de fascination et de curiosité. Je la trouvais un peu pathétique. Pourquoi avait-elle besoin à tout prix, et tout de suite, de rencontrer un homme ? Craignait-elle tant la solitude ? De *blind dates* en sorties dans les clubs, son cheminement ne faisait que renforcer ma conviction que ma vie avec Gilles, aussi monotone et frustrante était-elle, valait sans doute mieux que l'option qui, d'après ce que j'en voyais, s'avérait plus décevante qu'autre chose. Évidemment, devant Julie, je faisais de mon mieux pour paraître optimiste.

Comme l'automne s'installait, j'ai profité de mes après-midi de liberté pour approfondir mes connaissances dans des domaines qui m'intéressaient, dont la cuisine et la peinture ; je me suis remise au yoga avec une ferveur toute renouvelée et je me suis renseignée de plus en plus sur les aliments naturels et les médecines douces. Pas au point de devenir végétarienne, encore moins pour plaire à Josiane, la copine d'Oli (j'étais et je suis toujours une carnivore assumée), mais pour découvrir certaines vertus des plantes et me maintenir en bonne santé.

Malgré tout, plus le temps passait, plus ma vie me semblait vide de sens. Elle ressemblait à ce que j'avais jadis souhaité et imaginé, mais il manquait un ingrédient et je n'avais pas anticipé ce détail. Il manquait Gilles. Malgré les désagréments des dernières années, au fond de moi, j'aurais voulu que cette période de nos vies soit une occasion de rapprochement ; je mourais d'envie de voyager, mais mon époux n'avait aucun intérêt pour les contrées lointaines, et je ne me sentais pas prête à partir seule. L'une ou l'autre de mes amies m'aurait certainement accompagnée, Julie surtout, mais je ne me décidais pas à lui en parler. Bien que j'adore ma copine, je n'étais pas du tout certaine que nous aurions été compatibles. Je l'imaginais mal « au naturel », parcourant des routes d'Asie ou d'Afrique, elle qui est plutôt du type hôtel quatre étoiles et restos branchés. Elle avait beaucoup voyagé avec son Danny, mais le couple était plutôt friand de ski dans les Alpes, de vignobles en Italie ou de croisières scandinaves; moi, je rêvais du Vietnam, de l'Inde, de l'Amérique du Sud ou du Moyen-Orient. Et Julie était bien trop occupée avec sa recherche de l'âme sœur pour envisager quelque voyage que ce soit.

En vérité, je m'ennuyais. Aussi, lorsque Julie s'est mise à nous raconter ses premières mésaventures, des *blind dates* décevantes organisées par sa sœur et quelques amies, ça a créé une diversion agréable. Elle avait un don certain pour nous raconter ses péripéties.

Quand Oli m'a téléphoné, un vendredi soir, pour me demander de revenir s'installer à la maison, j'ai d'abord été ravie. Un peu méchamment, je me réjouissais à l'idée que son couple n'ait pas tenu le coup, après deux ans de vie commune. Mais quand mon fils a ajouté que le retour au bercail se ferait avec Josiane, mon enthousiasme s'est refroidi d'un coup. Puis, j'ai accepté, sans même consulter Gilles. Apparemment, je n'avais pas le choix. C'était Oli *et* Josiane, ou rien. J'ai soupiré de dépit; il m'aurait bien plu de retrouver mon fils en exclusivité, mais ça ne serait pas le cas. Il avait presque vingt-deux ans, je devais m'y faire. Puis, ça briserait la monotonie. J'avais souhaité cette liberté relative, mais là, elle était devenue une entrave. La maman en moi n'avait plus personne de qui prendre soin et ça m'avait agacée et réconfortée à la fois. N'étais-je donc heureuse que lorsque je me sentais utile ? Gilles ne voulait pas de moi, je pourrais au moins m'occuper de mon fils encore un peu.

Mais il veut pas que tu t'occupes de lui, Maryse, il veut juste vivre et manger gratos.

Ben non, il veut se remettre sur pied, réfléchir à son avenir.

Leur couple d'amis a déménagé, incapable de payer l'appartement.

Tu penses vraiment que ça va marcher ? Avec Gilles et Josiane ? Pfff.

On verra bien.

7

Les retrouvailles et la cohabitation avec Oli ne se sont pas passées comme je l'avais espéré. Entre les caprices alimentaires de mon fils et de sa copine que je n'arrivais pas à apprécier, sa propension à tout laisser traîner, les sautes d'humeur de Gilles et mon calme soudainement anéanti, l'atmosphère est devenue irrespirable à la maison. Nous marchions sur des œufs. Nous tous, sauf Josiane qui évoluait parmi nous comme en son royaume. Chaque fois que je la voyais apparaître, grande échalote décharnée avec ses longs cheveux rouges et sa peau trop blanche, je me hérissais. Ses remarques, qu'elle croyait subtiles, me rendaient folle :

— Vous savez que le savon bio est plus doux pour la peau et tellement mieux pour tout le reste ! Mais chacun ses priorités, hein ?

Ma priorité, en ce moment, c'est de ne pas te sauter à la gorge, fille, tu devrais être contente !

Ou alors, elle me contournait et utilisait Oli pour passer ses messages :

— Oli, tu vas quand même pas manger ces céréales-là ? C'est bourré de sucre et d'ingrédients chimiques ! Viens, on va aller en acheter des bonnes.

Des bonnes, oui. J'essaie d'empoisonner mon fils, évidemment !

*J'aurais envie de mettre de l'arsenic dans ton lait
d'amande.*

De l'arsenic bio, bien sûr.

Elle y allait aussi d'attaques plus directes envers notre
mode de vie. Le chlore de la piscine nous empoisonnait
lentement ; il faudrait se mettre au compostage, et voir Gilles
laver sa voiture provoquait chez elle une réaction presque
épidermique.

— Oli, est-ce que ton père se rend compte, au moins,
que l'eau qu'il gaspille pourrait fournir tout un village
africain pendant une semaine ?

Et c'est sans compter les soirs où Gilles préparait le repas,
lui qui ne cuisinait qu'au barbecue, et se faisait bouder tant
par son fils que par sa copine. Je me souviens trop clairement
du jour où mon mari venait de se procurer un tout nouveau
et rutilant modèle de gril haut de gamme. Il avait eu le
malheur de demander à Oli de l'aider à l'assembler.

— T'es sérieux, p'pa ? Tu veux vraiment que je t'aide à
augmenter nos émissions de gaz à effet de serre juste pour
que tu puisses faire calciner des morceaux d'animaux ?
Déjà que les industries d'élevage barbares sont mortes de
rire en te voyant te boucher les veines de gras de vache, tu
voudrais que je participe à ça ?

Josiane l'avait regardé avec des yeux remplis d'un amour
brillant d'une ferveur quasiment religieuse. Elle aurait dû
se taire au lieu d'ajouter :

— Je suis fière de toi, mon amour !

Mon amour ? Hey, la grande, ton amour y dérape, là.

C'est pas Oli, ça.

Non. Mon fils est devenu un étranger.

*J'ai encore le droit de le prendre par les épaules et de le
brasser un peu, non ?*

Essaye-toi, pour le fun!

Comme il le faisait chaque fois qu'il était contrarié, Gilles bougonnait à s'en barrer la mâchoire ; il rentrait de plus en plus tard, prétextait du travail à finir pour briller par son absence, surtout à l'heure des repas. Ça valait mieux, car lorsqu'il était là, son attitude colérique était contagieuse. Je me raidissais, soupirais d'impatience devant l'inertie de mon fils et de sa copine, et surtout devant le surcroît de travail que leur présence m'imposait. Gilles me critiquait d'accepter de faire leur lessive, de voir à leurs besoins comme si ça leur était dû. Moi, parfois juste pour le contredire – même si je lui donnais raison sur certains points –, je m'obstinais à en faire encore davantage, quitte à m'en plaindre plus tard. Et je me suis remise à exagérer un peu sur ma consommation de vin ; c'était la seule chose qui me permettait de m'évader pendant quelques heures. Bref, mon quotidien n'était pas très joyeux.

Heureusement, les péripéties de Julie me divertissaient. Mes soirées avec mes meilleures amies me faisaient le plus grand bien et agissaient comme une soupape de sécurité. Julie était bien décidée à retomber amoureuse et le plus tôt serait le mieux. Elle sortait encore de temps à autre avec des hommes que son entourage lui suggérait, mais chaque fois était plus risible que la précédente et elle nous régalait de ses anecdotes savoureuses. Puis, elle s'est mise à sortir dans les clubs, jusqu'à ce qu'elle s'entiche d'un Latino au corps de dieu. Elle ne nous a pas dit grand-chose à son sujet, mais il était facile de voir qu'elle était pâmée. Tout ce qu'elle nous avait révélé tenait en quelques phrases :

— Les filles, il a été parfait. Il fallait que je brise la glace, t'sais ? Après seize ans avec le même homme, je voulais juste être certaine que mon *body* fonctionnait encore !

— Et ? lui avais-je demandé, puisqu'elle n'attendait qu'un peu d'encouragement pour poursuivre.

— Et ? Incroyable. On a dansé, on a flirté, il dégoulinait de séduction, j'vous jure ! Et là, il m'a entraînée dans une petite pièce, à l'arrière et…

Valérie-la-sage est intervenue :

— Quoi ? T'as couché avec le premier soir et même pas dans un lit ? ? ?

Ah, Valérie. Tellement correcte, prévisible, *by-the-book*. J'ai fait un clin d'œil à Julie qui a répondu :

— Ben oui, Val, drette de même ! Et sur un comptoir, en plus ! On a baisé comme des bêtes, c'était hallucinant, incroyable, super cochon. Et j'ai juste hâte de recommencer.

Là, je reconnaissais ma Julie. Je croyais même déceler, dans le pétillement de ses yeux, les fameux papillons dont elle parlait si souvent.

Hélas, cette histoire n'a pas duré. Julie a revu son Fernando quelques fois au club latino, mais juste au moment où elle envisageait d'aller un peu plus loin, c'est-à-dire passer une nuit complète avec lui, son bel étalon l'a larguée pour une autre femme. Un deuxième coup dur pour ma belle amie.

Ce récit avait remué des souvenirs quelque peu douloureux que je croyais pourtant bien enfouis. Pourquoi refaisaient-ils surface maintenant, presque trente ans plus tard ? Le spectre de la cinquantaine y était-il pour quelque chose ? Quoi qu'il en soit, mes amies auraient sans doute été choquées d'apprendre que j'avais déjà vécu, moi aussi, un épisode fou, « super cochon » comme l'aurait si bien dit Julie. Et j'avais souffert, tout autant qu'elle, lorsque ça s'était terminé d'une manière assez peu élégante.

Je n'avais que dix-huit ans – mais tout près de mon dix-neuvième anniversaire ; ça représente une circonstance

atténuante, non ? –, et lui… trente-six. C'était mon professeur de philo lors de ma dernière session de cégep. Il
m'éblouissait. Avec ses analyses des différents courants de
pensée et sa façon de rendre limpides les réflexions les plus
complexes, je l'aurais écouté parler pendant des heures. Il
était attirant, mais mes amies le trouvaient beaucoup trop
vieux. Moi, pas du tout. Au contraire : j'adorais sa maturité,
son assurance et son intelligence. Je voyais dans ses traits
moins juvéniles que ceux de mes camarades l'expression
d'une expérience fascinante et j'étais fébrile de me retrouver
en classe où je m'asseyais toujours assez près pour bien
l'observer, mais pas trop pour éviter d'être repérée dans
mes émois de postadolescente.

Il ne lui a pas fallu très longtemps pour remarquer mon
trouble, et je crois bien que je n'ai pas fait grand-chose pour
le lui cacher. Ses regards se sont faits plus insistants, les
miens plus assurés malgré mon inexpérience. Je me laissais
aller à ce que je ressentais sans me poser de questions. Je
profitais de chaque occasion pour discuter d'un concept,
faire valoir mon opinion qu'il accueillait avec un mélange
d'admiration et de curiosité. C'était grisant. Puis, peu
avant l'examen de fin de session, alors que je me préparais
mentalement à devoir le quitter, il m'a offert son aide pour
réviser mes notes. Après plusieurs mois à l'admirer en
secret, j'avais évidemment conçu une tonne de scénarios
plus explicites les uns que les autres dans ma jeune tête
inconsciente, m'imaginant nue avec lui, savourant ce
qu'il infligeait à mon corps si innocent. Je n'avais aucun
préalable sur lequel baser mes fantaisies, les garçons que
j'avais fréquentés jusqu'alors m'apparaissaient superficiels
et légèrement débiles ! Mais cet homme éveillait en moi des
sensations jusque-là inégalées, et je m'étais même caressée

quelques fois en pensant à lui. Cependant, et grâce à la pudeur presque maladive qu'avait toujours eue ma mère à discuter des plaisirs du corps, je n'osais pas m'aventurer dans cet univers mystérieux. Je n'avais donc pas poussé plus loin mes explorations, me contentant plutôt de les interrompre, puis de les oublier avec un vague dégoût.

Mon professeur m'avait donné rendez-vous dans le local de philo en début de soirée, disant que c'était le moment qui lui convenait le mieux. Je n'avais pas besoin de réviser mes notes ; qui plus est, tout le monde sait bien que la philo, au cégep, n'est pas la matière la plus appréciée. Cependant, le prétexte en valait bien un autre et j'étais curieuse. J'espérais qu'il me demanderait de devenir sa petite amie. J'étais majeure et ne serais bientôt plus une de ses étudiantes, il n'y avait donc aucun problème.

Seigneur ! T'étais vraiment nounoune, hein ?

Non, pas nounoune. C'était mon premier vrai kick,

c'est tout. Tout le monde passe par là, j'étais pas plus

nounoune que n'importe quelle amoureuse !

Oui, nounoune.

Ta gueule.

En me rendant à son local, j'avais l'estomac noué. Il m'a accueillie et m'a demandé s'il y avait un sujet que je ne maîtrisais pas autant que les autres. Nous avons discuté pendant presque deux heures au bout desquelles nos regards sont restés accrochés l'un à l'autre. Je sentais bien que je l'attirais, mais qu'il était mal à l'aise, qu'il ne savait pas trop comment manœuvrer. Moi encore moins, évidemment. Alors nous nous sommes quittés à contrecœur, sur la promesse de nous revoir le surlendemain, soit l'avant-veille de l'examen.

Cette deuxième rencontre s'est déroulée assez différemment. D'abord, j'avais passé les quarante-huit heures précédentes dans un brouillard de pensées troublantes. Je le désirais, j'avais inconsciemment décidé que je voulais qu'il soit « mon premier », j'avais envie de passer du temps avec lui, d'être son amoureuse. C'était très, très clair dans ma tête.

Il m'a offert cette fois d'aller dans un café pas trop loin du cégep, dans le quartier où il habitait. Je ne me méfiais pas le moins du monde, de toute manière, s'il m'avait offert d'aller chez lui, j'aurais accepté sans hésitation, sachant très bien ce qui s'y produirait. Nous sommes donc allés au fameux café, et là, notre conversation a repris de plus belle même si elle s'éloignait considérablement de la philosophie. Puis, alors que je ne l'espérais plus, il m'a demandé si j'avais envie de prendre un verre à son appartement. Je lui ai souri et je l'ai suivi.

Nous étions à peine arrivés qu'il s'est précipité sur moi, son désir aussi fort que le mien. Je voulais être nue dans ses bras, j'avais besoin de sentir ce qu'un homme, un vrai, pouvait me procurer comme plaisir. Il m'embrassait avec une fougue incroyable et moi, je fondais. Il m'a déshabillée, a retiré ses vêtements à son tour et m'a ensuite étendue sur son lit. Ses lèvres ont goûté mon cou et mes épaules, sa bouche entière a aspiré mes seins à m'en faire gémir de plaisir, et je pouvais très clairement voir à quel point il s'efforçait de ralentir la cadence plutôt que de se laisser emporter par son excitation. Il me complimentait sans arrêt, me disant combien j'étais belle, si désirable, si douce. J'étais intimidée par son érection et, lorsqu'il l'a compris, il est devenu encore plus fébrile. Il a caressé mes cuisses, les écartant doucement pour enfouir son visage dans ma toison et la lécher avec gourmandise. Je frissonnais de plaisir et je commençais à comprendre la raison pour laquelle on faisait tout un plat de cet acte que je ne connaissais pas encore. Quand il a glissé un doigt en moi, je me suis raidie. Mais il était si habile que j'ai bientôt laissé une douce chaleur m'envahir jusqu'à ce qu'il en insère un second. Il était comme ébloui. Son admiration me flattait et lorsqu'il a mis un condom et m'a embrassée, me demandant si j'étais bien certaine que c'était ce que je voulais, je me suis contentée de sourire.

J'ai eu mal, très mal, mais seulement un instant. Mon amant était gentil, ne précipitait rien, veillait à mon confort. Très vite, cependant, son mouvement est devenu plus confortable, puis tout à fait agréable. J'étais tout de même crispée, mais il s'appliquait et me caressait avec tant de douceur et de considération que je m'humidifiais, enfin. Là, il m'a retournée et m'a pénétrée plus fortement ; la douleur s'est mélangée au plaisir tandis que ses mains m'agrippaient les seins. Il était très excité, et moi je ne voulais plus le quitter. Il a réussi à tenir encore un moment, beaucoup trop bref à mon goût, avant d'accélérer la cadence jusqu'à ce qu'un grognement libérateur m'indique qu'il avait joui.

Ça y était : j'étais amoureuse. Nous avons passé le reste de la nuit à discuter, rire, et faire l'amour. Il m'a tant montré ! J'avais une soif incroyable de ses caresses et lui n'arrivait pas à se repaître de mon corps ; il le possédait, le caressait, jouissait et me faisait soupirer à tel point que j'ai cru savoir ce qu'était le véritable plaisir. Puis, il recommençait, me prenait d'une autre manière, plus étroitement, plus brutalement, sans toutefois me permettre de souffrir. C'était l'extase.

Au petit matin, ayant à peine fermé l'œil de la nuit, il m'a fait à déjeuner et m'a embrassée. Alors que nous devions tous les deux nous rendre au cégep, il m'a murmuré :

— Tu reviens ce soir, hein ? Mais pour aujourd'hui, il vaudrait mieux qu'on n'arrive pas ensemble, je ne voudrais pas que tu sois la cible de commérages.

J'ai apprécié sa délicatesse et, sans la moindre hésitation, je suis retournée chez lui ce soir-là. La nuit a été encore plus intense que la précédente même si j'avais mal partout depuis la veille et que j'avais cru que la sensation de brûlure m'empêcherait d'en profiter. Il m'a montré l'art d'une bonne fellation, et je me régalais de le voir aussi appréciateur. L'élève en donnait bien plus que ce que le maître demandait. J'ai eu l'impression d'échantillonner toutes les positions possibles cette nuit-là, d'être tellement enflée et endolorie que je croyais devoir lui dire d'arrêter. Mais, chaque fois, il me gratifiait d'une nouvelle caresse qui réanimait mon plaisir et me faisait oublier la douleur.

C'était divin. Nous avons fait l'amour un nombre incalculable de fois, mon prof démontrant, selon moi, des aptitudes exceptionnelles et une capacité de récupération impressionnante. Il était aussi inépuisable que moi.

C'est le lendemain matin que le charme s'est rompu. Voulant faire plaisir à mon nouvel amoureux, je me suis habillée et suis sortie en catimini chercher des croissants frais et du café à la boulangerie que j'avais repérée la veille. Nous pourrions manger au lit en reprenant nos activités de la nuit, et j'en frissonnais d'anticipation. À mon retour, j'ai d'abord été étonnée d'entendre une voix féminine, puis déçue : j'avais tant voulu surprendre mon amant dans son sommeil ! Je suis entrée par la porte entrouverte et j'ai entendu une fille, – non, une femme –, qui invectivait un

Pascal toujours nu, entortillé dans les draps froissés. Elle ne m'a même pas regardée avant de continuer :

— Je savais que je pouvais pas te faire confiance ! Une autre, alors que tu m'avais promis que c'était terminé !

— C'est pas ce que tu penses, Geneviève…

— Pas ce que je pense ? Franchement !

« Pas ce que tu penses ? » Il avait vraiment dit ça ? Je ne savais plus où me mettre, j'aurais voulu disparaître, mais seulement après l'avoir tué. J'étais déjà une furie, à l'époque… Alors au lieu d'être la pauvre fille qui veut s'évaporer, je me suis mise à l'engueuler, moi aussi :

— Pas ce qu'elle pense ? Ah bon, c'est quoi, alors ? Écœurant ! Tu m'as jamais dit qu'il y avait déjà quelqu'un dans ta vie !

— Tu me l'as jamais demandé…

Geneviève et moi nous sommes regardées sans la moindre animosité. Si nous avions dit quelque chose, ça aurait sans doute été du genre : « Il a vraiment dit ça ? Quel con ! »

J'ai eu envie de me venger, de renverser les deux cafés bouillants sur la tête de Pascal, peut-être, ou de lui lancer une méchanceté, mais rien ne m'est venu à l'esprit. Ça viendrait plus tard, comme d'habitude, lorsque je n'aurais plus la possibilité de répliquer avec intelligence et de manière cinglante. En attendant, j'ai plutôt offert un de mes deux cafés à Geneviève et j'ai toisé mon prof avec le plus grand mépris. Puis, j'ai regardé sa copine en haussant les épaules comme pour dire : « Désolée, je savais pas. » Elle m'a fait à peu près le même geste avant de dire à Pascal :

— Toi, tu ramasses ton linge et tu sacres ton camp.

J'ai juste entendu l'autre commencer à protester avant de sortir. Ce n'est qu'une fois dans la rue que je me suis mise à pleurer. Fort.

Il avait été le premier, et j'étais surtout déçue en pensant à tout ce qu'il aurait pu me faire découvrir. Idiot. Je l'avais cru plus mûr que les gars de mon âge, mais il n'était qu'un de ces éternels enfants incapables de résister à l'attrait d'un jeune corps chaud.

Quelques mois plus tard, j'entrais à l'université et je rencontrais Gilles. Il était le deuxième, et serait le seul pendant presque trois décennies.

Quand j'écoutais les récits de Julie, je ne pouvais pas m'empêcher de l'envier. Malgré son chagrin, elle ne faisait que commencer à vivre plein d'expériences palpitantes. Moi ? Je n'avais connu intimement que deux hommes, c'était pathétique à en pleurer. Je me suis dit que Julie me permettrait peut-être de vivre, par procuration, les moments excitants qui me manquaient cruellement. Qu'est-ce que je pouvais espérer de plus ?

Pendant les soirées avec mes amies, je rongeais mon frein en prétendant, comme je le faisais si souvent, que tout allait bien dans le meilleur des mondes. Je réussissais à les leurrer, mais, à l'intérieur, je dépérissais. En fait, quand j'étais honnête avec moi-même, je devais avouer qu'autant j'enviais Julie et toutes les possibilités qui s'offraient à elle, autant je m'inquiétais. Plus que jamais. Notre union, à Gilles et à moi, tirait-elle vraiment à sa fin après toutes ces années ? C'était à la fois évident et surréel. Lorsque je m'interrogeais sur mes sentiments pour mon époux, j'étais mitigée. Je n'arrivais pas à dissocier amour et attachement. J'étais attachée à lui, nous avions vécu tant de moments ensemble, bons comme mauvais ; par contre, je ne pouvais plus être certaine de l'aimer. Trop de choses chez lui me répugnaient, il me blessait, son dénigrement laissait des traces et des cicatrices d'une profondeur terrifiante. Et surtout, ça durait depuis trop longtemps, mais ça non plus je n'avais pas le courage de l'admettre, encore moins d'en parler à mes amies. Pouvais-je poursuivre cette vie qui me semblait de plus en plus lourde au fil des ans ? Je savais bien que je suranalysais tout ça et que bon nombre de ces questionnements étaient exacerbés par la quantité de vin que je me permettais, une fois tout le monde au lit. À cette époque, je croyais encore qu'il était normal qu'un couple traverse différentes tempêtes. J'étais convaincue que cette période n'était que provisoire.

D'ailleurs, en bon manipulateur, Gilles savait quand il atteignait mes limites. Alors, pendant quelques jours ou une semaine, il se montrait gentil, attentionné, me complimentait sur une foule d'aspects de notre vie dont il m'attribuait les mérites : combien Fanny se débrouillait bien, à quel point notre demeure était aménagée avec goût. Il allait même jusqu'à se plonger dans des constatations philosophiques, à l'occasion. Par exemple, après un verre de vin ou deux, il m'avouait qu'il s'estimait choyé que je l'aie choisi comme époux, qu'il ne serait pas où il était aujourd'hui, n'eût été ma présence à ses côtés. Il ajoutait, en me regardant avec des yeux larmoyants et pleins de gratitude, qu'il ne savait pas comment il se débrouillerait sans moi ; vantait la mère que j'avais toujours été, prétendait que, sans moi, les enfants auraient manqué quelque chose d'exceptionnel. Il allait jusqu'à pleurer, parfois, tant l'émotion était forte. Et moi, j'y croyais.

Cent milles à l'heure. Et ce sont ces rares moments-là qui t'empêchaient de divorcer, au fond, hein ?

Ouain. Je voyais pas encore que c'était juste sa façon de me contrôler.

Niaiseuse!

Non. Confiante, c'est pas pareil.

Tout ça me laissait perplexe. Sentait-il combien nous étions près du précipice? Cherchait-il de cette façon à s'assurer de ma loyauté et de ma disponibilité? Bien sûr. Tentait-il de m'amadouer, de gagner ma confiance et même ma pitié? Évidemment. Il était bien des choses, Gilles, mais certainement pas con. Et il me connaissait sur le bout des doigts. Sans que je doive prononcer un seul mot, il savait bien que j'en avais souvent assez, que ses paroles blessantes m'atteignaient, et c'est dans ces moments-là qu'il tentait de réparer les dégâts. Je croyais à l'époque qu'il agissait sur le coup des remords, mais aujourd'hui, je sais bien qu'il n'en est rien. Les remords autant que l'empathie étaient des concepts qui lui étaient totalement étrangers.

Tu lui as demandé s'il t'aimait encore. Il t'a pas répondu.

Il t'a souvent vue pleurer sans te réconforter ni te rassurer. Et c'est maintenant que tu comprends qu'il est incapable d'empathie?

Il t'a blessée, a blessé Oli tant de fois. Et tu trouvais ça normal?

Pas normal, juste… Gilles.

Oui, oui, je sais. Niaiseuse.

Lorsque Julie et Danny s'étaient séparés, j'avais connu une première période d'anxiété. J'étais persuadée que le même sort nous était réservé, que ce n'était qu'une question de temps. J'étais angoissée, mais pas surprise ni paniquée. C'était un constat, pas une menace. Cependant, j'avais des craintes : comment je ferais pour poursuivre ma route seule, sans Gilles ? C'était étrange. Je me demandais à intervalles réguliers quand, exactement, la rupture se produirait, et je tentais d'en établir le moment le plus propice tout en sachant que si elle survenait, elle ne viendrait pas de moi.

Je me sentais prise au piège. Et Gilles, lorsqu'il était dans son état normal de hargne et de mépris, ne se gênait pas pour me rappeler que le train de vie auquel je m'étais accoutumée ne serait pas du tout le même, si toutefois il me venait la très mauvaise idée de le quitter. Ses menaces plus ou moins voilées me terrifiaient. Je l'entendais me dire sans l'ombre d'une hésitation, vingt-deux ans plus tôt, qu'il allait de soi que je resterais à la maison avec Oli d'abord, et nos autres enfants par la suite. « Mes enfants ont besoin de ce qu'il y a de mieux. Et ça, c'est leur mère. Je vais pas laisser des étrangers élever mes enfants ! » Je l'avais pris comme un compliment, à l'époque… et n'avais même pas songé à l'état de dépendance dans lequel cette situation me placerait. Même si ma mère m'avait maintes fois sermonnée à ce sujet, j'étais heureuse d'avoir l'occasion de mettre ma carrière en veilleuse pour élever les enfants à la maison. Et je ne l'avais pas regretté tant j'avais été renversée par mon amour pour eux.

Par contre, là je me rendais compte que je n'avais aucune possession, pas de véritable carrière ni de fonds de pension, encore moins de revenu stable, à part mes honoraires de travailleuse autonome. Rien, en somme. Bien sûr, la loi me protégerait, mais au-delà de ces considérations, en vérité, je ne me sentais pas d'attaque pour affronter mon mari lors d'éventuelles procédures judiciaires houleuses. Car elles le seraient. Je ne doutais pas un seul instant que je verrais alors Gilles sous son plus mauvais jour, pire encore que tout ce que j'avais déjà connu. Il serait impitoyable, méchant et plus intransigeant que jamais. Et surtout, il saurait manipuler avocats, juges et médiateurs avec tout le talent dont je le savais capable. Moi, je ne serais pas de taille.

J'ai donc laissé le temps passer sans faire de vagues. Je me trouvais forte de jouer ce jeu, d'endurer tout ça sans me plaindre, sans rechercher la pitié ou le réconfort de mes amies. J'étais idiote, en fait, et surtout, peureuse. Ma façon de « ventiler », quand la tension devenait insoutenable, était de me soûler la gueule pour me permettre de pleurer et de m'apitoyer sur mon sort. Brillant ! J'avais peur du jugement et des critiques de mes copines, et honte de m'être laissé piéger de la sorte. Disons que mon estime de moi-même n'était pas à son plus haut niveau.

Avoir su que tout se réglerait aussi simplement…

8

« La vengeance ne répare pas un tort,
mais elle en prévient cent autres. »
PROVERBE ARABE

Les choses se sont précipitées au cours de l'année suivante. S'il en avait été autrement, j'ignore comment j'aurais réussi à conserver mon beau masque de sérénité...

Tout d'abord, en janvier, Gilles m'a annoncé qu'il partait encore une fois pour un congrès. J'étais déjà partie seule, auparavant, mais je ressentais à cette époque un besoin viscéral de m'évader, cette fois avec mes amies. Rien ne m'en empêchait. J'ai évoqué avec Julie et Valérie l'idée de passer une petite semaine à Cuba et elles ont accepté sans que j'aie à insister. J'avais choisi cette destination, car elle était la plus abordable et je savais que Val ne ferait jamais de dépense extravagante, d'autant plus qu'elle laissait sa fille seule une semaine entière pour la première fois. J'ai été étonnée que cette contrainte ne la fasse pas reculer, mais c'est sans doute sa rupture toute récente avec Pierre, le copain insipide qu'elle fréquentait depuis un an ou deux, une autre de ses relations insignifiantes, qui l'a décidée.

Julie, quant à elle, pataugeait toujours dans un blues de déception à la suite de ses déboires avec son beau Latino. Je voyagerais donc avec deux nouvelles célibataires et serais sans doute reléguée au rôle de chaperon ; mais ce n'était pas grave. Si j'étais partie seule, je me serais enlisée dans une mélancolie qui me terrorisait et dont je voulais me préserver. Cuba ? Pourquoi pas. Je n'étais pas friande des tout-inclus, mais la mer, la chaleur et toutes les teintes de turquoise imaginables me feraient le plus grand bien. Ce projet me donnait des ailes et m'aidait à voir venir le temps des Fêtes sans trop d'appréhension. Enfin presque. Noël est arrivé avec son lot de soupers et d'obligations familiales.

Chaque année, les Fêtes représentaient une corvée de plus en plus pénible. Je recevais la famille de Gilles chaque vingt-cinq décembre. J'insiste sur le « je » puisqu'à part l'aide que m'apportait Fanny, je cuisinais seule. Mes deux beaux-frères et leurs épouses, ainsi que mes neveux et nièces débarquaient au cours de l'après-midi, ma mère arrivait un peu plus tard et passait la semaine avec nous. Je préparais la dinde, la belle-famille apportait les desserts.

La conversation était toujours d'une superficialité désolante. Quand les parents de Gilles étaient décédés, quelques années plus tôt, à un an d'intervalle l'un de l'autre, j'avais secrètement espéré qu'il incomberait à l'un de ses frères de s'occuper du souper de Noël, mais nous en avions apparemment hérité *ad vitam æternam* sous prétexte que notre maison était beaucoup plus spacieuse, mais je savais bien qu'ils étaient trop pingres. Je ne les détestais pas, leur jalousie était toutefois palpable et agaçante. Gilles avait mieux réussi qu'eux, et l'argent semblait toujours leur sujet de discussion favori.

Cette année-là, ma plus grande joie a été de retrouver ma Fanny qui n'était revenue à Montréal qu'une fois en août et une autre au cours de l'automne. Sinon, le déballage des cadeaux s'était fait comme d'habitude le matin de Noël, et j'avais pris plaisir à gâter mes enfants comme je le faisais chaque année en leur offrant une tonne de vêtements, des cartes-cadeaux et autres babioles. C'était mon petit bonheur à moi et il a réussi à dissiper un peu de la tension ambiante, au moins un court moment. Il me restait à recevoir mes tantes, cousins et cousines et, enfin, les deux sœurs de mon père qui, même si leur aîné était décédé presque dix ans plus tôt, entretenaient des liens amicaux avec ma mère. Elle insistait pour les voir au moins à Noël avant de partir vers la Floride, où elle resterait jusqu'au printemps. Enfin, je devais faire la tournée, avec ma mère, des résidences dans lesquelles habitaient deux de ses frères. Cette année-là, j'aurais de loin préféré rester tranquille, ne recevoir personne et passer les vacances avec Fanny et Oli, s'il avait au moins pu se débarrasser de Josiane plus que les maigres vingt-quatre heures qu'elle est allée passer dans sa famille.

J'avais réussi à grappiller un peu de temps avec ma mère et Fanny. Nous aimions bien passer ces quelques rares moments « en filles », et je m'amusais de nous voir, trois générations de Després, et surtout de nous entendre. Ma mère était en forme, et elle se réjouissait de son départ imminent vers le *Sunshine State*.

— Pourquoi tu viens pas me voir là-bas, ma belle Fanny ? Me semble que ça te ferait du bien !

— Ben là, maman, j'pense pas que Fanny ait envie de passer une semaine ou deux avec des p'tits vieux dans un parc de maisons mobiles, à jouer au bridge et à magasiner dans les *outlets* de Fort Lauderdale…

— Laisse-la donc décider, Maryse ! Pis, on est pas tous des p'tits vieux. Tu pourrais venir toi aussi, ma fille. On aurait du *fun* !

Du *fun,* oui. Je me voyais trop la conduire ici et là, jouer au taxi pour ma mère et ses amies pour aller au bingo ou s'adonner à un autre loisir de l'âge d'or. Ma mère était encore active et j'étais heureuse qu'elle se paie du bon temps. Ces taquineries étaient communes entre nous. Je ne m'attendais pourtant pas à la suite :

— Je pourrais vous présenter Henry…

Fanny et moi nous sommes regardées, étonnées. Henry ?

— Regardez-vous pas de même ! Ben oui, Henry. Je savais pas trop comment vous annoncer ça, mais je pense bien que c'est mon chum, maintenant. Il va probablement rester avec moi, cette année, dans ma maison mobile…

Elle avait un petit sourire à la fois gêné et coquin, si bien que Fanny et moi n'avons pas pu nous empêcher d'éclater de rire.

— Pour vrai ? Wow, maman, tu niaises pas ! Comme ça, toi pis le beau Henry… ah ben, c'est donc *cute* !

— J'avais peur que tu sois fâchée, à cause de papa… Ça fait longtemps qu'on est amis, lui et moi. Quand on se voit pas, on se suit sur Facebook, mais l'année passée, c'est devenu plus que ça. Je suppose que vous diriez que c'est quelque chose comme un « ami avec bénéfices »…

Elle nous a fait un clin d'œil, et nous avons pouffé de rire jusqu'à ce que l'image de ma mère au lit avec le fameux Henry dont je n'avais vu que quelques photos devienne inconfortable. Je me suis tout de même empressée de la rassurer :

— Maman, franchement ! T'es courailleuse ! Mais que t'aies peur que je sois fâchée, c'est pas fort. Ça va faire dix ans que papa est mort, tu vas quand même pas attendre d'avoir cent ans pour avoir du fun avec un homme !

Nous avons ri. J'étais heureuse pour ma mère, mais en même temps, j'étais jalouse. Jalouse de ma propre mère qui, à soixante-quatorze ans, était amoureuse. Je voyais ses yeux pétiller et j'aurais voulu me souvenir de cette sensation. Et là, Fanny nous a regardées toutes les deux et nous a dit :

— Tant qu'à y être, j'voudrais bien vous parler de Félix…

Bon ! Ma fille aussi ! Fanny nous a raconté comment elle l'avait rencontré et combien il était gentil, beau, intelligent, drôle, sensible, bref, parfait.

— Il est pas végétarien, au moins ?

La question avait franchi mes lèvres trop vite, et je ne savais pas comment Fanny réagirait, je ne connaissais absolument pas son opinion à propos de sa « belle-sœur ». Elle m'a rassurée :

— Non, m'man, t'inquiète ! Tu vas pouvoir lui en faire, à lui, des burgers et du bacon, et il va l'apprécier !

Ouf. C'était beaucoup. Ma mère, ma fille, en même temps. J'aurais bien aimé vivre de telles palpitations, moi aussi… Ça a achevé de me déprimer même si, comme d'habitude, j'ai affiché mon plus beau sourire.

Je comptais les jours – les dodos comme disaient les enfants quand ils étaient plus jeunes –, avant de partir à Cuba. Je m'accrochais à ce voyage de toutes mes forces.

Ma première impression de Cuba ? Lumière, mer incroyable et chaleur bienfaisante. Je n'en étais pas à mon premier périple dans le Sud en hiver, mais celui-ci prenait des allures d'évasion. Pas des plus luxueux, l'hôtel était très correct et près de la plage. Dès notre arrivée, nous avons profité de la mer et des cocktails. C'était divin. Mais au cours de la soirée, j'étais claquée alors que mes deux amies, elles, avaient envie de faire la fête. Elles hésitaient à me laisser seule dans la chambre, pourtant j'aspirais à un peu de solitude. En évoquant le besoin de « me changer les idées », ce qui n'était pas tout à fait faux, je n'avais pas avoué à mes amies qu'en fait, j'avais surtout un réel besoin de les mettre en ordre, ces idées. Je voulais prendre un temps d'arrêt pour voir où j'en étais. Je me sentais dans un drôle d'état et je savais pertinemment que, malgré ce que j'en disais, la cinquantaine qui me tomberait dessus au cours de l'année n'était pas étrangère à la prise de conscience qui s'imposait. Contrairement à Julie, je n'angoissais pas à l'idée d'être une quinquagénaire. L'âge ne m'importait que très peu et je n'appréhendais pas de vieillir, je ne craignais pas la décrépitude de mon corps, et je n'éprouvais pas non plus l'espèce d'urgence que Julie ressentait à profiter de sa relative jeunesse et des plaisirs que son corps pouvait encore lui procurer avant qu'il soit trop tard. Cela dit, je faisais aussi face à une crise existentielle, bien différente de la sienne, mais tout aussi réelle. Ma seule urgence consistait à savoir si j'étais prête à passer le reste de ma vie comme elle se présentait, auprès d'un homme que je n'étais plus certaine d'aimer, mais qui me procurait la stabilité, la quiétude dont je croyais avoir besoin. Je partageais toutefois avec mon amie la peur de vieillir seule. Cependant, je ne savais plus si j'étais terrorisée par cette éventuelle solitude au point d'envisager les années à venir aussi ternes, misérables, même, que celles qui venaient de passer.

Cette crainte de solitude s'étendait bien au-delà du quotidien. Depuis longtemps, notre intimité, à Gilles et à moi, laissait à désirer.

Désirer, oui. Qu'en était-il, au juste, de ce fameux désir ? Où étaient donc passées ces nuits où je n'avais envie que de caresses et de plaisir ? Ces soirées à nous courtiser malgré nos alliances, à nous faire languir jusqu'à ce que nos vêtements volent dans tous les sens lorsqu'enfin nous laissions libre cours à notre envie l'un de l'autre. Ah, ils me manquaient tant, ces merveilleux épisodes presque passionnés du début de notre mariage, lorsque Gilles prenait plaisir à m'enduire d'huile parfumée et à masser chaque centimètre carré de mon corps, s'attardant sur mes seins de longs moments. Et que moi, glissante, luisante et chaude, j'ondulais sur lui, faufilant mes cuisses entre les siennes pour le sentir gonfler contre mon ventre avant de m'empaler doucement sur lui. Gilles n'était pas un champion des préliminaires lorsque nous nous sommes connus, mais je lui ai enseigné cet art. Je lui ai expliqué que de nous embrasser de longs moments, de sentir son excitation monter alors qu'il me caressait, me permettait de mieux m'abandonner, d'avoir envie de faire durer le plaisir. Ça marchait, même s'il était tout de même impatient. Le désir était bien là… en ce temps-là.

Oui, vraiment, qu'était-il advenu de ce désir ? Pouvais-je le faire renaître d'une façon quelconque après toutes ces années ? Vieillir, c'était inévitable. Mais pouvais-je espérer retrouver cette merveilleuse complicité de nos nuits de jadis ? C'était une des trop nombreuses questions que je souhaitais élucider, ou du moins examiner au cours de ce séjour.

Ce soir-là, notre premier à Cuba, j'ai donc laissé partir Julie et Valérie avec une certaine impatience, je me suis installée sur le balcon surplombant la mer – j'avais moi-même payé le supplément nous assurant cet emplacement pour pouvoir la contempler à ma guise – et j'avais entamé une réflexion que je devinais douloureuse mais nécessaire. J'avais bien l'intention de la prolonger tout au long de la semaine.

Dès ce premier soir, Julie a rencontré un certain Marc-de-Laval. Un homme tout frais séparé, père de famille de surcroît. Je lui avais bien souhaité une belle distraction amoureuse, même si ce cas me semblait périlleux. Je l'écoutais nous raconter ses péripéties et m'en divertissais, mais je n'avais pas le cœur à ça et mon impatience a dû transparaître.

— Qu'est-ce qu'il y a, Maryse ? Allez, crache ! Y'a quelque chose qui t'achale, c'est évident.

Euh… Un gars qui vient juste de se séparer, avec des enfants en plus. Pourrais-tu trouver quelque chose de moins évident ? Come on, Ju. Allume !

— Ben… c'est juste que… t'as dit qu'il venait de se séparer ? C'est combien de temps, ça ? Quelques mois ? Quelques semaines ?

— Un mois.

— Ouch ! Et trois enfants. Si je peux te donner un p'tit conseil, Julie, c'est vas-y mollo, prends ton temps, OK ? Les pères nouvellement séparés, c'est pas toujours super stable. Surtout après autant d'années… Ouf ! Et il a quoi, une garde partagée ?

— Je sais pas, ils ont pas réglé toutes ces choses-là, encore.

Pas réglé encore ? Wô. Ça veut dire que c'est vraiment très récent. Bonne chance, Championne !

— Tu sais rien de lui, Julie, il pourrait très bien vouloir juste se payer une aventure…

— J'en sais en masse. Il s'appelle Marc Fauteux, enseignant, beau, fin et vraiment *sexy*. J'ai pas besoin d'en savoir plus pour comprendre qu'il me plaît !

— Fais à ta tête, mais je t'aurai prévenue… .

Valérie me trouvait décourageante, Julie était frustrée que je ne saute pas de joie. Moi, je voulais juste la paix pour pouvoir retourner à mes pensées plus ou moins sombres. Je me suis donc efforcée d'avoir l'air plus favorable, j'ai même pris une photo des tourtereaux alors qu'ils marchaient sur la plage, main dans la main. Ce serait une surprise pour Julie, elle ne pourrait plus m'accuser d'être négative. En fait, je procrastinais et j'utilisais les mésaventures de mon amie, telles que ce vrai mélodrame à la sauce Julie, pour m'éloigner de ma propre remise en question.

J'avais vu juste. Après leur première soirée ensemble, Julie et le fameux Marc-de-Laval ont essayé de voler un moment d'intimité dans la chambre de ce dernier et, comme dans un mauvais film, se sont fait surprendre par la marmaille. Là, le beau séparé a paniqué avant d'annoncer à Julie qu'il allait essayer de recoller les morceaux avec sa femme. Julie ne l'a pas si mal pris, mais moi, cette mésaventure m'a donné encore plus de matière à réflexion. Comment un homme pouvait-il imposer aussi rapidement à ses enfants une nouvelle liaison alors que la séparation était aussi récente ? Il me semblait qu'une mère ne pourrait jamais faire une telle chose, même si je savais que c'était pourtant le cas. Cette façon d'agir et le fait que les enfants se retrouvaient au milieu de tout ça me mettaient hors de moi. C'était bien assez difficile pour eux d'accepter que leur famille éclate, comment un homme pouvait-il s'attendre à ce qu'ils voient d'un œil favorable que le cœur de leur père batte pour une autre femme ? Je me demandais comment je réagirais moi-même dans une telle situation. Évidemment, Oli et Fanny étaient bien plus âgés que les enfants de ce Marc qui n'avaient que de dix à seize ans, mais tout de même. Comment percevaient-ils notre famille, eux ? En étions-nous même encore une, au sens absolu du terme ? Je n'en savais plus rien. Quoi qu'il en soit, il ne restait plus que quelques jours de notre semaine après ces déboires, et nous les avons passés à éviter les touristes bruyants et stupides, à contempler la mer et à nous plonger, chacune d'entre nous, dans nos réflexions respectives. Julie voulait tourner la page, Val souhaitait voir la vie autrement et moi... moi, je ne savais pas très bien ce que je voulais. J'étais cependant de plus en plus certaine d'une chose : je ne voulais pas continuer ma vie de la même manière. Je ne savais pas quoi ni comment, mais quelque chose devait absolument changer.

Ce fameux changement devrait d'abord se produire dans ma façon de voir les choses. Je ne pouvais pas tout régler en quelques jours, mais j'ai tout de même dressé la liste des problèmes qui pouvaient l'être, un à la fois. Comment allais-je m'y prendre ? Ça, je n'en avais pas la moindre idée, mais je savais instinctivement que mon attitude pourrait changer les choses. Je me devais de rester calme, objective, et de prendre un certain recul. Surtout, je devais reconnaître que vider une bouteille de vin après l'autre, comme je le faisais encore trop souvent, ne réglait rien. En fait, ça devait sans doute contribuer à l'état de déprime latent qui m'étouffait. Sauf que... le bien momentané que la griserie me procurait en valait la peine. Il serait toujours temps de me ressaisir le moment venu.

La situation d'Oli était sans contredit la plus urgente. Ensuite, il me faudrait me pencher sur le cas Gilles. J'ai compris que je n'y arriverais peut-être pas toute seule et je me suis promis de chercher quelqu'un de l'extérieur, un psy, sans doute, pour y voir clair. Surtout, je constatais qu'il me manquait un but, une cause à laquelle me dévouer. Il était fort possible que le vide que je ressentais venait du fait que Fanny était partie et qu'Oli ne voulait plus de mon attention bienveillante ; je n'avais plus personne à materner, plus de maisonnée à diriger, plus de tâches quotidiennes et immuables à accomplir. J'étais en deuil et je n'avais rien vu venir.

J'ai eu très envie de me confier à mes amies lors de notre dernière soirée à Cuba. Mais je n'ai pas pu. Maryse-la-forte, celle qui sait toujours comment réagir, était simplement incapable d'avouer son désarroi à ses complices de toujours. Mon orgueil m'en empêchait, de même qu'une pudeur dont j'ai pris conscience, mêlée à de la superstition. Et si, en dévoilant mes questionnements, mes incertitudes et mes craintes à mes amies, ça ne faisait qu'empirer les choses ? Si je perdais leur respect et leur admiration ? Je deviendrais alors celle que j'ai toujours refusé d'être, la fille sans ressources, peureuse, qui n'est pas assez autonome pour même songer à refaire sa vie seule. Je deviendrais celle que mes amies prendraient en pitié. Il n'en était pas question. Un but, oui, il me fallait transférer à autre chose l'attention que j'avais accordée à mes enfants tout ce temps. Mais quoi ? Un travail ? Un *hobby* ? Je n'en savais trop rien.

La solution à ce dernier point s'est présentée grâce à Julie.

9

Peu après notre retour de Cuba, Julie s'est inscrite à des sites de rencontre. Elle avait pris cette décision au cours des derniers jours de notre voyage, et je me réjouissais de cette distraction dans mon quotidien devenu toxique. Tout me semblait matière à déprime ; même la mésaventure de Julie avec le fameux Marc-de-Laval me trottait dans la tête. Je le trouvais idiot, mou ; je détestais qu'il ait utilisé mon amie pour comprendre qu'il avait envie de renouer avec sa femme. C'était injuste et ça méritait, selon moi, une conséquence.

Il a été facile de le retracer sur Facebook et de constater que son statut était toujours « marié ». En avait-il jamais été autrement ? La photo que j'avais prise de Julie à ses côtés n'était pas compromettante mais suffirait sans doute à ajouter un obstacle dans la réconciliation du couple. Je l'ai envoyée en message privé à sa femme, précisant que Julie n'aurait jamais osé faire une telle chose, mais que je sentais qu'il était de mon devoir de l'en informer. Je n'ai pas réfléchi... Marc aurait pu invectiver Julie à la suite de cet envoi, la traiter de tous les noms, mais j'ai compté sur sa couardise. Et une fois de plus, j'ai vu juste. Il ne s'est jamais manifesté, et je n'ai plus jamais entendu parler de lui. Cependant, j'ai senti que ce geste honorable m'a fait le plus grand bien.

*Chanceuse quand même qu'il ait pas engueulé Julie ou
qu'il ne t'ait même pas écrit à toi…*

*Oui, je sais. Faut croire que malgré tout, j'ai une bonne
étoile.*

*Ou peut-être que je suis juste faite pour accomplir ce
genre de choses? Il est temps que quelqu'un se déniaise
et fasse payer les innocents qui utilisent les autres sans
conséquence.*

Peut-être. Why not?

L'univers des sites de rencontre me fascinait. Je n'y avais
bien sûr jamais jeté le moindre coup d'œil, ils m'inspiraient
toutefois une grande curiosité, mêlée à un indicible sentiment de malaise. J'en avais ressenti un semblable lors de ma
« recherche » sur l'échangisme, mais pas tout à fait le même.
Alors qu'il s'agissait de couples blasés, là, il était question
de trouver un partenaire de vie. Était-ce une solution? Les
esseulés de ce monde y trouvaient-ils tous leur compte?
Julie était excitée, et c'était tout ce qui comptait. Elle me
permettait de visiter un univers inaccessible et je comptais
bien me laisser divertir.

Julie prétendait vouloir sortir, s'amuser, et, autant que
possible, rencontrer celui qui lui donnerait ses fameux
papillons. À nous trois, nous connaissions plusieurs
personnes qui avaient rencontré l'amour sur de tels sites.
Pourquoi pas, au fond? Mais je savais que l'une des
principales motivations de Julie était le sexe, même si elle
ne l'avait jamais avoué. Elle en avait d'autres, évidemment,
sauf que pour elle, si le sexe n'était pas digne d'un record
Guinness, c'était peine perdue. Bref. Si ces sites étaient
extrêmement populaires, il devait bien y avoir une bonne
raison, non?

Valérie, bien que célibataire, n'avait pas l'air très enthousiaste à l'égard de cette démarche. Je me suis demandé pourquoi elle ne profitait pas du fait que Julie tente le coup pour se joindre à elle, mais il m'est apparu évident, en avançant dans le processus, qu'elle n'était pas prête, et Julie a eu le bon sens de ne pas l'influencer.

Toutes les trois, nous avons donc inscrit notre petite Julie, comme si nous la jetions dans la fosse aux lions. Je me projetais dans sa vie, je voulais l'adopter et m'occuper d'elle en remplacement de mes enfants : son aventure est aussi devenue la mienne. Nous avons fait de la soirée d'inscription un événement spécial avec, au menu, saumon fumé, raclette, mousse au chocolat et beaucoup trop de vin. J'avais apporté mon appareil photo et je jouerais à la photographe ; nous avons ri comme des folles et ça m'a fait un bien incroyable. Allions-nous présenter Julie comme étant une séductrice ? Une sportive ? Une coquine ? Je trouvais important de montrer toutes ses facettes et nous nous sommes amusées un bon moment. C'est que Julie sait jouer les clowns et c'était la grande forme. J'ai tout de même insisté pour rejeter les photos où elle paraissait trop « poupoune ». Je voulais montrer ma Julie : la fonceuse, la rieuse, celle que je trouvais irrésistible.

Il nous fallait ensuite trouver la façon adéquate de la décrire. Les fiches des autres femmes ne nous inspiraient pas tellement… Ces dernières semblaient toutes rechercher la même chose : un homme gentil, galant, honnête, fidèle, doux et attentionné, qui apprécie les restos et le cinéma. Original ? Pas le moins du monde.

— Voyons, à les croire, toutes les filles du site sont joviales, curieuses, au passé réglé, pas compliquées, avec un bon caractère. Elles cherchent toutes une relation stable, basée sur le respect et la franchise. Vous trouvez pas que ça sonne limite niaiseux ? Me semble qu'on passe à côté de l'essentiel, la personnalité propre de chaque individu, comme si tout le monde était pareil et interchangeable. C'est moi qui suis dans le champ ?

— Non, je suis d'accord, a confirmé Valérie. Moi, j'ai l'impression de feuilleter un catalogue de vente par correspondance ou qu'on essaie de trouver une job à Julie plutôt qu'un chum… Mais franchement, moi, je saurais même pas quoi chercher, ça fait que je peux pas me prononcer !

— Ben moi, c'est clair ce que je cherche. Je veux de l'excitation, des papillons. Un coup de foudre, peut-être, pourquoi pas ?

Je la trouvais naïve, mais je voulais y croire, pour elle autant que pour moi.

Ainsi est née Jujube. Julie Benoît part à la chasse. *Watch out, les boys !*

Pour finir la soirée en beauté, nous avons effectué nous-mêmes une première recherche pour voir combien d'hommes dans la mi-quarantaine, professionnels, élégants et sans enfants, s'offraient à notre amie. Par anticipation, nous avons retenu notre souffle lorsque Julie a appuyé sur la touche « rechercher ». Devant nos yeux ébahis, le site nous a révélé 1487 résultats. Je n'en revenais pas, et Julie était excitée comme une petite fille. Elle était convaincue qu'elle avait le monde à ses pieds et moi, que je passais carrément à côté de quelque chose d'incroyable.

Cependant, nous avons vite déchanté. Il y avait plusieurs hommes séduisants, très attirants même. Mais en y regardant de plus près, il s'est avéré que plusieurs d'entre eux n'étaient plus actifs depuis quelques mois. Puis, la majorité des hommes de cette catégorie d'âge souhaitaient rencontrer des femmes plus jeunes que notre Jujube, parfois même très jeunes. Des presque quinquagénaires précisaient vouloir une compagne de dix-huit à trente-cinq ans, *pour sexualité et peut-être plus*. Ouf. Première déception, mais pas de grande surprise. Ensuite, plusieurs mentaient sur leur âge, indiquant, par exemple, quarante-huit ans sur la fiche, mais se révélant plus vieux dans leur description sommaire. Quelques-uns expliquaient vouloir ainsi correspondre aux critères de recherche de femmes plus jeunes, d'autres ne donnaient aucune justification. Il y en avait des dizaines. Quelle blague !

Le vin faisait son effet, et nous étions plus que joyeuses. Nous nous sommes donc tout de même amusées à regarder les photos, certaines ridicules, d'autres pathétiques. Des hommes posant fièrement avec un poisson tout juste pêché, d'autres le torse nu ou avec une moue se voulant séduisante, un genre de *duck face* raté. Des tonnes de *selfies* flous, ou désavantageux, et une quantité phénoménale de mâles plus ou moins moches en maillot de bain sur une plage des Caraïbes, coup de soleil à l'appui, parfois même enlaçant une femme. Des clichés sérieux, des airs bêtes, des photos mal cadrées ou beaucoup trop éloignées pour qu'on puisse distinguer l'homme en question. Mais où avaient-ils la tête ? La notion de « s'avantager » semblait saugrenue. Bizarre.

Quelques rares images sortaient du lot. Pour ces hommes, la description était soit obscure, soit trop sommaire, ou d'une banalité innommable. Ils aimaient tous le golf, le plein air, le sport et le vin. Et alors ? C'était sans compter leur inaptitude généralisée à écrire correctement. On finissait par déchiffrer qu'ils étaient tous honnêtes, intègres, sportifs et souhaitaient rencontrer une femme féminine, sensuelle, mince et complice. Et quoi encore ? On n'était pas sorties du bois.

Julie n'a pas trouvé son compagnon idéal ce soir-là. Mais elle demeurait optimiste. Et s'il était là, quelque part, je savais qu'elle le trouverait. Si une femme en était capable, c'était bien elle. Moi, j'avais l'impression d'avoir mis le doigt dans une espèce de troisième dimension, un monde parallèle dont je me méfiais autant qu'il m'attirait. C'était presque surréel. Je n'avais encore rien vu…

Assez rapidement, Julie s'est mise à sortir avec divers hommes pour mon plus grand plaisir. Elle passait des heures sur le site à décortiquer des fiches, certaines absurdes, d'autres décourageantes, mais quelques-unes ont fini par retenir son attention. Je la connaissais assez pour savoir qu'elle y mettait un soin méticuleux. Traductrice de métier, Julie s'attarde souvent sur des détails et c'est une de ses forces. J'avais confiance que ce trait de caractère la servirait dans cette quête somme toute assez éreintante.

J'adorais l'entendre, au fil des semaines, nous raconter ses sorties, la plupart décevantes malgré tout. Bien honnêtement, j'en tirais le courage d'endurer ma relation avec Gilles. Ce qu'elle me racontait était bien peu excitant, loin de l'être assez, en tout cas, pour larguer mari et maison dans l'espoir de batifoler au soleil couchant avec un prince charmant, attentionné et viril.

Julie venait donc de nous raconter ses plus récentes mésaventures, avec un homme qui lui rappelait son oncle de quatre-vingt-douze ans, puis avec un Italien assoiffé de sexe qui avait prononcé une phrase que nous nous amuserions à répéter à Julie à toutes les sauces : « *Et toi, Joulie, tou aimes ça, soucer ? Tou veux la mannnnnger, ma grosse queue ?* » Enfin, elle nous avait raconté l'anecdote de son chef cuisinier. L'homme en question, séduisant, intéressant, charmant, était le premier depuis Marc-de-Laval-rencontré-à-Cuba avec qui ma belle amie aurait eu envie de poursuivre une relation, mais il était « comme marié ». *Comme* marié ? J'avais été estomaquée. Je tombais des nues. Toutes mes belles illusions s'effondraient d'un seul coup. L'homme en question fréquentait les sites, multipliait les aventures, tandis qu'à la maison, une femme fidèle et dévouée, qui peut-être me ressemblait, ne se doutait de rien.

J'ai alors ressenti ma deuxième étincelle de méchanceté. Je me rendais compte que je faisais de la simple projection envers cette femme trompée, et même si je savais que ce genre de choses se produisait tous les jours, de m'y frotter d'aussi près me mettait hors de moi. J'aurais eu envie de venger cette inconnue en me présentant au restaurant de l'odieux personnage pour le dénoncer haut et fort, devant une salle comble. Ou alors, de trouver une façon de dévoiler ce terrible secret à sa femme pour qu'au moins elle ne soit pas reléguée au rang de victime aveugle et innocente. En entendant le récit de Julie, j'avais d'abord tenté de croire qu'il s'agissait d'un cas isolé, mais la suite des événements m'a convaincue du contraire. Je m'étais mise à m'interroger. Gilles était-il un de ces êtres ignobles qui utilisaient les sites de rencontre en toute impunité pour sortir d'un quotidien devenu trop frustrant ? Nous n'avions jamais répété l'épisode du club d'échangistes et les hommes seuls n'y étaient admis que très rarement. Avait-il trouvé un autre exutoire à ses envies ? J'avais tenté de repousser cette pensée affreuse, mais, malgré tous mes efforts, elle revenait me hanter. Comme une plaie qui ne guérit pas, c'est rapidement devenu un doute, un soupçon, puis, au fil des mois, une quasi-certitude.

Gilles passait un nombre d'heures incalculable devant son écran d'ordinateur. Je connaissais son penchant pour les sites pornos, et ce passe-temps avait largement dépassé le simple loisir occasionnel. Dès que j'allais me coucher, il s'installait confortablement, sa boîte de mouchoirs à portée de la main, et ne me rejoignait que de longs moments plus tard, après s'être offert sa dose de plaisir solitaire. Un bon soir que Gilles était en congrès, j'étais allée fouiller l'historique de navigation de son ordinateur portable. Ce que j'y avais vu ne m'avait pas choquée, mais profondément heurtée. Le site qu'il semblait préférer offrait une gamme incroyable de « genres » de clips, allant de l'orgie traditionnelle au *gang bang* presque violent, en passant par les scènes lesbiennes et sadomasochistes. Mais en plus des jeunes nymphettes qui se faisaient défoncer par un ou plusieurs étalons au membre effroyable, chaque orifice se voyant étiré et envahi, mon mari semblait particulièrement apprécier les images de sodomie et de double pénétration, une pratique dont je n'étais que vaguement consciente auparavant. J'étais fascinée par ces filles dont le visage se convulsait à mesure que les gestes de leurs partenaires s'intensifiaient et je me demandais si mon cher mari, de même que tous les hommes qui regardaient ces images, se doutait au moins à quel point ces femmes avaient un réel talent d'actrice. J'imaginais la scène, sur le plateau de tournage, et je ne pouvais m'empêcher de me demander comment les filles s'exerçaient à gémir pour que ça ait l'air vrai.

Come on, fille, tu peux pas triper tant que ça !

Et ces hommes ? Pouvaient-ils éjaculer sur demande ? Au bout d'un moment, ça devait bien devenir moins excitant, tout ça, non ? Une fille pouvait faire semblant, mais comment ces hommes restaient-ils bandés dur aussi longtemps ? Viagra, sans doute. Beurk. Ça me levait le cœur et m'hypnotisait à la fois.

Sur ce site maintes fois visité se trouvait toute une section MILF, un sigle qu'il m'a fallu un moment, dans ma grande ignorance, à déchiffrer. Ces femmes, des *Mom's I'd Like to Fuck,* n'étaient supposément pas des actrices pornos, mais plutôt des mères de famille tout ce qu'il y a de plus ordinaires, qui se vautraient dans une sexualité débridée avec le premier venu. Elles auraient pu être moi, ces femmes, et ça m'a fait tout drôle. J'ai tenté de m'imaginer, telle que mes semblables sur certaines pubs, me photographiant en dessous suggestifs, parfaite dans mon imperfection de « vraie » femme. Est-ce que je plairais ? Est-ce que je recevrais des offres de jouissance charnelle sans lendemain qui me laisseraient pantelante de plaisir, le genre de plaisir que mon cher époux ne m'avait pas prodigué depuis des lustres ? Elles étaient des dizaines, des femmes esseulées, vraisemblablement négligées par leur conjoint, tout comme je l'étais moi-même. Et toutes avaient dans le regard une concupiscence mêlée à une résignation troublante. S'abaisser à ça... comment y parvenait-on ? Une image de moi, prenant une pose suggestive, les fesses bombées et la poitrine exposée, sans oublier la moue boudeuse et la langue sur les lèvres, m'a fait frissonner.

Ha ! ha ! Je ris, mais c'est plutôt triste. Faudrait que je sorte mes p'tits kits sexy en dentelle. Me semble de me voir...

*Et me semble de voir la face d'Oli s'il arrivait pendant
ma séance de photos!*

Brrr.

À force de fouiller, j'ai conclu que mon mari ne fréquentait pas, du moins pas encore, de sites de rencontre. Il
était seulement accro à la porno. Seulement ça.

*L'homme que j'ai épousé est juste devenu un vieux
pervers qui se masturbe devant des adolescentes et des
partouzes. Fiou! Yeah!*

Plutôt que d'être scandalisée, j'étais rassurée. C'était ça,
le plus pathétique.

Let's drink to that!

Oh, oui.

Houston, je pense qu'on a un problème...

10

J'ai jonglé assez longtemps avec le constat que mon homme était accro à la porno avant d'essayer d'en tirer une quelconque conclusion. Franchement, j'étais troublée. Est-ce que quelque chose clochait chez moi ? Étais-je en train de faire tout un plat d'une situation qui était, somme toute, banale ? J'ai fait un lien entre les penchants de Gilles et le comportement de Julie. Chaque fois que j'entendais ma copine me raconter l'une ou l'autre de ses anecdotes, certaines assez détaillées et croustillantes pour ne laisser que très peu de place à l'imagination, je constatais à quel point l'écart entre sa sexualité et la mienne était grand. Que dire de l'écart entre la sexualité de mon mari et la mienne, alors ? Ouf. Alors qu'ils recherchaient tous les deux l'excitation, la passion, les ébats vigoureux et effrénés, dans une certaine mesure et par des moyens différents, moi j'avais toujours aspiré à la douceur, au partage, à la tendresse et à la volupté qui devrait venir avec.

Je devais dissocier Gilles de l'équation. La bête en lui n'avait aucune commune mesure avec celle de mon amie qui recherchait tout de même un contact humain au-delà du sexe. Moi, je n'en avais jamais eu, de bête rugissante. La mienne s'apparentait davantage au chaton mignon et innocent qui réclame des caresses et de l'attention. Avant Gilles, il n'y avait eu que mon professeur de cégep, et avant

lui, quelques copains sans importance; j'étais jeune, pas
très « déniaisée », certainement pas attirée par les *bad boys*
comme l'étaient plusieurs de mes amies. Je n'avais donc eu
que deux pénis en moi de toute mon existence. Autrefois,
j'étais fière de cet état de fait.

Deux queues. Tout un exploit.

Wahou!

Là, je ne savais plus. Je ne regrettais pas de ne pas avoir
sauté la clôture avec Daniel, et je me souvenais d'avoir
ressenti une vague condescendance envers les quelques
femmes que j'avais vues, à Cuba et ailleurs, s'offrir une
aventure d'une semaine avec un étalon fringant. Serais-je
capable d'une telle chose ? Je n'en étais pas sûre. Je n'étais
qu'une femme encore assez jolie, mais un peu fade et
dangereusement près de la cinquantaine; ces hommes
avaient sans doute des choix plus appétissants. Les pensées
que j'avais eues à propos de Daniel me sont revenues à
l'esprit, de même que mes rêveries de me retrouver dans
les bras, dans le lit d'un autre homme. Autant j'avais
été secouée par le comportement de l'homme « comme
marié » de Julie, autant je pouvais comprendre, tout en
le condamnant, l'attrait que pouvait représenter l'adultère. Sauf que pour moi, faire l'amour signifiait bien plus
qu'une série de caresses anonymes et, sans la complicité,
sans le confort d'un partenaire qui me connaît sur le bout
des doigts, je n'y voyais aucun intérêt.

Enfin presque... T'imaginais bien Daniel te faire
toutes sortes d'affaires !

Mais j'ai rien fait d'autre, justement.

OK, mais t'aurais aimé ça, avoue !

Ben oui.

*Et il te connaît pas sur le bout des doigts, lui,
pourtant…*
Arghhh. Faut bien apprendre à se connaître !
Ben oui, c'est ça, justement…

De toute évidence, j'étais dans une catégorie à part. Bien
honnêtement, il y avait longtemps que mes rares ébats avec
Gilles ne m'apportaient plus la satisfaction recherchée. Il en
allait, apparemment, de même pour lui. Je devais m'avouer
que lorsque j'avais côtoyé Daniel, je m'étais sentie plus
femme que jamais. J'avais eu des sursauts de sensualité
inégalés qui devaient émaner de son désir… et ça, je ne
pouvais pas le nier. C'était sans doute ça, alors, qui motivait
ces hommes et ces femmes à faire des gestes concrets. Gilles
avait-il besoin de se sentir désiré pour ressentir la même
chose à son tour ? C'était évident. Mais après tant d'années,
nous nous étions enlisés dans une zone grise où chacun
blâmait l'autre, sans toutefois faire quoi que ce soit pour
changer la donne. Pouvais-je cependant être de taille contre
ces nymphettes au corps parfait avec lesquelles il passait
toutes ses soirées ou ces autres femmes assoiffées de sexe ?
Fallait-il que je me transforme pour lui ? Jusqu'où ? Ou
alors, fallait-il que j'aille chercher auprès d'autres hommes
le désir qui me motiverait à séduire mon homme ? Ça me
semblait ridicule. Une chose était cependant certaine : le
sexe qui avait jadis ponctué nos années devenait de plus en
plus rare et, pour la première fois, ça me manquait.

*Faudrait peut-être que tu précises. Ça te manque, oui,
mais pas nécessairement avec Gilles, c'est ça ?*
Euh… particulièrement PAS avec Gilles, je pense.
Oups.

Mon petit chaton intérieur sortait-il les griffes, tout à coup ?

Au début du printemps, quand Julie a rencontré Simon, celui qui allait devenir le plus significatif de ses amants, j'ai senti un déclic. De l'envie, sans doute. La façon dont elle nous avait décrit ce qui s'était passé entre eux, la complicité, le désir, encore lui, l'impression qu'elle avait eue de le connaître et l'insatiable besoin de se retrouver dans ses bras, ont fait en sorte que j'ai voulu, comme mon amie, goûter ce corps passionné qui la possédait. Julie m'imaginait sereine dans mon rôle d'épouse et de mère, et il me plaisait de lui donner cette impression puisque je voulais le croire, même si ça devenait de plus en plus difficile.

Dans une soudaine envie de voir ce dont j'étais capable et de rendre la monnaie de sa pièce à Gilles, j'avais parcouru moi aussi plusieurs sites « pour adultes ». Je ne sais pas trop ce que j'y cherchais… Probablement une image, une situation ou une personne qui provoqueraient une étincelle, mais les sites pornos ne m'excitaient pas le moins du monde. Au contraire. Bien que les anecdotes de Julie avec Simon m'aient intriguée, ce n'était pas que l'aspect sexuel qui m'émouvait, mais tout ce qui allait avec. Le désir, l'anticipation, la chimie. Tout ce qui était absent des vidéos XXX, en somme.

Je me suis alors rendu compte qu'il m'était impossible de m'imaginer à la place de mon amie. Pourquoi ? Simplement parce que je ne me sentais pas séduisante. J'étais bien des choses : rassurante, aimante, de bonne écoute, généreuse. Mais *sexy* ? Moi ?

Pfff.

Tout à coup, j'ai eu envie de savoir comment c'était de sentir son corps répondre à des fantasmes, à des regards. J'ai eu besoin de faire vibrer, comme Daniel l'avait fait, certaines parties de moi qui ne savaient plus s'émouvoir. Je ne savais même plus ce qui m'allumait. Entre les fantasmes de Gilles et ceux que j'avais inventés pour lui faire plaisir, rien ne venait bousculer mes entrailles. Oui, j'avais été excitée lors de notre sortie au club. Mais par quoi, au juste ? Par les couples qui s'ébattaient sous mes yeux ? Par la nature un peu interdite des activités qui s'y déroulaient ? Non, ma stimulation avait été mécanique, parce que mon mari m'avait caressée au bon moment. Sinon, je serais demeurée insensible à tout ce qui se passait là, et ce constat me semblait d'une grande tristesse.

Soudain j'ai compris pourquoi Julie avait si peur de vieillir, de perdre cette capacité qu'elle a de ressentir la passion. Est-ce que moi je revivrai ça un jour ? Je sentais que nos précédentes tentatives, à Gilles et moi, de raviver la flamme n'auraient jamais pu fonctionner. Échanger des fantasmes, soit ; aller même jusqu'à en concrétiser quelques-uns devait convenir à certains couples. Mais la vraie raison de mon manque d'entrain en ce sens venait du fait que je me sentais menacée par ce genre de choses. J'étais persuadée qu'au lieu de nous rapprocher, ces tentatives ne feraient que dévoiler encore plus à Gilles à quel point j'étais inadéquate. S'ensuivrait une spirale sans fin d'expériences toujours plus osées desquelles je me sentirais de plus en plus exclue. Et cette conviction s'est nourrie au fil des semaines et des anecdotes de Julie : je n'arrivais tout simplement pas à laisser éclater ma propre sensualité, même après toutes ces années. Il me fallait donc acquérir l'assurance que je possédais en moi la capacité de jouir librement, de trouver du plaisir pour moi-même et pas seulement pour Gilles. Si j'y parvenais, peut-être pourrais-je vivre un heureux rapprochement avec mon époux sans qu'il doive se rassasier devant des sites pornos ? Ça valait le coup d'essayer.

Tu rêves, Maryse. Y'est trop tard pour tout ça.

Jamais trop tard, voyons !

Ouep. J'te jure.

Va chier !

Après avoir réfléchi à tout ça, je me suis tournée vers les sites de sexologie. Il me fallait voir s'il existait des moyens de m'épanouir, de découvrir mes fantasmes réels – pas simplement inventés –, d'explorer ma sexualité. Pour moi, pas pour lui. Je voulais faire exploser mon imaginaire, connaître enfin les joies des orgasmes sans fin que Julie décrivait, sentir une jouissance aussi forte que mon désir.

Doucement, au fur et à mesure que l'été s'annonçait, j'ai profité de mes temps libres pour suivre de nombreuses suggestions, lire un nombre incalculable de romans et de nouvelles érotiques, multiplier les séances de masturbation, visionner des clips pour tenter de découvrir un contexte qui me stimulerait. Quelques pistes étaient attirantes et je les ai explorées avec un intérêt presque scientifique. Mon corps réagissait de manière inattendue et semblait tout à fait enclin à collaborer. Comme la nature, comme Julie qui s'amourachait de son beau Simon, je me sentais enfin effervescente. Et je crois que ces séances d'éveil me permettaient de mieux supporter l'ambiance empoisonnée de la maison qui, au lieu de s'améliorer, empirait de jour en jour.

J'ai eu l'impression, au bout de quelques expériences, de me réveiller. J'étais tellement motivée que j'ai même acheté un vibrateur et quelques autres accessoires. Sur Internet. Pas question d'aller fouiner dans une boutique érotique, j'étais loin de m'en sentir capable. J'avais rangé les objets dans la même boîte que ma réserve de vin, celle que je surnommais mon « kit de la femme frustrée ».

C'était un pur ravissement, aussi délicieux qu'inattendu, que de découvrir les différentes façons dont mon corps pouvait réagir comme ça, sans la participation d'un homme. Ou peut-être justement pour cette raison... Car j'ai compris qu'une large part de mon problème était en lien avec mon image.

Je n'aimais pas mon corps, surtout depuis que j'avais donné naissance aux enfants. Pour ma défense, je dois dire que le regard méprisant de Gilles glissant sur mes courbes n'améliorait rien. Depuis tant d'années, je sentais que mon apparence le décevait. Une grande part de moi s'insurgeait contre cela, car après tout, je n'étais qu'humaine, et c'était ses enfants, à lui autant qu'à moi, qui m'avaient transformée ainsi. Quoi qu'il en soit, j'étais convaincue que j'étais repoussante, qu'il me faisait encore l'amour de temps en temps seulement parce que mon corps était le seul qu'il avait sous la main.

Il me fallait d'abord et à tout prix me défaire de cette impression. Évidemment, Gilles non plus n'était pas parfait. Sa peau, comme la mienne, s'était quelque peu distendue, sa chair s'affaissait... ses efforts des derniers temps au gym ne réglaient pas tout. J'aurais dû me dire que ce n'était pas important, mais je n'y pouvais rien. Par contre, à force de regarder des clips de toutes sortes, j'ai bien constaté que les vidéos, même pornos, ne mettaient pas en vedette que des femmes jeunes au corps siliconé ou mince. Beaucoup de ces « actrices » étaient pires que moi et prenaient quand même leur pied. La différence, entre elles et moi ? Elles assumaient leurs imperfections, leur ventre ne semblait pas les gêner ni l'effet de la gravité sur leur poitrine. Comment arrivait-on à une telle acceptation ? Ce point me semblait la base de tout, et j'ai décidé de m'y attaquer. Lentement, l'idée a fait son chemin que je n'étais pas pire qu'une autre et que ce corps, au même titre que n'importe quel autre, avait le droit de jouir, d'être caressé, admiré et, surtout, désiré. À moi d'ouvrir le bal.

Au deuxième regard objectif et sans complaisance, j'ai constaté que la situation n'était pas aussi dramatique que je l'avais d'abord cru. Mes seins, assez volumineux, étaient toujours fermes. Peut-être la gravité faisait-elle son œuvre, mais je me suis surprise à me dire qu'avec un peu de dentelle et une douce armature, ils seraient plus jolis. Je me suis donc offert de charmants dessous. Rien de vulgaire ; je préférais le style classe et chic, mais tout de même *sexy*. Pour moi d'abord, encore une fois. Je n'étais même pas certaine d'avoir envie de les montrer à Gilles. J'étais en thérapie, après tout !

Il m'arrivait donc de m'installer devant le grand miroir de ma chambre lorsque j'étais seule à la maison. Je revêtais mon nouveau soutien-gorge et j'en sortais mes seins qui se trouvaient ainsi avantageusement rehaussés et gonflés. Là, je les trouvais beaux, assez pour avoir envie de les caresser. Je ne savais même pas à quel point ils étaient sensibles à différents touchers que ceux, habituels, de Gilles. Lorsque mon mari les embrassait, les pointes se redressaient et il s'empressait alors de les mordiller en les palpant. C'était très bien. Mais lorsque je les caressais, moi, roulant d'abord la paume de ma main sur mes mamelons, m'émerveillant de les voir foncer, se dresser, je ressentais complètement autre chose. Je déposais parfois un peu d'huile sur ma poitrine et là, le frottement de mes mains devenait délicieux. Je m'émerveillais une fois de plus de les voir réagir aussi instantanément ; comme s'ils n'avaient attendu que ça pour enfin s'exprimer. J'accélérais le frottement dans un mouvement circulaire et me mettais presque toujours à ressentir un petit pincement au ventre, au bout de quelques instants.

Les premiers temps, je n'avais pas trop su que faire. Puis, je m'étais décidée à m'enduire deux doigts d'huile et à les glisser entre mes cuisses, juste pour voir ce qu'il adviendrait. L'effet avait été révélateur. J'avais toujours cru que la pénétration était ce qui me faisait le plus d'effet, mais je confirmais, ébahie, qu'elle n'était qu'accessoire. Ce que j'avais bien souvent pris pour un orgasme incroyable n'en était qu'un bien banal, intense, soit, mais insignifiant comparé à la décharge électrique qui pouvait se produire. Elle était toujours précédée d'un petit fourmillement qui m'incitait à poursuivre l'expérience. Je glissais donc mes doigts le long de ma fente, explorant avec douceur tandis que mon autre main écartait les replis de chair. J'étais étonnée des subtilités et des détails de mon sexe tels que le reflet du miroir me les dévoilait. Les couleurs, d'abord, puis les textures qui changeaient au fur et à mesure de mon excitation. Le gonflement… et les gouttes de sève qui rendaient mon exploration tactile encore plus savoureuse. Je ne voulais rien en moi, simplement toucher. Ça m'envoûtait.

Tout au centre, mon clitoris se dressait en quémandant un peu d'attention. Gilles le connaissait pourtant, ce petit organe. Il s'amusait souvent à le lécher, le suçoter, le caresser. Mais étrangement, ses attentions ne me procuraient pas du tout le même effet que mes propres doigts. Ravie et curieuse, j'enduisais mon index de salive et le faisais danser avec la petite boule de chair bien exposée. L'effet était immédiat. Elle grandissait, la petite boule, s'enhardissait, durcissait, surtout. Comme si j'avais eu un minuscule pénis prêt à passer à l'action.

J'ai eu un petit rire devant cette image, la première fois qu'elle s'est imposée à moi au début de mes découvertes, et j'ai presque interrompu ma séance. Ça aurait été dommage, car le frisson qui m'a parcourue, ce jour-là, m'a laissée pantoise. J'ai frotté de plus belle, tapotant, brassant, pétrissant en un petit mouvement de va-et-vient des plus irrésistibles, et la sensation était devenue vraiment étrange. Une crampe, tout au bas de mon ventre. Un serrement, ensuite, comme si les muscles de ma vulve se protégeaient contre un assaut quelconque. Enfin, de l'intérieur, un tremblement provenant de partout à la fois, un spasme interminable, mon sexe me semblant tout à coup comme une bouche muette qui tente, à grands coups de lèvres, de faire entendre ses hoquets de surprise. Et là, une inondation, un écoulement de jouissance comme je n'en avais jamais connu auparavant. Wow. Mes jambes se sont mises à trembler à leur tour, comme mues d'une secousse profonde, et tout s'est enfin calmé. Les draps étaient trempés, moi j'étais abasourdie.

My God ! Comme aurait dit Fanny. WTF, aurait dit Oli…

Euh… de quessé ? Est-ce que je serais devenue comme un genre de femme-fontaine ? J'ai jamais vraiment cru à ça, mais là…

Eh ben !!! C'était quelque chose, ça…Gilles m'a jamais fait triper de même.

Il a pourtant toujours pensé qu'il était un champion…

C'est parce que c'est ce que tu lui as toujours laissé croire.

Mettons, oui.

J'avais le souffle court. Je me suis regardée avec étonnement : les yeux fous, hagards et brillants, j'avais les pommettes en feu, la mâchoire molle et la gorge sèche. J'avais du mal à saisir ce qui venait de se produire, mais ça m'a donné très envie de poursuivre mes explorations solitaires. Très. Qui avait besoin d'un Gilles, après tout? Comment était-il possible que ce soit alors que j'étais seule que j'arrivais à jouir de la sorte? C'était choquant de m'être privée de ça pendant des années en ayant cru que je tirais le maximum de mon corps. Ridicule! Je venais de découvrir quelque chose de fascinant et je me suis fait le serment que si tout ceci devenait en fin de compte plus gratifiant que le toucher de mon époux, je ne m'en priverais pas, au contraire. Il me serait plus aisé, dorénavant, de me contenter de ce qu'il voulait bien m'offrir et de me satisfaire autrement par la suite. C'était, en fait, une bénédiction qui rendait le tout beaucoup moins déprimant.

Oui, déprimant. Parce que là, je venais d'avoir la preuve que l'homme qui partageait mon lit depuis tant d'années ne connaissait rien à mon corps et n'était pas le mieux placé pour me procurer les jouissances folles auxquelles j'aspirais. Oh, j'avais bien joui, auparavant, mais ça n'avait rien à voir avec ce qui venait de se produire. Pitoyable, non? N'était-ce qu'un accident? Arriverais-je à revivre cette sensation d'une intensité aussi grandiose? Au lieu de me battre pour me libérer de Gilles, au lieu de le quitter et de refaire ma vie, reprendre en main ma sexualité et m'offrir ce genre de jouissance aussi souvent que je le désirais était un combat que je me sentais capable de livrer.

Yé. C'est toujours ben ça de pris...

11

Je réussissais étonnamment bien à remplir mon rôle d'arbitre entre Oli et Gilles, et d'amie et de confidente pour Julie et Val sans que quiconque se rende compte de ma transformation. J'arrivais même à faire croire à tout le monde que mon petit bonheur tranquille persistait année après année, sans une ombre au tableau. Enfin, presque. Parfois, je m'échappais. Oups. Comme le soir de l'anniversaire de Val. Alors que la nature renaissait en ce mois d'avril particulièrement doux, Valérie était en proie à sa propre crise émotionnelle, elle aussi. Je ne me doutais pas à quel point cette soirée m'amènerait à réfléchir.

Julie et moi avions choisi un resto italien que nous fréquentions régulièrement; nous pouvions bavarder tranquilles pendant des heures et y apporter notre vin. Beaucoup de vin, comme d'habitude. J'avais d'ailleurs un peu exagéré, ce soir-là. Je n'étais pas soûle, mais je me sentais de plus en plus émotive et ça n'augurait rien de bon... Valérie avait l'air dans le même état que moi, et je craignais que la soirée ne soit pas aussi joyeuse qu'à l'habitude. J'ai essayé de me secouer à quelques reprises, mais je n'y arrivais pas. J'ai donc tenté de noyer mes problèmes en buvant démesurément, et, aidée de Julie, de remonter le moral de Val qui semblait en avoir bien besoin. Julie a brisé la glace en lui demandant, avec son tact habituel, ce qui n'allait pas.

Valérie, d'ordinaire réservée, s'est dévoilée presque trop facilement, comme si elle n'attendait que ça :

— Je sais pas, les filles. Je vous adore, vous le savez, mais je pense que j'aurais aimé fêter mon anniversaire avec quelqu'un d'autre… Pas que je sache qui, j'ai personne en vue, mais j'en ai assez d'être seule.

Join the club ! C'est pas parce qu'on est en couple qu'on peut pas se sentir seule…

— Ben là, Val, ça fait juste quelques mois que t'es plus avec Pierre, a conclu Julie.

— Six, en fait. C'est quand même un bout… rectifia-t-elle.

Je ne m'étais pas rendu compte qu'autant de temps s'était écoulé. Entre mes explorations personnelles et les chicanes de famille, faut croire que le temps s'accélère… Ça m'a fait un choc. Mes beaux constats au retour de Cuba n'avaient pas évolué tant que ça, au fond. Je sentais la déprime de Val devenir contagieuse.

— J'haïs ça, bon. Je *deale* pas super bien avec la solitude. Je me demande où et quand je vais rencontrer quelqu'un d'intéressant.

Bon, ça y est. Pôv' tite, elle a pas de gros chum laid pour la désennuyer.

J'ai bien essayé de rester silencieuse, mais sans que je puisse me retenir, j'ai laissé sauter mon propre barrage :

— Vous me faites rire, les filles. Vous faites vos indé-pendantes, les filles qui ont besoin de personne, mais au fond, vous avez besoin d'un homme dans votre vie ou dans votre lit pour être heureuses. Franchement. Comme si votre bonheur passait absolument par là ! C'est quoi, l'affaire ? C'est si important que ça ? Vous avez pas envie de juste en profiter ?

— Profiter de quoi, au juste ? a demandé Valérie, d'un ton un peu sec. D'être toute seule devant la télé tous les maudits soirs ? De me regarder dans le miroir et me dire : « Ouain, t'es-tu vue ? C'est normal que personne veuille être avec toi ! » D'aller au cinéma ou au resto toute seule parce que t'es avec Gilles et tes enfants pis que Julie est sur sa vingt-huitième *date* ? Là, en plus, elle est casée avec son Simon, ça va être encore pire. Moi, à part faire marcher mes deux chiens, il me reste quoi ? Aller dans le Nord, faire des randonnées, me promener en ville, aller voir des spectacles toute seule parce que je suis trop *loser* pour avoir quelqu'un avec qui y aller ?

Là, elle m'énervait. Parce que je suis avec Gilles et les enfants ?

Wow, quelle joke. Ça fait des mois que j'ai rien fait avec Gilles, Oli me tape sur les nerfs et Fanny est à Québec. Vraiment, wow.

Il fallait que mes amies le sachent, je n'en pouvais plus : qu'elles pensent que je vivais un joli petit bonheur tranquille et sans histoire, c'était subitement devenu beaucoup trop lourd.

— T'as aucune idée de ce que je donnerais, moi, pour faire tout ça, justement ! Aller voir un film que j'ai vraiment envie de voir, regarder la télé n'importe quand, souper juste si ça me tente, et manger ce que moi j'ai le goût de manger à l'heure que je veux. Écouter ma musique à la maison, partir où je veux quand je veux sans rendre de comptes à personne, pas être obligée de torcher mon mari, mon grand pis sa blonde, en plus !

Arrête, Maryse, t'en as assez dit, là.

Oui, mais… ça fait du bien !

Peut-être, par contre si tu continues, ça va te péter dans la face...

Ouf. Mes amies étaient de toute évidence abasourdies, je ne les avais pas habituées à autant de véhémence. Après un moment de silence incrédule, Julie m'a dit :

— Maryse, ta situation est poche, c'est vrai que ça doit être assez lourd de ravoir Oli à la maison. Mais c'est temporaire, non ?

— Oui, c'est temporaire. Le reste, non. Vous pensez que vous êtes les seules à connaître la solitude ? Que parce que j'ai un mari à la maison, c'est tout le temps le bonheur total et la passion d'il y a vingt ans ? J'en ai assez que vous pensiez que j'ai la vie parfaite. Vous saurez que ça fait des années que Gilles et moi, on fait l'amour, genre, tous les deux mois. Et encore... On passe des soirées dans la même maison, oui, mais rarement ensemble. On est-tu encore un couple, dans le sens de deux personnes qui s'aiment et partagent des buts, des rêves, des intérêts ? Pas sûre, pas sûre pantoute ! Vous autres, vous avez la chance de sortir, cruiser et vous faire cruiser, baiser comme des bêtes, pis vous chialez !

Tin, toé ! Ahhh, libération.

Je voulais leur dire ça depuis tellement longtemps !

Là, je leur en avais bouché un coin. J'ai aussitôt regretté de m'être dévoilée de la sorte, même si le soulagement que j'ai ressenti était incroyable. Il y avait un malaise et, le vin aidant, j'ai senti mes yeux se mouiller. Je ne voulais pas pleurer, certainement pas pour ça, mais je n'y pouvais rien. C'était comme si un voile se levait enfin et je ne pouvais plus reculer. J'ai combattu très fort pour me ressaisir. Valérie m'a regardée et la pitié que j'ai lue dans son regard m'a fâchée. Je ne faisais pas pitié. Surtout pas pour Val. J'ai ravalé ma réplique méchante, qui me brûlait les lèvres et Valérie a dit, d'un ton empreint de sollicitude :

— Je suis désolée, Maryse. T'as raison. On prend tout le temps pour acquis que t'es la plus chanceuse, que tout est beau dans le meilleur des mondes pour toi. C'est toujours ça que tu projettes. On peut pas deviner, nous autres... Et c'est vrai que j'ai toujours été jalouse de toi. Ta famille, ton mari qui t'aime depuis si longtemps. Je pensais pas que c'était comme ça...

Jalouse. Ha ! ha ! Si tu savais, Val !

Elles n'en sauraient pas plus, justement. Il était temps que je reprenne le contrôle de mes émotions et, pour ça, je devais céder la place à quelqu'un d'autre. Je détestais être le centre d'attention, surtout lorsqu'il s'agissait d'exposer mes faiblesses. Je leur ai fait un petit sourire forcé et j'ai ajouté :

— Oh, c'est pas la fin du monde. Et c'est vrai que je suis chanceuse, Oli et Fanny sont ce que j'ai de plus précieux. Mais Gilles ? Honnêtement, je sais plus ce que je ressens pour lui. Je l'aime, et il m'aime aussi, mais... En tout cas, toi, tu dis que t'as toujours été jalouse de moi... je m'en doutais. J'ai toujours trouvé que tu te gaspilles, que tu profites pas de ta liberté.

— Liberté ? Quelle liberté ? Je suis monoparentale depuis que Sabrina a trois ans ! Tu penses que je suis libre ? Elle connaît même pas son père. Pourquoi tu penses que j'ai toujours essayé de lui en trouver un ?

Julie a sursauté avant de s'exclamer :

— C'est ça que tu faisais ? Merde, t'as passé des années avec des épais qui te méritent pas !

— Je les choisissais pas pour moi, mais pour Sabrina, pour qu'elle ait un jour au moins un semblant de père !

Julie, bouche bée, a ajouté :

— Toutes ces années, j'ai pensé que t'avais peur de montrer à quel point t'es belle, intelligente, autonome. C'était tellement enrageant. Et là, tu dis que tu pensais juste à ta fille ? !

Allô ? Julie, réveille. T'étais pas là quand Val rushait
avec sa p'tite.
Seigneur que t'es déconnectée, des fois !

Julie ne pouvait pas comprendre, mais moi, oui. J'admirais Valérie d'avoir réussi à élever sa fille seule, mais en même temps, je trouvais dommage qu'elle soit allée aussi loin dans sa dévotion. Je le lui ai souligné, le plus gentiment possible. C'était un effort considérable, dans les circonstances :

— Val, tu te rends compte que t'as tout fait ça pour Sab, mais qu'elle s'en fout, au fond ? Je pense que ce qu'elle voudrait, elle, c'est te voir heureuse avant tout. Le reste viendra tout seul…

Julie, toujours confuse, m'a appuyée :

— Je suis d'accord, Val, même si je peux pas comprendre tout à fait. Ce que je vois, c'est que tu te rabaisses constamment et tu te ramasses avec des hommes qui t'apportent rien…

— Hey, lâchez-moi ! Surtout toi, Julie ! On en a déjà parlé, OK ? Je suis pas comme toi, je pogne pas automatiquement avec les gars qui me plaisent, moi. J'ai appris à me contenter de ce que j'attire. Sauf que là, j'en ai ma claque. J'ai envie de changer, changer de look, mais d'attitude aussi. J'ai quarante et un ans, bordel ! Me semble qu'il serait temps que je me déniaise, non ? Je te regarde, Julie, pis je me dis que moi aussi, avec des beaux cheveux, du beau linge pis un style à moi, je pourrais être aussi bien dans ma peau que toi, non ? Parce que là, ma peau, je vous jure, j'en peux plus… Je suis pas mal *down,* là. Excuse-moi Maryse, je sais que tu files pas toi non plus, mais…

Aussitôt redevenue la Maryse-maman, j'ai pris Val dans mes bras. Si elle avait su à quel point ce qu'elle disait me rejoignait ! Moi aussi j'aurais voulu changer, de vie, essentiellement. Elle n'avait que quarante et un ans et déprimait.

Oh boy. Pis moi ? Si toi tu capotes, fille, moi j'devrais me jeter en bas d'un pont tout de suite, ça serait réglé.

Et ça m'a déprimée encore plus que je l'étais déjà. Dans moins d'un mois, j'aurais cinquante ans. De quoi se plaignait-elle ? J'ai redressé les épaules et décidé de ne plus m'apitoyer sur mon sort. C'était l'anniversaire de Val, et je voulais la voir heureuse. Je l'ai à nouveau serrée contre moi et lui ai dit un tas de belles paroles sincères dont je ne me souviens plus exactement. La tête me tournait un peu, mais mes mots semblaient soulager mon amie, alors j'ai continué :

— Laisse faire, ça va, c'est juste sorti de même. Y'a rien de grave. Des fois, j'me dis que le retour d'Oli me fait voir que j'sais plus trop où j'en suis dans ma vie. Mais c'est correct. Au fond, t'as raison. J'ai tout ce qui faut pour être heureuse, j'me plains le ventre plein. Et ce soir, c'est TA fête, on va pas la passer à parler de moi certain ! Là, j'pense qu'il est temps que tu te prennes en main, ma belle. Julie a dit ce que je pense depuis longtemps : tu te rabaisses trop. T'as *juste* quarante et un ans, pis si tu veux changer, pour les bonnes raisons, on va t'aider. T'es belle, t'es *hot,* Val. On va faire ressortir celle qui se cache derrière la « môman » responsable depuis trop longtemps. Il est temps que tu penses à toi, un peu. Sabrina est élevée, t'as fait une super job. Là, c'est ton tour.

J'ai vu un petit sourire se dessiner sur le visage de Julie. Elle venait d'avoir une idée, c'était clair, et j'étais curieuse. Elle a dit à Val, l'air carrément espiègle :

— Val, tu te souviens de Robert, l'ingénieur qui travaille en Europe deux semaines par mois ?

Un autre de ses rendez-vous sans papillons, celui qui avait, si ma mémoire était bonne, précédé sa rencontre avec Simon. Celui-là, par contre, avait été tout à fait correct, et Julie voulait le présenter à Val, qui n'était pas du tout convaincue :

— Franchement, c'est une femme comme toi qui l'intéresse, pas comme moi ! Avoue qu'on se ressemble pas tellement ! Toi, t'es élégante, t'as du style, t'as confiance en toi. Moi, c'est tout le contraire.

— Ben pour le style, c'est juste que j'ai une bonne coiffeuse et que j'aime magasiner dans des boutiques différentes de celles que tu choisis, toi. Mais qu'est-ce que tu dirais que je t'emmène changer de tête ? Ce serait ton cadeau de fête.

Quelle idée brillante ! Et si c'était aussi ce qu'il me fallait, à moi ? Et si, moi aussi, je devenais celle que j'avais envie d'être, une nouvelle femme qui plairait peut-être à Gilles, mais qui me plairait surtout à moi ? Je ne saurais pas par où commencer. Julie était l'experte en choses de filles ; moi, j'étais la maman. Valérie serait un bon cobaye. Ça a été comme une révélation. J'étais tout à coup d'une humeur plus joyeuse que depuis des mois. J'étais carrément excitée, à tel point que j'ai ajouté :

— On va magasiner toutes les trois pour trouver ton look à toi, la Val qu'on connaît, mais revue et améliorée.

Valérie avait l'air à la fois méfiante et attirée par l'idée.

— Vous pensez vraiment que ça pourrait faire une différence ?

— T'sais, Val, a ajouté Julie pour la convaincre, des fois ça prend juste un petit changement pour transformer notre perspective. Si t'avais pas mentionné le goût de changer toi-même, j'en parlerais même pas, mais vu que ça te chicote, ça veut dire que t'es rendue là et que t'as les bonnes motivations pour le faire. Je sais que je vais sonner comme une vraie fifille superficielle, mais quand je m'arrange à mon goût, des fois, ça me donne confiance en moi. Y'a des jours où je fais un effort pour me maquiller et me faire les cheveux même quand je reste toute seule à la maison, juste pour pouvoir me dire « hmmm… pas pire, la fille » quand je me vois dans le miroir. Je sais, c'est nono, mais c'est comme ça. Et je m'assume. C'est plus de travail qu'à vingt ou trente ans ; disons que le look « naturel » m'avantage plus tellement. Mais moi, ça me fait du bien. Je me dis juste que tu perds rien à essayer…

— Pas grand-chose à perdre, en effet. Booke-moi un rendez-vous chez ta coiffeuse et appelle Robert. J'ai quarante et un ans aujourd'hui, et je décide que j'arrête d'attendre après le destin pour me faire du bien.

Quelle belle attitude ! Ça a remué quelque chose tout au fond de moi. Il était temps que je fasse la même chose, arrêter d'attendre après le destin pour me faire du bien. Sans le savoir, ma jeune amie venait de me donner un sérieux coup de pouce. Nous avons continué de boire dans un climat plus joyeux et détendu pendant quelques heures, avons soutiré à Julie quelques détails juteux sur Simon et nous nous sommes quittées beaucoup trop tard, trop ivres et très, très souriantes.

Valérie s'est donc déniché un nouveau style qui lui allait à merveille. Nous avons magasiné et nous nous sommes amusées comme des adolescentes. Elle est sortie avec Robert, et Julie avait vu juste : ils avaient eu comme un coup de foudre. Julie était heureuse et fière de son flair. Moi ? Eh bien, j'avais beau poursuivre mes explorations solitaires, rien ne s'arrangeait à la maison. Alors, dès que je me retrouvais seule, je m'offrais moi aussi de délicieux plaisirs, dans le confort de ma chambre, en imaginant ma propre transformation. Ce ne serait pas pour tout de suite, j'avais besoin de m'habituer à l'idée. En attendant, je trouvais rassurant de savoir que mon corps réagissait toujours, qu'il ne me trahissait pas. Un autre merveilleux exemple du fait qu'on n'est jamais mieux servi que par soi-même…

Oui, peut-être, mais c'est quand même un peu chiant, non ?

Chiant ? Oui. Vraiment.

12

Mon cinquantième anniversaire approchait. J'observais ce qui se passait autour de moi sans intervenir, comme si je me tenais à l'extérieur de ma bulle. Tel que je l'avais prévu, Julie était de nouveau déçue. Après plusieurs mois à fréquenter Simon, elle constatait que cette relation n'allait nulle part. En véritable célibataire endurci, il n'avait pas l'intention de voir évoluer sa relation. Julie resterait l'amante occasionnelle, même si elle désirait davantage. Plutôt que de souffrir en silence, elle a préféré le quitter. Je l'admirais et bien qu'amèrement déçue, elle ne s'est pas démontée pour autant. Elle est retournée sur les sites presque aussitôt.

De mon côté, même si mon corps continuait de découvrir des joies et des plaisirs insoupçonnés, mon cœur, lui, était toujours aussi triste. Outre de rares accouplements génériques, je n'avais pas réussi à franchir le pas qui me rapprocherait véritablement de Gilles et je n'avais toujours pas entamé ma « transformation ». En vérité, j'étais terrorisée. Et si le résultat s'avérait pire que mon état actuel ? Je n'avais pas grand-chose à perdre, mais je trouvais tout de même réconfortant de voir chaque jour la bonne vieille Maryse, fidèle au poste. Je tergiversais.

J'avais envisagé différentes avenues pour rétablir une certaine intimité avec Gilles, pesé, planifié, mais rien ne s'était produit. Certaines étaient envisageables, pourtant.

J'avais eu l'idée de proposer à Gilles de me rejoindre dans une auberge des Laurentides ; là, je l'accueillerais en portant une jolie robe d'été sans rien dessous et tenterais de le séduire comme je le faisais autrefois. Je le laisserais me caresser brièvement, et je ferais de même, juste assez pour voir son pantalon se gonfler. Puis, nous irions manger dans un charmant resto et là, je le titillerais, usant de mon décolleté et de mon pied sous la table. Je pourrais même laisser tomber ma serviette et lui demander de la ramasser pour moi, ce qui me donnerait l'occasion de lui offrir une vue imprenable sur mon sexe bien découvert. Ça marcherait sans doute… Après toute cette tension, le retour à l'auberge serait des plus fabuleux, notre impatience à nous étreindre serait palpable, presque insoutenable, et nous pourrions nous déshabiller ensemble en nous embrassant…

Ou alors, je m'imaginais l'accueillir après sa journée de travail en petit déshabillé transparent, apéro à la main comme une bonne petite épouse. Une fois ce verre bien entamé, je m'agenouillerais devant lui et le débarrasserais de son pantalon avant d'offrir ma langue et ma bouche à sa queue frémissante.

Tu rêves, Maryse. Tu sais que ça arrivera pas.

Oui, mais ça pourrait, non ?

Pas sûre. Tu te fais des accroires.

Oui, sans doute. La situation à la maison ne s'y prêtait tout simplement pas et la crainte de me voir rejetée me paralysait.

T'as raison. T'aurais l'air d'une folle s'il te disait non, hein ?

Si tu le titillais, comme tu dis, et qu'il restait tout mou ?

Oui, j'aurais l'air d'une folle.

Trop.

Avec Oli et sa copine qui s'incrustaient, les soirées propices au rapprochement se faisaient rares, et je m'enlisais dans le pessimisme malgré ma bonne volonté. Les filles s'en rendaient d'ailleurs compte, j'avais de plus en plus de mal à cacher mon état.

Je refusais d'accorder une quelconque importance au changement de décennie qui s'abattait sur moi, mais j'étais tout de même mélancolique. Car un autre constat, douloureux et difficile à accepter, s'était imposé à moi malgré mon déni : je n'avais tout simplement pas envie de me rapprocher de Gilles. Je le voyais désormais comme un compagnon de vie, sans ressentir la moindre chaleur pour lui. En fait, il m'exaspérait, m'énervait, et j'avais de plus en plus de mal à supporter sa personnalité. Je me faisais croire que je souhaitais renouer avec lui parce que ça me semblait la seule chose à faire, mais je sabotais mes propres efforts à coups d'excuses bidon.

Avec le retour des beaux jours, mon époux s'était remis à épier Jessica, notre voluptueuse voisine que nous n'avions pas vue durant l'hiver. Il était plus méprisant que jamais envers moi, arrogant et incapable d'accepter la moindre critique ; il ne se gênait pas non plus pour porter des jugements hautains sur chaque personne de son entourage. Sa seule présence m'irritait, ça devenait invivable. Pourtant, j'étais touchée qu'il ait pensé à souligner mon anniversaire.

Avec l'aide de Fanny et d'Oli, il avait organisé une fête à la maison. Julie était venue seule, Valérie avec Robert ainsi que Jessica, et sa petite famille. Avec les enfants et quelques-uns de leurs amis, les frères de Gilles et leur famille, une vingtaine de personnes étaient réunies pour me rendre hommage en cette journée particulière. J'ai enfin rencontré le Félix de ma Fanny, un jeune homme qui m'a plu instantanément, mais envers qui Gilles ne manifestait qu'une politesse un peu froide. Le copain de ma fille possédait toutes les qualités que j'aurais aimé retrouver chez Josiane. Il était serviable, poli, sociable, intéressant et curieux. Connaissant mon penchant pour le jardinage, il m'a offert un magnifique hibiscus et m'a même aidée à lui trouver le meilleur emplacement. S'armant d'une pelle, il a creusé pour le mettre en terre tout en me complimentant sur l'aspect luxuriant de notre terrain. Charmant. Il avait un sourire franc, regardait ma fille avec une étincelle sincère au fond des yeux, et je n'ai pas détecté la moindre parcelle de fausseté chez lui. Je l'ai observé, dès son arrivée, et je me réjouissais de le voir prendre part aux préparatifs, accueillir les invités, discuter avec mes amies et se rendre utile tout au long de la soirée. Sans aucun doute, il était digne de ma Fanny qui semblait tout aussi éprise que lui. Les voir ensemble m'a fait ressentir une bouffée de bonheur pour la jeune femme qu'était devenue ma fille. Mais ce joli sentiment a été submergé par une vague de nostalgie… À leur âge, tout est si prometteur, si parfait. Qu'est-ce qui change ? Pourquoi n'arrivons-nous pas à préserver cette magie au-delà de nos jeunes années ?

Observant ce qui m'entourait, les plates-bandes impeccables, le jardin regorgeant de fleurs, de fines herbes et de légumes ainsi que ces gens autour de moi, j'ai été frappée par le fait que les seules personnes que j'appréciais de ce groupe étaient Julie, Val et mes propres enfants. Jessica, aussi, mais je ne la connaissais pas assez pour la considérer comme une amie. J'ai poussé un long soupir de dépit. C'était donc ça, mon réseau de « proches » ? Pendant les années durant lesquelles je m'étais consacrée à ma famille, j'avais négligé d'autres amies, des femmes que j'estimais, anciennes collègues de travail ou d'études. Pourquoi ? Gilles m'avait éloignée de plusieurs personnes auxquelles je tenais. Ce n'était pas moi qui les avais éloignées, c'était la vie, ma vie avec un homme qui n'aimait pas trop les sorties et qui n'avait rien tenté pour élargir notre cercle d'amis. Et moi, trop molle et inconsciente, je n'avais rien vu, j'avais laissé faire. Coup de cafard.

Cette douloureuse constatation m'a donné le prétexte parfait pour m'octroyer encore un peu de ce délicieux champagne offert par Gilles pour mon anniversaire. Décidément, moi qui avais toujours apprécié le bon rouge, je me découvrais un net penchant pour ces bulles. J'ai laissé l'effervescence du mousseux atteindre mon humeur et ça a fonctionné. À tel point que, lorsque j'ai vu qu'un nouveau message venait d'atterrir dans ma boîte de courriels, alors que j'étais entrée me changer pour me baigner, mon moral est remonté en flèche : Daniel, ma presque aventure, me souhaitait un anniversaire fantastique, disait que la cinquantaine devait me rendre encore plus belle, qu'il n'avait pas cessé de penser à moi et me souhaitait beaucoup de bonheur. Il n'avait pas oublié ! Nous avions gardé contact au cours des dernières années, suivant nos vies de loin sur Facebook. Je n'aurais jamais pensé qu'il se souviendrait de cet anniversaire… Il concluait son message en mentionnant qu'il aimerait bien me revoir.

Mon cœur s'est gonflé de joie. J'ai compris qu'avec lui, plus qu'avec mon propre mari, j'aurais envie de franchir le pas qui transformerait mes expériences en solo en moments de glorieux bonheur à deux. Je ne l'envisageais pas réellement, mais cette possibilité m'a ragaillardie pour le reste de la soirée. Il ne m'importait plus, tout à coup, de devoir discuter avec mes deux belles-sœurs et de sourire, car le sourire que j'affichais était devenu, à la simple lecture d'un message, plus sincère que je l'aurais cru possible. Julie et Valérie trouvaient que j'avais une mine radieuse. Oui, je l'étais. Pas pour les raisons qu'elles imaginaient, cependant, et ça, c'était mon secret bien à moi.

Encore un peu de champagne, Maryse. Tu le mérites.

Oh que oui ! Même si j'en ai déjà trop bu…

Ouain, pis ?

Pis ? Rien. À ma santé !

Lorsque mes meilleures amies m'ont amenée passer une journée au spa quelques jours après mon anniversaire, je leur ai presque parlé de Daniel. Cependant entre le massage, les séances de macération dans les bains divins et les soins divers, l'occasion ne s'est pas présentée. Tant mieux. Ce secret me satisfaisait encore plus parce qu'il n'appartenait qu'à moi. Combien de nuits ai-je passées en compagnie d'un Daniel tout à fait imaginaire, mais ô combien attentionné ? Dans mes rêves, endormie ou éveillée, il faisait des merveilles et me comblait, sans doute davantage que si tous ces fantasmes avaient été réalisés. Peu m'importait.

Gilles faisait désormais chambre à part presque tout le temps et je passais mes meilleures nuits depuis des années.

C'était tout ce qui comptait.

Menteuse. Ça t'achale, mais tu fais rien.

Qu'est-ce que tu voudrais que je fasse ?

Te secouer, peut-être ?

Facile à dire…

L'été tirait à sa fin et j'étais démotivée. Les mandats de comptabilité et d'informatique reprendraient sous peu, et c'était devenu une corvée. Fanny a repris ses cours, j'étais triste de la voir repartir après moins de deux semaines, mais heureuse du bonheur qu'elle semblait ressentir auprès de son Félix. J'avais appris à apprécier son amoureux encore davantage pendant leur séjour à la maison. Contrairement à son frère et à Josiane, Fanny et son copain étaient reconnaissants, serviables et joyeux. J'avais passé d'agréables soirées avec eux autour d'un feu, à discuter de leurs études, de la vie, d'un tas de sujets qui les touchaient, et j'avais été flattée de me voir ainsi accueillie dans leur intimité. Pendant ce temps, Oli et Josiane devaient pester contre le fait que nous brûlions du bois inutilement, détruisant la couche d'ozone ou que sais-je encore. Je n'aurais même pas été étonnée de les voir porter plainte contre nous auprès des autorités municipales ! Le fossé se creusait entre mon fils et moi, et ça m'attristait profondément.

Pour Oli et Josiane aussi la session commençait, ce qui me donnait un peu de répit le jour et me soulageait de la lourdeur que leur présence provoquait, mais je tournais en rond. J'appréhendais l'automne, puis l'hiver, je savais que j'aurais dû me secouer, mais je manquais d'énergie.

Heureusement, Julie, elle, savait me distraire. Elle se remettait bien de l'épisode Simon. Elle était déçue, mais pas outre mesure, ce qui était une bonne chose. J'avais craint qu'elle s'enlise dans un chagrin que cet homme ne méritait pas, selon moi. Je n'avais rien contre lui, sauf que tout ce que m'avait dit Julie me confortait dans mon idée qu'il s'agissait d'un homme très égocentrique, qui ne songeait qu'à ses propres besoins et qui n'avait que faire d'attaches quelconques. Tout simplement pas un bon match. Elle s'était donc remise à fréquenter les sites de rencontre et nous racontait, à Val et à moi, des anecdotes plus divertissantes les unes que les autres.

Elle avait été étonnée de revoir un tas de fiches qu'elle avait vues plusieurs mois plus tôt et des hommes qui communiquaient avec elle sans se souvenir qu'elle les avait déjà rencontrés. Ça m'a confirmé que cet univers était différent de la vraie vie. Comment peut-on échanger des messages, puis passer quelques heures en tête-à-tête avec une personne et l'avoir oubliée trois mois plus tard ? C'était le cas de Sylvain, un des premiers rendez-vous qu'avait obtenus Julie. Il n'avait aucun souvenir de leur rencontre et lui servait les mêmes banalités.

Elle avait sensiblement changé le texte de sa fiche pour voir si ça l'aiderait à éliminer les candidats les plus insipides, mais les résultats étaient loin d'être concluants. Elle avait donc assoupli ses critères. Je n'étais pas d'accord ; selon moi, ça ne pouvait rien apporter de bon. Elle prétendait vouloir vérifier si, parmi les hommes qui ne l'attiraient pas au premier regard, il ne se cachait pas un pauvre gars simplement peu photogénique qui lui réserverait une belle surprise. Elle se trompait. Ça aurait pu être envisageable pour une autre que Julie, mais je la savais bien trop portée sur l'attirance physique pour se contenter d'un homme plus « quelconque », aussi intéressant soit-il. Son refus de m'écouter lui aura coûté au moins quarante dollars ; j'avais parié avec elle qu'elle perdait son temps avec deux « prospects », elle tenait à me prouver le contraire. Je l'ai battue à plate couture.

In your face, ma belle ! Dans ta face !
Je pense que je te connais mieux que tu te connais
toi-même !

L'automne s'annonçait déprimant, tant pour moi que pour Julie. Après plusieurs sorties désastreuses – elle commençait à peine à comprendre qu'un verre suffisait largement et continuait à aller souper avec des inconnus, ce qu'elle regrettait presque aussitôt, mais bref, elle m'a parlé de sa fameuse idée.

Les critères qu'elle avait assouplis avant ses deux dernières rencontres l'avaient menée à l'idée que tous ces hommes auxquels elle n'avait pas daigné accorder un second regard devaient pourtant correspondre aux souhaits d'un grand nombre de femmes tout aussi « ordinaires ». Au fond, chaque personne méritait de trouver chaussure à son pied ou, comme disait plutôt Julie, chaque torchon devait pouvoir trouver sa guenille. Elle avait donc imaginé un blogue, « à la fois drôle, léger et vraiment utile, pouvant s'intituler *RencontreAdvisor* ou *Ce que vous devez savoir sur votre prochaine date* ». Elle entrevoyait une tribune sur laquelle des femmes pourraient partager leurs expériences sur les sites de rencontre et où elles pourraient consulter les fiches d'un certain nombre de pseudos « rencontrés et testés pour vous » ! Elle pourrait ainsi dénoncer ceux qui mentaient sur leur âge, qui ne ressemblaient pas du tout à leurs photos ou qui avaient eu un comportement douteux. En plus de ceux qu'elle avait déjà rencontrés, elle avait sélectionné six hommes pour ses « recherches » et deux autres, qui cadraient un peu plus avec ses objectifs initiaux, pour ses besoins personnels. C'est là que j'avais parié que ces derniers, encore moins excitants que l'avaient été tous les autres désastres précédents, étaient une totale perte de temps et j'avais gagné. Ils se retrouveraient donc, avec tous les autres, recensés dans la future liste des pseudos « testés ».

Comme Julie avait constaté que beaucoup de ces hommes demeuraient longtemps sur les sites, elle en était venue à la conclusion que d'annoncer une inévitable déception à l'avance pourrait éviter à d'autres de perdre leur temps. Un Sylvain, par exemple, qui ne pouvait s'empêcher de reluquer toutes les femmes pendant une *date*, ou un Jean-Louis – celui qui lui avait fait penser à son vieil oncle –, qui prétendait être un sportif dans la jeune cinquantaine alors qu'il s'apparentait davantage à un vieillard frêle au dentier mal ajusté.

Je n'étais pas convaincue de l'honnêteté de son approche. Il me semblait qu'elle-même n'était pas tout à fait sincère en rencontrant tous ces hommes qui d'emblée ne l'intéressaient pas. Mais elle s'était défendue :

— Ben là, je fais rien de mal. Je fais juste voir si, comme me l'a déjà dit Val, je suis pas trop difficile. Ça fait partie de la *game,* de rencontrer quelqu'un, de prendre une chance que ça donne rien.

Oui, Valérie l'avait accusée d'être trop difficile, ce que je trouvais idiot. On ne parlait pas d'une paire de chaussures, mais bien d'une relation avec un autre être humain. Il *fallait* qu'elle soit difficile ! Bref, l'idée du blogue m'a séduite. J'ai manifesté mon emballement à Julie qui m'a chaudement invitée à y participer. Je savais qu'elle n'était pas très calée en organisation ni en informatique, alors que moi, j'excellais dans ces deux domaines. En plus, je me réjouissais à l'avance de toutes les aventures que cette entreprise me permettrait de savourer, ce qui serait bienvenu. Venais-je de trouver le fameux nouveau défi tant recherché ? Peut-être. Il y avait longtemps que je n'avais pas été aussi enthousiasmée par quelque chose. Julie avait déjà commencé à remplir un cahier avec les résultats de toutes ses « recherches » et, si j'en croyais les bribes qu'elle nous racontait, ça s'annonçait distrayant.

Nous avons continué de discuter du blogue chaque fois que l'occasion se présentait. Nous mangions encore régulièrement ensemble, avec Valérie quand son Robert repartait à Paris ou à Londres, sinon juste Julie et moi. Je me demandais bien pourquoi Val ne profitait pas des obligations de Robert pour visiter les vieux pays, mais elle m'avait déjà avoué qu'elle n'avait jamais évoqué une telle possibilité avec lui.

— C'est encore trop tôt, avait-elle dit. Et puis, il travaille, là-bas, il pourrait pas s'occuper de moi et je voudrais pas qu'il se sente obligé. Le jour, faudrait que je me promène seule et je sais pas si j'en ai envie… Me promener seule ici ou là-bas, c'est la même chose, mais au moins ici, je sais où je vais !

Seigneur ! Moi qui aurais tout donné pour partir, n'importe quand, elle est ben insignifiante !
Ben là, elle est pas à l'aise, c'est tout. Donne-lui le temps…
Quoi, le temps ? Déniaise, Val, on parle pas de Kaboul ou de Tombouctou, là, mais de Paris et Londres ! Tout d'un coup que tu triperais ?
Arghhh.

Le blogue, donc. Il me tardait de lui trouver un nom ; Julie avait déjà établi plusieurs sections : «Bon gars », « Bon potentiel pour femme avertie », et finalement, la plus drôle et intéressante, selon moi, « Karma ».

— Les deux premières sont pas mal claires, mais la dernière, c'est quoi ? avait demandé Valérie, intriguée.

— Ça va être ma préférée, avait répondu Julie avec un sourire énigmatique. Là, je vais mettre les épais, les menteurs, les écœurants, les dangereux, les profiteurs, ceux qui méritent de manger une claque en arrière de la tête ou, mieux, sur la gueule. T'sais, comme les gars mariés qui rôdent sur les sites en cachette ? Les épais qui cruisent et baisent tout ce qui bouge ou qui sortent avec plusieurs filles en même temps ? Ceux qui mentent sur leur âge ou qui sont juste malhonnêtes ?

— Karma, avais-je répondu, songeuse. Il va y avoir pas mal de monde là-dedans… J'y pense, ça ferait un bon titre pour ton blogue, ça.

— Oui, mais faudrait quelque chose de plus, sinon, ça va avoir l'air d'un blogue de yoga, ou quelque chose du genre, avait noté Valérie.

— Ouain, je suis d'accord, avait ajouté Julie. Karma, c'est bon. Moi-même, je pensais que ma destinée m'attendait sur un site. Mais il manque l'élément rassembleur de tout ce beau monde. Le sexe, je pense, parce que ça revient pas mal toujours à ça. Hmmm.

Nous réfléchissions en silence, sirotant notre troisième bouteille de vin déjà bien entamée. Plusieurs idées surgissaient, puis, j'avais eu un flash :

— Je l'ai ! Karma sutra !

Julie était enchantée, elle adorait. Elle a suggéré quelques sous-titres pour bien situer les éventuelles lectrices, comme « le blogue qui vous épargne des *dates* décevantes » ou « vos éventuelles *dates*, testées par de vraies femmes ». J'étais de plus en plus excitée par ce projet :

— On en a déjà parlé, mais j'ai pas mal de temps, ces jours-ci, je pourrais te donner un coup de main pour mettre ça sur pied. Je me débrouille bien, je suis pas mal organisée, et ça me changerait les idées du bordel d'Oli et de sa blonde…

— Oui, c'est vrai! avait répondu Julie avec un large sourire. T'as travaillé assez longtemps en informatique, tu pourrais me monter des beaux p'tits tableaux, m'aider à classer les renseignements...

— Moi, avait ajouté Val, je pourrais t'aider à sélectionner les gars, au moins quand Robert est pas là. Ça me changerait les idées et ça serait drôle!

J'avais des tonnes d'idées et j'aurais eu envie de m'y mettre dès ce soir-là. Le petit hamster se mit à trotter allègrement dans mon cerveau, j'analysais déjà le pour et le contre de divers programmes et logiciels. Il fallait que ce soit simple, facile à utiliser et à mettre à jour. J'ai été soulagée quand Julie m'a avoué qu'elle ne souhaitait pas que les renseignements sur les pseudos soient accessibles à tous; il s'agissait de véritables personnes, après tout. Mais je voyais une façon de rendre accessibles ces données personnelles à certaines utilisatrices seulement : celles qui s'abonneraient ou qui partageraient des renseignements elles-mêmes. Julie considérait le blogue comme un service communautaire; moi, comme ma planche de salut, en quelque sorte. Ça représentait un projet stimulant, qui pourrait devenir important au point de m'occuper plusieurs heures par jour. C'était exactement ce dont j'avais besoin. Il serait aisé de l'alimenter; Julie avait beau vouloir l'utiliser pour combler ses propres besoins, il nous fallait aussi du matériel provenant d'autres femmes, et ça, ce serait facile. Il s'agissait de faire circuler les renseignements au bon endroit et j'avais une foule de solutions en tête.

Karma sutra, here I come!

Attachez vos tuques, messieurs.

13

J'ai entrepris mes recherches dès le lendemain, une journée froide et venteuse qui me rappelait trop cruellement à quel point l'hiver approchait. Je n'ai rien trouvé sur le Web de semblable à ce que nous projetions de faire et c'était parfait. Il y avait tant de sites de rencontre, et chacun comptait tellement de membres, qu'il serait facile de recruter des abonnés et des collaborateurs. Julie m'avait confié son cahier de notes et je me régalais de ce que j'y lisais. En même temps, mon sentiment d'observer un monde parallèle se précisait. Les différents récits des énergumènes qu'elle avait rencontrés me renversaient. Entre Serge, l'agent de sécurité frustré qui trouvait que les quilles donnaient un vrai « *trip* d'adrénaline », et le comptable à la voix geignarde, tout un éventail d'hommes me donnaient froid dans le dos. Comme celui qui rencontrait une dizaine de femmes par fin de semaine avant de procéder par élimination, l'autre au faux bronzage qui regardait les seins de Julie plutôt que ses yeux, ou encore celui qui sortait avec trois femmes en même temps et qui n'arrivait pas, au bout du compte, à « satisfaire tout le monde ».

Heureusement, il y avait de bons gars, des hommes « normaux » qui cherchaient bien ce qu'ils prétendaient chercher, c'est-à-dire une femme avec qui avoir une relation saine, normale et exclusive. Il y en avait même plusieurs, et ça m'a rassurée. Mais pour Julie, tout ça n'avait plus aucun sens.

Elle avait rencontré quelques hommes depuis qu'elle avait largué Simon, dont Jean-Michel, un motard de prime abord intéressant, qui s'était pourtant avéré un menteur et un salaud, en plus d'être un éjaculateur précoce à la queue de chihuahua. Enfin, elle était tombée sur Luc, un homme qui lui plaisait beaucoup. Elle avait passé une soirée torride avec lui et était prête à le voir une deuxième fois. Cette seconde soirée avait été palpitante, sexuellement, mais au bout du compte, Julie avait senti qu'il manquait quelque chose. Elle n'arrivait pas à mettre le doigt dessus, c'était inexplicable ; elle n'avait pas envie d'aller plus loin alors que lui, si. Il avait très, très mal pris la chose, et Julie en avait gardé un souvenir amer. Sans doute à cause des photos qu'il avait prises d'elle… Elle ne m'en avait rien dit, c'était là, dans son cahier. Il était facile de conclure que l'imbécile l'avait photographiée de manière assez intime sans qu'elle soit d'accord… Si elle ne m'en avait pas parlé, c'était sans doute parce qu'elle était embarrassée. Je ne révélerais rien, mais je ne pouvais pas m'empêcher de la plaindre. Dans quel bourbier s'était-elle encore fourrée ? J'espérais qu'au moins le *workout* en avait valu la peine… Ah, Julie, toujours la même !

Bref, elle en était venue à la conclusion qu'il valait peut-être mieux, après tout, se trouver un ami, une personne d'agréable compagnie avec qui elle pourrait être totalement à l'aise et assouvir ses besoins charnels sans que les choses se compliquent par la suite. Comme Simon, son traducteur célibataire incurable.

Elle a donc repris contact avec lui et se disait heureuse et satisfaite. Elle m'avait juré qu'elle n'avait plus la moindre attente, toutefois je n'étais pas convaincue. Pas d'attentes, comme autrefois, peut-être, mais je doutais qu'elle puisse se contenter d'un second rôle dans la vie de quiconque, et c'était le maximum que Simon était en mesure de lui offrir. De toute façon, ça ne me regardait pas. Je n'étais plus en mesure de « protéger » Julie, je ne m'en sentais plus la compétence. Qui étais-je pour juger ou aider quiconque alors que ma propre vie était un désastre ?

Le bon côté de cette situation était d'abord le bonheur de Julie, et ensuite, lorsque Simon n'était pas disponible, c'est-à-dire souvent, Julie et moi continuions à travailler au blogue. Valérie n'était finalement pas aussi engagée qu'elle l'avait promis. Sa relation avec Robert progressait ; lorsqu'il était en ville, elle passait tout son temps avec lui, et quand il repartait, elle en profitait pour se consacrer à Sabrina qui était enfin réceptive.

De mon côté, j'ai travaillé fort. J'ai monté une base de données avec les renseignements contenus dans le cahier de Julie. Elle m'avait assuré que ces pseudos étaient toujours actifs sur les sites, sinon, ils ne présentaient plus aucun intérêt. Je les ai ensuite classés par catégories et j'en ai fait une brève description, ne gardant que les éléments principaux. Une fiche détaillée pour chacun d'eux pourrait être consultée sur demande par les membres de notre blogue.

Cependant, je manquais de perspective. J'avais bien écouté tout ce que m'avait raconté Julie, j'enregistrais chaque détail, mais je me sentais comme une observatrice. J'ai alors décidé de m'inscrire moi-même sur un des sites. Il n'était pas question que mon profil ait quoi que ce soit en commun avec ma personne réelle, ce n'était qu'un exercice de familiarisation ; il me fallait bien voir dans quoi je m'embarquais et constater *de visu* les principaux défis.

Je me suis créé une fiche, me rebaptisant « Martinesoleil », m'inventant une personnalité joyeuse, une vie de liberté sans enfants avec une carrière en marketing ainsi qu'une passion pour le trekking et le cinéma. Celle que j'aurais bien aimé être, en somme, un parfait mélange de Julie et Jessica, ma jolie voisine. Je n'ai pas mis de photo, ce n'était pas nécessaire. Après tout, je n'étais là que comme observatrice, je ne cherchais pas à obtenir des avances. J'ai alors compris pourquoi tant d'hommes n'en mettaient pas non plus ; de toute évidence, ils étaient là, eux aussi, comme observateurs... Intéressant.

Je me suis demandé ce que Gilles aurait pensé de cette « fausse » inscription et j'avoue que cette nouvelle petite cachotterie m'enchantait. Ça me changeait merveilleusement bien les idées, me permettait de prendre une saine distance des conflits qui surgissaient à tout moment à la maison à cause de la présence envahissante d'Oli et de Josiane, et surtout de l'intransigeance de mon mari. Mais d'abord et avant tout, c'était très distrayant. Je me surprenais à regarder les fiches de dizaines d'hommes en me demandant comment ce serait de sortir avec l'un d'eux, de goûter à nouveau à l'excitation, la séduction, l'anticipation. Je comprenais Julie beaucoup mieux qu'elle le croyait. Je me sentais vaguement coupable d'un comportement pourtant anodin et, en même temps, j'avais la satisfaisante impression de rendre un peu à Gilles la monnaie de sa pièce, lui et ses foutus sites pornos. Enfin, je m'amusais. De plus, la mésaventure de Julie avec Stéphane, l'homme marié qui lui avait tant plu, me revenait constamment en tête. J'avais besoin de me rassurer que ce genre de choses n'était qu'un incident isolé. Cependant, plus je me baladais sur le site, plus mes espoirs fondaient. Ils étaient trop nombreux, ces idiots, à être en couple ou mariés, tout en cherchant une aventure, « dans le respect et surtout, la discrétion ». J'enrageais. Au lieu de me calmer, ça n'a fait que raviver mon inquiétude. Je me suis donc mise à la tâche en prenant plein de notes sur les découvertes de « Martinesoleil » et en rédigeant avec soin une fiche pour chacun des hommes recensés dans le cahier de Julie. J'y indiquais leur pseudo, leur prénom, leur style lorsque je le connaissais, puis les principales récriminations de mon amie : photos qui datent, mensonges détectés, tactiques ou défauts majeurs. Le fichier que j'avais bâti me permettait d'ajouter des catégories à l'infini et je m'amusais comme une petite folle. Ça donnait à peu près ceci :

HotBob : Prénom : Bob (Robert, je présume). Style *douchebag.* Monsieur muscle, bronzé, tatoué. Regarde les seins en parlant à une femme, préfère les faux (seins). Aime qu'une femme fasse ses tâches ménagères en lingerie *sexy.*

JMike777 : Prénom : Jean-Michel. Style motard (mais soigné). Charmant, mais menteur jusqu'au bout des ongles. Dit ce qu'il croit avantageux, utilise la maladie (probablement fictive) de sa mère pour expliquer sa non-disponibilité, mais ne cherche qu'une baise (et une seule). Très petit membre (minuscule) malgré la stature de l'homme. Éjaculateur précoce.

Romanticnorm : Prénom : Normand (Bellavance) séduisant, style plus conservateur qu'en photo. Extrêmement romantique, très timide. Conversation difficile. Dépendant affectif. Trop intense, à moins de chercher rapidement un colocataire. Accepte difficilement le rejet, tenace.

Et ainsi de suite. Ce n'était qu'un début, mais c'était prometteur. Pour chacun de ces pseudos, j'avais indiqué le site sur lequel il sévissait. Julie avait déjà vu la page Facebook que j'avais créée dans laquelle j'expliquais notre démarche et qui me permettait de sonder le terrain pour connaître l'intérêt des femmes. À ma grande surprise, j'avais obtenu, en une fin de semaine seulement, plus de cent cinquante « j'aime » et trente-cinq messages privés. Les témoignages reçus ressemblaient en gros à ceux de Julie : beaucoup de menteurs, de magasineux, de peureux, d'indécis, de cheaps, d'hommes qui restent sur les sites bien après avoir rencontré quelqu'un au cas où ils trouveraient mieux, d'hommes dans la cinquantaine qui recherchaient des femmes de vingt ans, d'autres une colocataire ou une cuisinière.

My God. Y'a de quoi s'écœurer des hommes
pour toujours…

Julie, qui était venue à la maison constater l'avancée des travaux, semblait plus découragée que jamais. J'ai bien tenté de lui montrer que de nombreuses femmes laissaient aussi des commentaires sur des hommes corrects, intéressants et relativement « normaux », mais elle n'a été qu'à demi soulagée. Le sujet de la vengeance l'a bien davantage étonnée.

— Ce qui me surprend le plus, ai-je souligné, c'est combien celles qui se sont fait niaiser ont envie de se venger…

— Se venger ?

— Oui. Y'a une femme qui m'a demandé la liste des gars mariés. Elle veut s'arranger pour que leurs femmes le sachent…

— Une autre. Tu me fais penser qu'avec tout ça, j'ai jamais réglé son compte à Stéphane, le con marié que j'ai rencontré au printemps… On pourrait faire d'une pierre deux coups ! T'as répondu quoi ?

— Que je lui reviendrais quand le blogue serait en ligne, je savais pas trop. C'est vrai qu'il faudrait faire quelque chose pour ton cuisinier. J'te jure que ça m'enrage et il a l'air d'y en avoir pas mal des comme lui. Même ma p'tite voisine, Jessica, est passée par là. Tu sais de qui je parle ?

Ah oui, ça, c'était la dernière nouvelle, une autre qui bousculait mes chimères. En mon for intérieur, je condamnais Mathieu sans appel ; j'aurais voulu, encore une fois, venger la femme trompée qu'était devenue Jessica, voir souffrir son tricheur de mari. Ces pensées m'étonnaient, elles me ressemblaient si peu ! Mais c'était comme un raz-de-marée d'indignation qui gonflait sans cesse, menaçant de tout ravager. Je n'arrivais pas à demeurer rationnelle, sans doute parce que je me sentais confusément menacée de la même catastrophe. Jessica ? Ma belle voisine qui possédait tout, selon moi, pour rendre un homme heureux ? Si même elle devait subir un tel affront, comment pouvais-je espérer en demeurer préservée ? Oui, cette nouvelle constituait la dernière et fatale faille du château de mes illusions qui, désormais, s'écroulait autour de moi.

Un autre gros grain de sable dans l'engrenage rouillé de ma vie.

Un autre cave qui se rend pas compte de toute la marde qu'il provoque.
Est-ce qu'ils sont tous pareils ?
Ça serait facile de le croire, hein ?
…

14

« À un moment, on se rend compte que Dieu nous a donné
un cerveau et un pénis, et pas assez de sang pour les faire
fonctionner en même temps. »
ROBIN WILLIAMS

Par un après-midi pluvieux typique de la fin novembre, Jessica, ma jolie voisine et fantasme ambulant de mon mari, s'est présentée à ma porte. Elle aurait dû être au travail ; Jess occupait un poste important dans une boîte de marketing informatique. Or, elle était là, au moment où je finissais de dîner, portant des verres fumés malgré l'averse. Je lui ai ouvert, curieuse et inquiète à la fois.

Jessica est entrée sans dire un mot et a retiré ses lunettes. Elle m'a regardée avec ses yeux bouffis. C'était la première fois que je la voyais aussi ravagée, sans maquillage et sans sourire. Malgré son air, elle était toujours magnifiquement belle et j'ai ressenti une vilaine pointe de jalousie.

*Regarde-la. C'est clair que ça va pas, mais elle est belle
quand même.*
Fait chier.

Visiblement, elle avait pleuré même si ses yeux étaient désormais secs. Une drôle de lueur accentuait l'azur intense de ses yeux.

— Jess ? Mais qu'est-ce qui se passe ? Ça va ? Les enfants ? ?

— Les enfants vont bien, ils sont à l'école. Moi, ça va pas du tout…

Ses yeux si bleus, si clairs, contenaient un mélange de tristesse, de détresse, de confusion et de colère. Je la sentais à la fois tendue comme un arc et fragile, prête à s'écrouler. Je l'ai fait entrer, l'ai aidée à retirer son manteau et lui ai offert du café. Elle ne m'a pas laissé finir ma phrase :

— C'est Mathieu. Il me quitte. Ça fait un an qu'il me trompe, avec une de ses employées. Une p'tite pute de vingt-huit ans.

Je me suis transformée en statue. Quoi ? C'était impossible, j'avais mal entendu. Pas elle. Pas ce couple parfait, la petite famille idéale avec deux parents séduisants et, selon toute apparence, éperdument amoureux l'un de l'autre. Je l'ai dévisagée, éberluée. Même ma voix intérieure n'avait rien à dire et j'ai aussitôt regretté ma dernière remarque mentale au sujet de sa beauté. J'ai essayé de prendre Jessica dans mes bras, mais elle m'a repoussée.

— J'ai été vraiment conne, j'ai rien vu. Je l'aimais tellement ! Comment c'est possible, Maryse ? Qu'est-ce que j'ai fait de pas correct ?

Ces paroles m'ont réveillée. J'ai senti la colère envahir chaque veine de mon corps.

— T'as RIEN fait, Jessica. Pas toi. Comment il t'a annoncé ça ? T'avais des soupçons ? Tu l'as affronté ?

— Non, j'avais pas le moindre doute. On était même en train de planifier notre prochain voyage à Tahiti, sur un voilier. T'imagines ? On en parle depuis deux ans ! Il est arrivé hier soir, les enfants étaient couchés. C'est sûr que là, en y repensant, je me rends bien compte qu'il rentrait souvent tard, qu'il avait des réunions, des cinq à sept, d'autres obligations. Chien sale. En tout cas, il est arrivé, m'a à peine regardée, et il est allé se changer. Il s'est servi un verre avant de me retrouver dans le salon. Il a même pas éteint la télé ou dit quelque chose comme « faut qu'on se parle », il m'a juste dit : « Jess, je fais ma valise, je m'en vais. J'en peux plus de faire semblant, je suis amoureux de quelqu'un d'autre. »

— Sec de même ? Voyons donc !

— Sec de même. Je l'ai regardé, pas capable de dire un mot, je voulais juste qu'il me dise qu'il niaisait, mais non. Il s'est levé et il est parti dans la chambre. Y'avait déjà une valise sur le lit et il s'est mis à placer ses vêtements dedans. Je lui ai dit que je comprenais rien, qu'il pouvait pas partir comme ça, qu'il fallait qu'il m'explique, qu'on trouve une solution, et il m'a dit : « Y'a pas de solution, possible. Ça fait un an que je la connais, je sais maintenant que c'est ça que je veux, y'a rien qui va me faire changer d'idée. Je suis vraiment désolé, Jess, j'ai pas choisi que ça arrive, c'est juste arrivé. »

— C'est « juste » arrivé…

Ben oui, comme un accident d'auto.

Elle s'est mise à pleurer. En silence, ses larmes coulaient sur son beau visage sans qu'elle s'en rende compte. Tout son corps était rigide et pourtant elle tremblait. Là, je n'ai pas pu me retenir et je l'ai prise dans mes bras sans lui laisser le choix de s'abandonner ou pas. Elle s'est comme cassée. J'ai senti tous ses muscles lâcher en même temps, la transformant en poupée de chiffon. Les sanglots sont devenus francs, elle débordait, la pauvre. Le son de ses pleurs était déchirant. Elle gémissait comme un animal blessé, sa douleur était tangible, difficile à supporter. Je l'ai laissé faire. Je me contentais de lui caresser doucement les cheveux, de lui tapoter le dos en essayant de la calmer comme une enfant. Ça a duré presque vingt minutes pendant lesquelles je laissais des pensées tumultueuses se mélanger dans ma tête.

Elle ! Il l'a trompée, elle ! Voyons, c'est quoi leur problème, maudits hommes de marde ?
Faudrait que quelqu'un puisse le pendre par les couilles. Qu'il pleure comme un bébé en s'excusant.
Je pense que je serais capable de faire ça moi-même, tiens ! Ça ferait du bien !
Faudrait pas que je le voie en tout cas.
Hey, je pourrais crever les pneus de sa Audi, ou quelque chose ?
Franchement, Maryse !
Ben quoi ? Il le mériterait !
En tout cas, j'espère que Jessica va le plumer.
Qu'il se ramasse sur le BS Ça serait doux comme vengeance, ça, non ?
Oui, pas pire ! Pour commencer…

Jessica venait de faire une nouvelle brèche dans mon univers que j'avais si longtemps cru solide. J'ai pleuré aussi. Pour elle d'abord, et pour mes propres peurs, aussi, mes soupçons, mes angoisses. Qu'étaient-elles, ces peurs, au fond ? De la simple projection encore une fois ? C'était ce que je croyais, mais, bien entendu, je commençais à percevoir qu'il ne me serait plus possible d'ignorer le malaise très longtemps, le mal-être de ma propre vie. Je ne voulais pas être à sa place, même si quelque chose me disait que je l'étais peut-être déjà, ou quelque part de semblable. Mes repères n'étaient plus tangibles, même s'ils n'avaient pas encore volé en éclats comme les siens. Je l'ai serrée plus fort, un peu de colère s'immisçant malgré moi dans mon réconfort. Je lui en voulais de me donner une raison de plus de m'inquiéter, de me dire que je n'étais à l'abri de rien et qu'un sort semblable au sien m'attendait peut-être, et dans un avenir plus rapproché que je voulais l'admettre.

T'es bien, hein, avec ta tête enfoncée dans le sable ?

Ça s'appelle du déni.

Whatever. Tu penses vraiment que tu peux rester là longtemps ?

Pourquoi pas ? Comme tu dis, je suis bien.

Menteuse…

Au bout d'un certain temps, Jessica s'est secouée. Elle a pris de longues et laborieuses inspirations, s'est mouchée et s'est essuyé les yeux en faisant des efforts considérables pour se ressaisir. Je l'ai laissé reprendre son contrôle et j'ai fait du café. En silence, nous sommes restées assises l'une près de l'autre. Silence compatissant, sans lourdeur, un peu complice malgré l'inconfort. Je lui ai servi son café et l'ai entraînée doucement vers le salon. Chacune à une extrémité du canapé, nous avons bu sans rien dire, laissant le liquide nous réchauffer les entrailles. Les miennes étaient de glace. Engourdies. Jessica s'est gratté la gorge et m'a dit, enfin :

— Je vais pas être de celles qui pleurent sur leur sort. Pas moi. Il veut me faire ça ? J'y peux rien. Je vais pas me traîner à ses pieds et le supplier de m'aimer. C'est pas mon genre. Mais s'il pense qu'il va s'en tirer facilement et à bon compte, il se trompe. J'ai juste trente-quatre ans, je vais refaire ma vie sans lui et, crois-moi, je vais tout faire pour que les enfants souffrent le moins possible. Ils sont encore jeunes, ça devrait être mieux que s'ils avaient été plus vieux. Ils sont pas les premiers à passer par là, je vais les aider. Tu peux être certaine d'une chose : ils vont manquer de rien dans la vie. Si leur père est pas capable d'être un vrai père, présent pour sa famille, ben il va être un père qui leur donne tout ce dont ils ont besoin. C'est pas vrai que je vais m'appauvrir, me contenter du rôle de la femme abandonnée qui vivote en essayant de joindre les deux bouts, en se tapant tout l'ouvrage des enfants pendant que lui est sur sa balloune avec sa nouvelle blonde. Il va faire sa part. Oh, il va le payer cher, son *trip* de cul avec sa salope. Je lui donnerai pas de *break,* il va faire sa job de père et il va la faire comme du monde. Pis c'est pas une étrangère qui va élever mes enfants quand ils vont être chez eux, certain. Que j'entende pas une seule fois qu'il a pris une décision à leur sujet sans me consulter, il va être dans la marde.

Là tu jases, ma fille.

Fais-le payer pour ça et pour tout ce qui s'en vient.

Tant qu'à y être. Fais-le donc payer pour tous les autres qui se font pas pogner ou qui l'avouent jamais, ça va être ça de pris!

Son ton était effrayant. D'une froideur implacable. Je savais qu'elle aimait ses enfants plus que tout au monde et elle ferait tout pour les aider à traverser cette épreuve. Elle en ferait autant pour s'aider elle-même et, s'il n'avait pas été aussi dégueulasse, j'aurais presque eu pitié de Mathieu. Oui, il allait payer. Très, très cher. Y avait-il seulement pensé? J'en doutais, mais je me réjouissais à l'avance de la façon qu'il souffrirait.

Ce soir-là, arrivée environ au milieu de la bouteille de rouge que je vidais tranquillement à l'abri des regards, j'ai vraiment eu envie de faire un geste concret envers Mathieu. Cet autre imbécile qui venait de jeter un voile de terreur sur ma vie. J'ai sérieusement envisagé de sortir en pleine nuit, armée d'un tournevis, et de graver une longue égratignure sur la carrosserie de sa rutilante voiture la prochaine fois que je la verrais garée chez Jessica. Cette pensée était réconfortante même si je la savais impossible à mettre en pratique. Sa bagnole devait être dotée d'un système d'alarme de pointe, j'aurais l'air de quoi, prise en flagrant délit de vandalisme ? Ou alors, je pourrais provoquer un ennui mécanique qui causerait un accident ou à tout le moins une panne. Juste pour voir comment il trouverait ce genre d'événement qui fait « juste arriver ».

Mouhahaha ! ! !
T'es ben méchante ! Qu'est-ce qui te prend ?
Je sais pas, j'ai dû être fine trop longtemps.
Là, ça va faire.

Noël approchait et je rêvais de repartir à la chaleur, tout oublier et surtout ne pas avoir à cuisiner pour la belle-famille. J'aurais presque même accepté avec joie de jouer au bingo en Floride avec ma mère et son Henry. Presque. En fait, je me surprenais à m'imaginer partir seule sous les Tropiques et réchauffer mon âme. Réchauffer mon corps aussi, tant qu'à y être. Je revoyais les eaux turquoise de Cuba, je ressentais même les rayons du soleil sur ma peau et je repensais aux femmes solitaires qui osaient s'offrir une aventure sans conséquences. Je les enviais tout en sachant que jamais je n'arriverais à les imiter. Alors je me rabattais sur mes séances solitaires qui ne m'apportaient toutefois qu'un bien-être provisoire. Je m'y adonnais de plus en plus, pour tenter de le faire durer, mais c'était futile.

Cependant, ces incursions de plus en plus fréquentes dans mon imaginaire avaient provoqué un changement aussi extraordinaire qu'inattendu : après tant d'années, j'arrivais enfin à fantasmer. Des images précises et stimulantes faisaient désormais partie de l'exercice et, parfois, le simple fait de les évoquer me procurait de petits picotements au ventre. C'était déjà ça ! Dans mon scénario le plus fréquent, je me voyais partir seule vers une destination paradisiaque et tout oublier, surtout qui j'étais, pour devenir une étrangère. Une femme qui se fait plaisir, qui se laisse aller à rire et à danser, et pourquoi pas à tomber amoureuse le temps d'une brève et torride liaison. Et là, dans mes songes éveillés, je m'imaginais au bras d'un bel inconnu. Un matelot peut-être qui, sur son beau voilier, me ferait voguer d'un orgasme à un autre alors que je l'aspergerais de mon bonheur.

Comment s'y prenait-il ? Il m'abreuvait de champagne, d'abord. J'étais belle, séduisante, élégante, assez glamour, comme si j'avais été riche et habituée à ce genre de choses. Ça ne me ressemblait pas, mais l'image me plaisait énormément. Je portais des dessous de dentelle fine qui excitaient mon compagnon. Il me dévorait des yeux. Couchée sur le pont du luxueux navire, je me prélassais au soleil et, lorsque la chaleur commençait à brûler, mon beau capitaine versait un peu de champagne ici et là sur mon corps, léchant le liquide aussitôt tiède avec avidité. Il en versait entre mes cuisses écartées, aussi, et s'y délectait de plus belle tandis que moi, alanguie et paresseuse, je me laissais faire. Ses doigts m'agaçaient avec insistance pour me faire gémir, ce qui ne tardait aucunement, avant de pénétrer mon corps et le réchauffer de l'intérieur. Des gouttes de vin pétillant mêlées à mon plaisir s'échappaient de moi, et ce nectar semblait délectable puisque mon amant l'aspirait et s'appliquait à le produire à coups de gorgées de champagne qu'il laissait couler le long de ma fente offerte. La bouteille se vidait, son contenu n'ayant pas le temps de sécher sur ma peau puisqu'il était délicieusement lapé. Puis, s'emparant de la bouteille, mon matelot en insérait le goulot en moi doucement, le faisant glisser de plus en plus profondément. C'était étrange, je sais bien, mais combien délicieux ! Ce n'était pas un homme qui me faisait l'amour, plutôt un objet somme toute semblable à ceux que j'utilisais fréquemment. Sauf que là, la rigidité du verre et sa texture peu familière m'arrachaient de petits cris de jouissance. Devais-je y voir une quelconque signification ?

Hmmm. Peut-être que t'as pas envie d'un homme en toi, juste de plaisir.

Ça se peut ! Peut-être aussi que j'ai juste envie de boire du champagne plus souvent ? Ha ! ha ! T'es faite pour le luxe, fille !

T'es quand même weird…

Un vibrateur, OK. Un dildo ? Sure.

Mais une bouteille de champagne ?

M'en fous, c'est MON fantasme ! Pas pire, quand même…

Ouain, j'avoue. Faque le gars, c'est juste un accessoire, finalement, hein ?

Pas mal, oui. C'est à peu près ça… Au fond, si on s'attend juste à ça d'un homme, on risque moins d'être déçue, non ?

Comme fantasme d'hiver, en tout cas, ça fait la job !

J'étais soulagée de constater que ces idées frivoles et bassement sexuelles n'étaient pas anéanties. Je m'accrochais au fait que si je pouvais encore me sentir excitée avec ce genre d'idées, tout n'était pas perdu.

Fiou !

Ouain, mets-en…

Bien que je m'appliquais régulièrement à explorer mon nouvel imaginaire érotique, je continuais tout de même à travailler au blogue et à visiter le site de rencontre auquel j'étais inscrite. Ça me décourageait autant que ça me stimulait. L'idée même du blogue m'enchantait, mais ce que je découvrais en ligne me faisait douter de la race humaine dans son entièreté. Cependant, ce projet m'aidait à maintenir un semblant de normalité. Jessica était revenue me voir quelques fois depuis que son couple avait éclaté, mais les choses n'évoluaient pas très vite. Ils avaient décidé, Mathieu et elle, de prendre un moment avant de l'annoncer aux enfants. Ils ne voulaient pas gâcher leur Noël. Ils leur avaient simplement dit que papa devait voyager et qu'il ne dormait plus à la maison. En attendant, Jessica conservait le domicile et Mathieu venait rendre visite à la famille le plus souvent possible.

— Ça va être mieux comme ça pour les enfants.

— Oui, mais après ? Il va pas continuer à venir à la maison tous les deux jours ?

— Non, c'est certain. Je serais pas capable.

— Non, j'imagine que ça doit pas être évident d'avoir l'air normal alors que t'es aussi blessée…

— Blessée ? Non, Maryse, j'aurais juste envie de lui sauter à la gorge. J'ai pas pleuré depuis la fois où je suis venue te voir. Pas une larme. Mais je rêve de le torturer jusqu'à ce qu'il crève ; des fois, ça me fait peur…

Yeah. Fière de toi, Jess.

Elle va le faire pour vrai, j'espère ?

Ouch. Maryse ? Vraiment ?

Ben oui.

Je ne savais pas comment elle réussissait à se contenir et j'étais loin d'être certaine que Mathieu et elle faisaient le bon choix, mais leur vie ne me regardait pas. J'avais mes propres problèmes. Je ne voulais pas de Noël et de tout ce qui venait avec, même voir ma mère ne me souriait pas. En fait, je n'avais envie de rien. Fanny revenait bientôt à la maison, seule cette fois puisque Félix passait les Fêtes avec sa famille, et je n'arrivais même pas à m'en réjouir. La connaissant, elle sentirait que quelque chose n'allait pas et tenterait de me faire parler. Seul le blogue me distrayait assez pour que je puisse affronter les corvées saisonnières.

Malgré ce qu'elle tentait de projeter, Jessica n'en menait pas large. Ce serait un Noël pénible pour elle et j'étais déçue de ne pas me sentir la force de lui être d'une quelconque utilité. Je ne pouvais que l'écouter, le temps d'un café, mais je trouvais ça lourd.

— Mathieu les a emmenés au cinéma en fin de semaine et leur a parlé de sa nouvelle blonde, racontait-elle. Faut-tu être innocent ? À quoi il pense de parler de tout ça aux enfants aussi vite et aussi raide ? On avait décidé d'attendre, ensemble ! Ça a aucun sens. Pour se défendre, il a dit : « Je pensais juste que les enfants seraient contents de me voir heureux… » Maudit con. Les petits pleurent depuis, ils me voient enragée et ils sont tout croches. Ma mère va les prendre pendant quelques jours, ça va me faire du bien…

Je l'admirais de gérer tout ça dans un calme relatif. À sa place, je n'aurais certainement pas pu en faire autant. Ses enfants étaient beaucoup trop jeunes pour comprendre ce qui se passait, mais bien assez âgés pour saisir que quelque chose de grave se produisait et que papa n'habitait plus avec eux. Et l'idiot était allé leur enfoncer la nouvelle copine de force dans la gorge. Typiquement masculin : un autre qui ne pensait qu'à son petit bonheur. Franchement ! Jessica avait raison d'être furieuse ; elle essayait de rester neutre devant eux, mais je doutais de son efficacité. Elle était bien trop fâchée. Je n'arrivais pas à comprendre ce qui avait pu les mener là. Jessica prétendait n'avoir rien vu venir, et je la croyais. Il y avait déjà un moment que j'avais compris qu'on a beau partager sa vie avec quelqu'un, il reste toujours une part cachée en soi.

Et la part cachée de Gilles, à part la porn, c'est... ?

Ta gueule.

Chaque jour, de nouveaux messages me parvenaient de femmes désabusées, déçues, révoltées, et je craignais que tout ça aggrave mon état. Alors, comme je le faisais si souvent, j'ai mis mon joli masque de bonne humeur, redressé les épaules, pris une profonde respiration et commencé à faire mes tourtières. Pour la première fois de toute ma vie, j'ai eu envie de prendre un apéro – ou deux –, plus tôt que d'habitude.

Il n'était même pas midi.

Ouch.

Bravo, Maryse. Tu vas être paquetée en plein après-midi. Super! Une première!

Qui parle de se paqueter? Juste un verre...

Tu parles comme une vraie alcoolo.

Isshhh. C'est vrai que c'est pas fort.

Non, pas fort. Attends au moins vers cinq, six heures, OK?

Pourquoi? C'est ben trop tard, avec tout le travail que j'ai à faire, ça va juste m'aider à me détendre. Je suis comme une boule de nerfs, là.

Fais à ta tête, d'abord.

Joyeux Noël.

15

Janvier est arrivé, plus glacial que tout ce que je craignais. Je rêvais de m'enfouir sous une tonne de couvertures jusqu'en avril. Je me suis plutôt consacrée au blogue. Pour vaincre la morosité des messages qui se multipliaient, une centaine depuis que je l'avais annoncé sur Facebook, j'ai commencé à rédiger le premier texte qui devait être publié sur la toute nouvelle page de Karma sutra la semaine suivante. Je trouvais tout de même cocasse d'avoir été l'instigatrice de ce blogue à l'insu des membres de ma famille. J'avais bien l'intention de préserver cet anonymat et, dès les premières lignes publiées sur ma page Facebook, je m'étais assurée d'indiquer que tout ceci était dans le but d'aider « une amie ». Pourquoi ? Parce que l'anonymat me procurait une liberté insoupçonnée. J'avais l'impression de devenir quelqu'un d'autre, d'échapper à mon quotidien lorsque j'écrivais pour le blogue ou faisais des recherches. J'avais le sentiment, enfin, d'avoir un pan de vie qui n'appartenait qu'à moi et j'adorais l'impression de liberté que j'en tirais. Je pouvais être celle que je voulais, une femme qui ne s'en laisse pas imposer, revendicatrice et insoumise, pour faire changement. Je pouvais enfin m'octroyer une vie en parallèle de mon insipide réalité.

J'avais envie d'écrire, de partager des états d'âme, mais je n'aurais pas voulu que mes enfants s'interrogent sur mes motivations. Leur mère, adepte des sites de rencontre et justicière ? Ils ne pourraient pas comprendre et il serait trop ardu de leur expliquer. Inutile, aussi. Était-ce si mal ? Je ne le croyais pas. En fait, sans que j'aie pu l'avouer à quiconque, Karma sutra représentait une formidable soupape, un exutoire à tout ce qui ne me plaisait pas dans ma vie. C'était l'idée de Julie, et rien de tout ça n'aurait vu le jour sans elle et ses recherches, mais c'était moi qui avais tout colligé et lui avais donné vie. J'en étais fière et peu m'importait ce qu'il adviendrait, je conserverais le sentiment que je pouvais accomplir et concrétiser bien des choses seule, sans l'aide de personne. Julie l'avait elle-même admis : s'il avait fallu attendre qu'elle s'en occupe, Karma sutra n'aurait jamais existé. Alors voilà.

Tandis que je m'apprêtais à rédiger ce qui allait être le tout premier billet d'une série que j'espérais longue et satisfaisante, j'ai décidé de célébrer cette réalisation. Gilles était en congrès, Oli et Josiane sortis pour la soirée et il restait, couchée bien sagement dans le cellier, une bouteille de champagne que j'avais reçue à mon anniversaire. Veuve Clicquot rosé. Hmmm, ça me semblait parfait. Je la conservais pour une éventuelle occasion spéciale… C'en était bien une, non ? J'aurais aimé la partager avec Julie et Valérie, mais je ressentais le besoin de vivre seule cette célébration.

J'ai mis la bouteille au frais ; il était temps de passer aux choses concrètes et je souhaitais – c'était de plus en plus clair – m'approprier cette tribune. Le premier billet serait symbolique ; je m'y suis attardée de longues heures en trinquant avec moi-même au succès de cette nouvelle entreprise. Après plusieurs manipulations, j'étais enfin prête à le mettre en ligne.

Chères lectrices,

Le voici enfin en ligne, VOTRE blogue, celui qui pourra vous éviter bien des désastres. Mesdames, j'ai le plaisir de vous annoncer que grâce à votre collaboration, nous avons recensé une centaine de pseudos, des hommes de trente à soixante ans, qui fréquentent les sites de rencontre les plus populaires et qui ont été «testés» dans la vraie vie, puis évalués selon les attentes qu'ils suscitaient par des femmes telles que vous. Sont-ils gentils? Méchants? Menteurs? Comment éviter les pièges, les pertes de temps, les soupers interminables avec un *loser*? Comment détecter les éternels magasineux, les professionnels des sites, ceux qui, malgré leurs belles paroles, ne cherchent qu'une partenaire d'un soir? Quels sont les membres réellement conformes à ce qu'ils prétendent? Qui sont ceux qui correspondent véritablement à leur description? Ils sont nombreux, les hommes qui trichent sur leur âge, qui ajoutent des photos datant de plusieurs années (ou même du siècle dernier...), qui mentent sur leurs champs d'intérêt et leurs intentions. Mais ils sont également nombreux, les hommes intéressants et honnêtes qui sont là pour des motifs sérieux. Hélas, quelques imbéciles vous ont rendues méfiantes...

Eh bien, dorénavant, vous pourrez nous écrire et nous veillerons, de manière tout à fait confidentielle, à vous prévenir d'un éventuel piège. Il faut que vous puissiez encore croire qu'il y a quelqu'un, quelque part, qui n'attend que vous pour partager de bien beaux moments!

Bienvenue chez vous, mesdames.

Permettez-nous de vous aider à naviguer dans les eaux troubles des sites de rencontre. Et, si le cœur vous en dit, partagez vos expériences, vos frustrations ou vos bonheurs.

Notre but est de donner à chacune — et surtout à chacun —,
ce qu'il mérite. À chacun son karma, n'est-ce pas?
Au plaisir !
Karma-Mamma

J'étais assez fière du résultat. Le design n'était pas des
plus originaux, mais tout de même attrayant et vivant.
Tandis que le champagne me montait agréablement à la
tête, j'ai annoncé la mise en ligne sur ma page Facebook,
précisant encore une fois qu'une « amie » m'avait demandé
de partager, et je demandais aux miens de faire de même.
Puis j'ai attendu, le temps de mieux connaître cette madame
Clicquot et de m'endormir, un petit sourire victorieux au
visage. Dès le lendemain, étonnée de mon état somme toute
pimpant malgré mes frasques champenoises de la veille, j'ai
constaté que j'avais une multitude de messages et seulement
un très léger mal de tête. Une semaine après la mise en
ligne, Karma sutra comptait plus de quatre-vingts adeptes.

Ces messages exigeaient des réponses, mais il fallait aussi
traiter les renseignements. Ça me demandait beaucoup
de temps et ça me plaisait énormément. J'ai donc passé
presque tout le mois de janvier à rédiger des minifiches sur
des pseudos signalés par des lectrices. Il me fallait d'abord
vérifier qu'ils étaient toujours actifs, et tempérer. Certaines
femmes étaient assez véhémentes dans leurs commentaires
et je ne voulais pas que tout ça devienne prétexte à des ven-
dettas personnelles. J'ai également pris soin de retirer les
noms réels des hommes de la première liste et de ne pas
les inclure dans les suivantes, question d'éviter les ennuis. Je
ne savais pas si c'était illégal, mais je n'allais pas m'exposer
à quelque poursuite pour diffamation. Mieux valait être
prudente.

Ainsi, un certain Grégoire, qui apparemment se plaisait à envoyer des photos de son organe bien gonflé dès qu'il obtenait l'adresse courriel d'une femme, s'est ajouté dans la section «Karma». Georges a fait son apparition dans les «Bons gars», alors que deux femmes plutôt qu'une ont vanté sa gentillesse, sa galanterie et son amabilité. Il était seulement très, très timide et les deux célibataires en question, même si elles n'avaient ressenti aucune affinité avec lui, le recommandaient chaudement. Un autre, Meilleurquetout, a été rebaptisé Meilleurquetoi parce qu'il ne se gênait pas pour critiquer les femmes qu'il rencontrait, déclarant qu'elles auraient avantage à maigrir, à se faire refaire les seins ou autres atrocités. Beauxyeux23, lui, s'organisait pour souper au restaurant plusieurs fois par semaine avec des femmes différentes, et là, chaque fois, prétendait avoir oublié son portefeuille. Il s'excusait avec profusion, promettait que la prochaine fois, il paierait avec plaisir, mais il n'y avait jamais de prochaine fois. Quatre femmes se sont plaintes de lui au cours du mois.

Cette besogne était accaparante mais divertissante. C'est d'ailleurs en rédigeant ces premières réponses que Karma-Mamma est née. Il me fallait absolument un pseudonyme et je trouvais celui-ci parfait. Karma-Mamma pouvait se permettre des réponses bien plus cinglantes que Maryse Després et je comptais bien en profiter. Vive l'anonymat, encore une fois ! Répondant à chaque message, Karma-Mamma s'est indignée en précisant qu'elle ferait enquête. En fait, j'accueillais ce travail avec l'énergie du désespoir. Rien n'allait plus à la maison. La tension était intolérable et les Fêtes avaient été moroses. Je n'avais pas envie d'entendre ma mère parler du nouveau chien de sa copine Yolande ou des attentions romantiques de son Henry. Même Fanny avait écourté son séjour à la maison. Elle était repartie à l'université une semaine avant la date prévue, prétextant vouloir se préparer à la nouvelle session, mais je savais que la cause était tout autre. Elle avait, comme je l'avais anticipé, essayé de me faire parler après avoir discuté avec son père et Oli. J'avais été sidérée en apprenant qu'Oli trouvait que ce n'était « pas si pire ». Pas si pire ? Mon propre fils ne se rendait même pas compte de ce qui se passait ? Je me suis promis d'avoir une bonne discussion avec lui, ce que j'aurais dû faire bien avant. Lors de ma première tentative, quand les choses avaient commencé à dégénérer, il m'avait simplement répondu :

— Josiane savait que tu me parlerais, elle sait que ça fait pas l'affaire de p'pa qu'on soit ici. Je sais pas pourquoi c'est aussi compliqué. T'inquiète, on va pas rester longtemps.

— Tu sais pas pourquoi ? Oli, je vous demande juste de participer un peu. Je t'ai ramassé assez longtemps, là, j'ai pas besoin de le faire encore, pis de ramasser ta blonde en plus, non ?

— Je sais que tu l'aimes pas, ma blonde ou, en tout cas, que t'approuves pas. C'est ben dommage. Parce que je l'aime beaucoup, moi. Si t'essayais, au moins…

Si j'essayais ? Il m'avait mise hors de moi. Lui, celui que j'avais toujours protégé, de qui j'avais toujours été une alliée. J'étais blessée, plus profondément encore que par quoi que ce soit d'autre. Ça n'avait fait qu'empirer. Je sentais que je perdais mon fils, juste à cause d'une fille, insignifiante de surcroît. Pourquoi n'était-il pas tombé amoureux d'une gentille étudiante, douce et aimable ? Parce qu'il était habitué à se faire manipuler et diriger par son père, il s'était laissé embobiner par une de ses semblables. Dès que j'essayais de lui en parler, il m'attaquait. Je souffrais comme je n'avais jamais cru possible de souffrir.

Ça ne pouvait plus durer. Et, en effet, l'abcès a crevé. Pas celui d'Oli, mais un autre beaucoup plus purulent.

Il y avait longtemps que je le soupçonnais. J'ai découvert le pot aux roses en parcourant une fois de plus l'historique de navigation de Gilles un soir où il était supposément en formation à Toronto. Le site Réseau Rencontres figurait dans ses favoris et avait été visité une dizaine de fois au cours de la semaine précédente. L'idiot n'avait même pas pris la peine de camoufler son nom d'utilisateur ni son mot de passe. Accéder au site en son nom avait été un jeu d'enfant. J'ai hésité. Oh, à peine le temps d'un souffle. Puis, j'ai cliqué sur « entrer » et je suis arrivée sur le profil de Allôlavie.

Allôlavie. Seigneur. C'est ben niaiseux comme pseudo !

Aussi nul que des centaines d'autres.

Allôlecon.

Il avait mis son âge réel, mais avait changé sa ville de résidence et indiqué « séparé » comme statut. Le reste de sa fiche de présentation faisait état d'un homme chaleureux, aimant rire et discuter de sujets de toutes sortes. Il disait avoir dû surmonter de nombreuses épreuves avec persévérance et optimisme, ce qui faisait de lui un homme courageux, conscient de la fragilité de la vie. J'ai éclaté d'un rire qui m'a fait peur. Dérision, désillusion, dégoût. Trois « dé- » qui n'étaient que la pointe de l'iceberg.

Chaleureux ? Ah oui, tellement. Comme un iceberg, justement.

Aimant rire ? C'est quand la dernière fois où je l'ai vu sourire ? Pas son sourire fendant, là, un vrai.
Épreuves ? Persévérance ? Optimisme ? Wouahahaha !
J'vais mourir de rire !
Ou brailler. Ou les deux…
Fuck.
J'ai envie de lui faire avaler sa grosse queue sale, qu'il s'étouffe avec comme j'ai failli le faire tellement souvent.
Fuck off, Gilles.

Il a eu droit à tout un chapelet d'injures plus grossières les unes que les autres. Ma colère me faisait peur. Elle m'aveuglait : la gentille Maryse se croyait tout à coup capable d'un meurtre. Sanglant.

Il me fallait voir plus loin.

Sa boîte de réception était vide ; dans la corbeille se trouvaient un tas de vieux messages. Une douzaine, dont certains comportaient plusieurs échanges, mais rien de concluant. J'étais presque déçue. Puis, dans l'un d'eux, Gilles se disait charmé par une certaine Mousseline68, la trouvait drôle et pleine d'esprit. Devant ces lignes, j'étais à la fois fascinée et découragée. Les premiers échanges étaient tout ce qu'il y avait de plus banal. J'ai découvert avec un dégoût mêlé de mépris que mon mari se décrivait comme athlétique, qui ne faisait pas son âge et qui sortait régulièrement voir des spectacles de toutes sortes.

Oui, oui, un vrai « party animal ». Tant mieux pour lui.

« Mousseline », elle, était enseignante au primaire, adorait son travail et les enfants, était séparée depuis trois ans. Je suis évidemment allée voir sa fiche. Une belle femme, oui. Blondasse, quarante-trois ans, deux enfants de douze et quatorze ans, des garçons. Ensuite, « Gilbert » prétendait être séparé depuis presque deux ans, mentionnait avoir deux enfants à l'université, « ma plus grande fierté », disait-il.

Gilbert. Tellement subtil !

Même pas assez de couilles pour utiliser son vrai nom.

Il ne parlait pas trop de son « ex », moi en l'occurrence, disant simplement que notre amour s'était

graduellement éteint, au fil des années, malgré tous mes efforts. Ça m'a fait tellement mal, c'est dur de constater que la femme avec qui on a eu l'intention de passer sa vie n'est pas telle qu'on l'imaginait... mais je ne veux pas t'importuner avec mon malheur, c'est derrière moi maintenant, les blessures guérissent lentement.

Mousseline avait alors répondu avec une phrase banale, un tel cliché que j'en ai presque eu la nausée :

Tu sais, cher Gilbert, ce qui ne nous tue pas nous rend plus forts. Les épreuves nous apprennent à devenir de meilleures personnes. Je comprends très bien par où tu es passé, ça a été sensiblement la même chose pour moi. J'ai fait des choses dont je ne suis pas fière, mais j'avais mes raisons. Ça va peut-être me coûter ma place au paradis, mais au moins, je me serai permis quelques péchés... des plus agréables, si tu vois ce que je veux dire ;)

My God. Plus niaiseux que ça, tu meurs.

Gilles avait l'air d'apprécier, ce qui ne m'a pas étonnée :

Tu as vraiment tout un sens de l'humour, et une force de caractère incroyable, j'adore ! Je sens une connexion avec toi, c'est très agréable. Et tes photos sont très belles, tu as l'air d'une femme qui aime rire et s'amuser, mais qui peut tout de même discuter sérieusement. Quel beau mélange ! Je te trouve fascinante, chère Mousseline !

Gilbert

Comme tu es charmant! Ton histoire me touche, ça n'a pas
dû être facile... J'aime les hommes qui sont capables de
parler de leur passé et de leurs épreuves en toute honnêteté.
C'est tellement rare!
Jocelyne

Je préférerais qu'on s'écrive par courriel plutôt que par le
site, tu veux bien? Voici mon adresse: gp1234@gmail.com.
Au plaisir, très chère!
Gilbert

Là, j'avais mal au cœur, dans tous les sens. Curieusement,
je n'étais pas triste. Je m'étais plus ou moins attendue à ce
coup de canif même si le voir là, écrit noir sur blanc, m'a
tout de même causé un choc dont je me serais passée. J'ai
ressenti une espèce de calme; c'en était fini de l'incerti-
tude, de l'inquiétude, de l'interminable angoisse. Trois
« in- » qui n'étaient, eux, qu'une infime partie du vide qui
se creusait en moi.

J'ai bien entendu essayé d'accéder à l'adresse courriel
mentionnée dans son dernier message, mais Gilles-Gilbert
avait été plus prudent à cet égard qu'avec sa page d'accès au
site. Après plusieurs tentatives, je n'avais toujours pas réussi
à trouver son mot de passe. J'ai effacé toutes traces de mes
vains essais et retiré cette recherche de son historique.
J'aurais tant voulu lire ces messages... mais en même
temps, je n'avais pas besoin de preuve tangible de son infidélité. Le simple fait qu'il a menti à notre sujet et corres-
pondu de la sorte avec une étrangère était amplement
condamnable. Avait-il fini par donner rendez-vous à cette
Jocelyne/Mousseline? Bien sûr. Sur le site de rencontre,

leur dernière correspondance datait de deux semaines. Peut-être était-il même avec elle au moment où je faisais ces horribles découvertes.

Oli était couché, je savais que je n'arriverais pas à dormir. J'ai bien sûr pensé à téléphoner à Julie, mais j'hésitais sans savoir pourquoi. J'ai débouché une bouteille de vin, me disant qu'un verre m'aiderait à trouver le sommeil. Le premier verre m'a aidée à comprendre que ce qui me retenait était la honte. Le deuxième a fait monter ma colère à un niveau inégalé et j'ai eu envie de téléphoner à mon cher mari, question d'interrompre ce qu'il était sans doute en train de faire. Le troisième a imposé toutes sortes d'images dégueulasses dans ma tête, Jocelyne apparaissant comme une tigresse assoiffée de sexe et lui, avec ses fesses molles et ses cheveux teints, comme un dégénéré aux yeux exorbités, à la bouche baveuse et à la queue intrépide. J'ai vidé la bouteille. Puis, j'ai passé la nuit à pleurer, à enrager, à vouloir le tuer et à m'apitoyer sur mon sort. Au matin, nauséeuse, le crâne dans un étau, les yeux et le cœur amochés, j'ai en vain tenté de me convaincre qu'il ne s'était peut-être encore rien passé, je ne pouvais pas en être certaine ni l'accuser ouvertement. Mais il me fallait l'affronter. Ne pas savoir était pire que tout ; j'étais peut-être en train d'imaginer des scénarios cent fois pires que la réalité. Je l'espérais sans trop y croire.

Je me savais incapable de jouer la comédie très longtemps et j'ai décidé de sceller mon destin le soir même. Gilles rentrait de sa supposée formation en fin d'après-midi, Oli et sa copine partaient au chalet de leur ami pour la fin de semaine. Je n'aurais pas pu attendre, même si j'avais voulu.

Cette scène restera sans doute gravée dans ma tête tout le reste de ma vie.

T'sais quand tu le sens que ta vie sera plus jamais la même?

Ben oui. Au moins là, tu le sais.

T'as pas le choix.

Non. Je le sais.

Enwèye, fonce.

Ta gueule.

16

Gilles m'avait proposé de sortir, mais même si les circonstances avaient été différentes, cette fin janvier nous faisait subir une vague de froid qui m'enlevait toute envie de mettre le nez dehors. Je lui ai plutôt offert de commander un repas de l'un de nos traiteurs préférés. J'étais une loque, mais, comme d'habitude, j'ai bien camouflé mon état, et il ne s'en est pas rendu compte. Je n'allais pas utiliser l'excuse de devoir cuisiner pour éviter le sujet. Pas question non plus de nous donner en spectacle au restaurant, je savais trop bien que ce qui m'attendait ne serait pas joli.

Au fond de moi, j'espérais encore qu'il y ait une explication logique, que Gilles arriverait à me convaincre qu'il ne s'agissait que d'une expérience sans conséquences pour satisfaire sa curiosité, même si je savais que c'était stupide. Comment cet écart pourrait-il n'avoir aucune incidence? Personne ne s'inscrivait sur un site de rencontre juste pour passer le temps. Encore moins un homme insatisfait de son mariage, de sa vie conjugale. Mais c'était moi, ça. Toujours positive, prête à croire n'importe quoi pour ne pas faire de vagues.

Puis, comme Gilles avait vidé son sac de voyage et que le panier de linge sale était plein, j'ai décidé de faire une lessive en attendant le traiteur. Et là, les quelques doutes qui me restaient se sont envolés devant la preuve ultime : un condom dans sa poche de jean.

Calibre extragrand. Ultramince et lubrifié pour plus de plaisir !

Wahou ! Ça devait y aller aux toasts !

J'ai fermé les yeux pour bien saisir la signification de cette trouvaille. Je n'avais plus aucune raison de douter de ce qui se passait ni, surtout, de moi. Cette fois, rien ne pourrait me convaincre qu'il existait une autre explication pour mettre mon mariage à l'abri de la tempête. J'ai pris une profonde inspiration, essuyé les larmes qui tentaient de se frayer un chemin entre mes cils et je suis retournée au salon.

Gilles m'avait servi l'apéro et regardait un match de hockey à la télé ; j'ai fait semblant d'être plongée dans un roman le temps de reprendre la maîtrise de moi-même et d'évaluer les différentes entrées en matière qui me venaient en tête. D'abord, attendre que le repas soit livré. Manger un peu, en parlant de la météo et de sujets banals, question de ne pas gaspiller la nourriture. Puis, en débarrassant la table, attaquer, mais avec intelligence. La pire stratégie, avec un homme comme Gilles, était de l'affronter, car là, il attaquait à son tour. Avec une telle violence que c'était invariablement moi qui me retrouvais au banc des accusés, même si je n'étais coupable de rien. C'était sa façon de faire : se défendre de manière si véhémente qu'on finissait par se sentir odieux d'avoir osé l'accuser.

Dans ce cas précis, il serait sans doute outré que j'aie fouillé dans ses affaires et c'est là qu'il tenterait de me déstabiliser. Mais j'étais prête. Il me fallait seulement l'aborder doucement, de manière détournée, sur le fait même de sa présence sur un site de rencontre. Après, j'improviserais en essayant de garder mon calme.

Oui, parce que sinon, comme d'habitude, il va te traiter d'hystérique.

Si seulement il savait à quel point l'hystérique en moi le tuerait.

En tout cas.

Nous avons donc parlé de tout et de rien pendant le repas. C'était délicieux, mais je ne faisais que chipoter. Je nous regardais et je prenais plus que jamais conscience de la comédie que nous jouions depuis si longtemps. Un homme, une femme, supposément unis, qui discutent de météo pendant que, dans leur tête, se déroule une tout autre conversation faite d'accusations, de rancune, de non-dits. De culpabilité aussi, peut-être, mais j'en doutais.

Des images pornos de sa nuit de cul avec Mousseline, plutôt.

Ouain, ça doit ressembler à ça.

J'ai soupiré, puis j'ai abordé le vif du sujet en évoquant les déboires de Julie. Je n'avais pas parlé à Gilles de ses péripéties sur les sites de rencontre, encore moins de son idée de blogue. C'était mon petit secret à moi, et de savoir que j'en avais un me plaisait énormément même s'il était risible, comparé aux siens. Il avait sa porno et sa Mousseline, j'avais mon exutoire. J'ai pris un ton faussement léger et j'ai dit:

— Imagine-toi donc que Julie a fait le saut, elle s'est inscrite à des sites de rencontre. Ça m'a l'air assez particulier!

— Oui, je m'en doute! a répondu Gilles d'un ton vague. Il paraît qu'il y a toute sorte de monde là-dessus...

— Oh, ça tu peux le dire ! C'est drôle, moi je pensais que c'était juste les désespérés qui se retrouvaient là, mais elle a l'air de dire que non. Y'en a, oui, mais pas juste ça. Tu vois, moi, naïve comme je suis, je croyais que c'était une façon de chercher à former un couple, pour vrai. Apparemment, la plupart d'entre eux cherchent juste des aventures…

— Ça t'étonne ? C'est vrai que t'es naïve. Moi, me semble que c'est évident. Comment tu peux vraiment espérer trouver l'amour de ta vie sur un site Internet ? C'est ridicule ! Le seul intérêt de ces sites-là, c'est de trouver un *trip* de baise. Tu regardes des photos comme dans un catalogue, tu choisis, tu t'essayes. Si ça fait pas, tu passes à une autre. J'ai des amis qui font ça à longueur d'année. Ils en rencontrent, des femmes ! Mais ils sont pas tombés amoureux, pas un seul. C'est pas pour rien ; les femmes là-dessus sont assez spéciales, c'est le moins qu'on puisse dire.

— Es-tu en train de me dire que Julie est spéciale ?

— Quand même, Maryse, elle est pas ce qu'il y a de plus solide ! Elle avait un gars parfait, elle a dû faire quelque chose pour qu'il la laisse !

Je n'en revenais pas.

Quel crétin ! Il traite Julie comme si c'était sa faute si
Danny l'a flushée. Faut être con pas à peu près !
Il peut bien parler, lui… Ça veut dire que par ma faute
il me trompe, lui ?
Ben oui, Maryse, tu sais comment il te regarde.
Je suis pas si pire.
T'es sûre ? Lui pense pas la même chose…
OUI JE SUIS SÛRE ! ÇA VA FAIRE !!!

J'ai combattu de toutes mes forces la réplique acerbe qui menaçait de s'échapper de ma bouche. Il me fallait me concentrer sur le cas actuel. J'ai plutôt répondu, serrant les poings sous la table :

— Allô ? C'est lui qui l'a laissée ! Pour une fille plus jeune qui voulait des enfants ! C'est quand même pas la faute de Julie si elle a pas trouvé le moyen d'arrêter de vieillir à trente-cinq ans…

— Je sais, c'est pas ce que je voulais dire. Les femmes sur ces sites-là cherchent toutes un gars riche pour les faire vivre et s'occuper d'elles. Surtout celles qui ont plus de quarante ans. Elles paniquent, sont prêtes à tout et n'importe quoi pour sentir qu'elles pognent encore. Tu devrais entendre les histoires que mes chums me racontent ! Elles couchent avec tout ce qu'elles peuvent pogner pour essayer d'en garder un.

Voilà qu'il ressortait ses affirmations à la con. C'était bien Gilles, ça. Aucun argument possible, ce qu'il disait devait faire foi de vérité, c'était l'évidence absolue, et quiconque ne le croyait pas était dans le tort. J'ai souri intérieurement, un sourire assez méchant, merci.

Bon. Tu commences à te déniaiser, tarte.

Oh que oui.

Il était temps ! Go Maryse, Go !

— Ben justement, j'aimerais ça les entendre, les histoires de tes chums ! Peut-être que ça pourrait servir à Julie… T'as l'air d'en savoir un bout !

— Je sais rien du tout, juste ce que j'entends. Et je jure, c'est pas fort !

C'était le moment où jamais d'entrer dans le vif du sujet.

— Ça t'arrive pas, des fois, d'être curieux et de vouloir savoir ce qui se passe là ?

— Qu'est-ce que tu veux dire par là ? Franchement, Maryse. Es-tu en train de me dire que toi t'es curieuse et que t'es allée voir ?

— Ben non, moi, vois-tu, je considère que je suis en couple, mariée pour le meilleur et pour le pire.

Ha ! ha ! Bullshit !

C'est pas pareil. Moi, c'est de la recherche.

Peut-être que c'est la même chose pour lui ?

Hey, essaie pas de me faire avaler des niaiseries, je l'ai assez fait !

OK. Si tu veux...

— Ah bon, et pas moi ?

— Je sais pas trop, Monsieur « Allôlavie », c'est pour ça que je te pose la question...

Il a blêmi et s'est mis à piger dans le peu qui restait de son assiette sans me regarder.

Whoaaa. Je lui ai fermé la gueule. Quel feeling !

Je suis en feu. Hot.

Puis sa colère a explosé, exactement sur le front auquel je m'attendais :

— Ah bon ? Tu fouilles dans mes affaires, maintenant ? Madame a trop de temps libre, on dirait ! Moi qui pensais que j'avais droit à un minimum de vie privée, je me rends bien compte que non ! Est-ce que tu voudrais que je te donne aussi le mot de passe de mon ordi au bureau ? Tu pourrais aller vérifier mes dossiers, pour voir si je fraude la compagnie ou quelque chose de même...

Typique. Mis au pied du mur, monsieur devient outré de voir sa vie privée envahie. Il allait tout faire pour que je me sente mal d'avoir manqué de confiance en lui, d'avoir été méfiante au point de fouiller dans ses choses personnelles. J'en avais assez.

Plus qu'assez.

Comme tu viens de le dire : ça va faire !

Le barrage que j'avais soigneusement entretenu depuis si longtemps a enfin cédé et, à ma grande surprise, je ne me sentais pas émotive, pas fragile, mais plutôt froide et solide comme un iceberg.

— Non, pas au bureau. Mais j'aimerais bien voir les relevés de nos cartes de crédit. Quelque chose me dit qu'il doit y avoir pas mal d'abonnements à des sites de cul, des patentes de webcam *live* ou d'autres sites de rencontre. Tu me prends pour qui, Gilles ? Tu m'accuses de fouiller dans tes affaires. Elle est bonne ! Ben oui, je fouille. Parce que je suis pas aussi conne que tu le penses et parce que j'ai le droit de savoir exactement ce qui se passe, à quoi tu dépenses notre argent.

— Notre argent ? Je le dépense à te faire vivre, toi pis nos enfants, et tu le sais très bien. Notre argent, vraiment ? T'as contribué à quel point, au juste, depuis toutes ces années ? Me semble que j'ai bien le droit de me payer des petits caprices moi aussi ! Avec tout ce que je vous ai donné, à vous trois, les études, le linge, les coiffeuses, la bouffe, la maison, c'est vraiment pas grand-chose, mes petits plaisirs de temps en temps ! Tu te rends pas compte de la chance que t'as de m'avoir. Je reviens ici tous les soirs quand je suis pas en formation, je suis là, solide, toujours prêt à m'occuper de toi, de tout. Je demande jamais rien. Et tu vas me tomber dans la face pour des niaiseries de même ?

Voilà. Son barrage à lui aussi cédait, apparemment. Ce discours, je l'avais entendu des milliers de fois. C'était le même qu'il utilisait pour justifier l'achat d'un nouveau sac de golf, autrefois, ou même d'une nouvelle voiture. Il le méritait. Il travaillait d'arrache-pied pour nous, depuis si longtemps. Il ne remettait pas nos besoins en question, nos caprices, mais en échange il s'attendait à la même courtoisie.

Ben oui, on sait bien qu'un nouveau sac de golf et de la porn, c'est la même chose.

Pas de quoi s'énerver, hein ?

J'ai haussé les épaules et l'ai regardé d'un air méprisant, le même qu'il m'avait été donné beaucoup trop souvent de voir sur son visage.

— Fais-moi pas brailler, Gilles. Donc, pour toi, c'est la même chose de te crosser en regardant d'autres femmes ou de te chercher une aventure sur un site de rencontre que pour moi d'aller chez la coiffeuse ou d'acheter les vêtements de tes enfants ? Wow, t'es encore plus *fucké* que je pensais ! Je devrais me considérer chanceuse que tu viennes dormir à la maison quand t'es pas en supposée formation ? Pourquoi, au juste ? Pas pour être avec moi, certain ! Pour pouvoir te regarder t'asseoir devant tes pitounes et te masturber tranquille ? Hey, oui, je suis tellement chanceuse ! Ça fait combien de temps que tu m'as touchée, Gilles, hein ? Penses-tu vraiment que je suis assez épaisse pour penser que t'as juste décidé d'arrêter de baiser du jour au lendemain et que t'es satisfait de ce que tu fais pendant que je suis couchée ? Quelque chose me dit que t'as pas mal moins de misère à bander devant ton ordinateur que dans ton lit avec moi !

— Je le sais, ça fait combien temps que je t'ai pas touchée, crois-moi ! Et pourquoi, tu penses ? Pis oui, je bande pas mal plus dur devant mon écran. Tu comprends pas pourquoi ? Non, mais, t'es-tu vue ? C'est quand la dernière fois que tu t'es arrangée *cute,* que t'as essayé de me faire plaisir ? Tu te maquilles plus, t'es en jogging toute la journée, t'as l'air bête. Oui, c'est super excitant, ça me donne envie de te sauter dessus !

Chien sale. Attaque, oui.
Pense à Daniel, ça va t'aider pour la suite.

— Pis toi, tu t'es jamais demandé pourquoi j'avais de moins en moins envie de te faire plaisir ? Chaque fois que je m'arrange *cute,* comme tu dis, ça passe totalement inaperçu. Tu me vois plus. Je pourrais avoir une barbe et me promener en *g-string* rose, tu m'ignorerais autant. Ou quand tu le vois pis qu'on essaye de faire quelque chose, tu bandes à moitié. Tu disais que c'était pas de ma faute... mais là tu viens de me dire le contraire. *Anyway,* c'est pas super valorisant, tu sauras ! Les amies d'Oli et de Fanny, par exemple, même celles qui sont pas belles ou carrément grosses, tu les vois en masse et je suis sûre que t'aurais pas besoin de Viagra avec elles ! En fait, je pense que t'aurais envie de baiser à peu près n'importe qui, tant que c'est pas moi. As-tu idée à quel point c'est insultant ? T'essaies d'avoir l'air d'un gars de trente ans, tu te rends ridicule en t'épilant le *chest* et en te teignant les cheveux parce que t'assumes pas que t'as passé cinquante ans pendant que moi je suis là, pas mal plus attirante que bien des femmes de mon âge, mais c'est pas assez pour toi. Faudrait-tu que je me fasse refaire les seins, remonter la face, que je me teigne en blonde pis que j'aie l'air d'une Barbie pour que tu me regardes enfin ?

— Ha ! ha ! Me semble de voir ça ! Ça pourrait certainement pas être pire ! Mais de toute manière, tu délires. Plus attirante que bien des femmes de ton âge ? Lesquelles, Maryse ? Au Walmart, dans le 450, peut-être, mais certainement pas ailleurs ! Sûrement pas comme toutes les femmes qui travaillent, qui s'entraînent, qui ont une carrière, qui sortent, savent comment garder une allure pas mal plus intéressante que toi qui passes tes journées à jardiner et à faire à manger.

Ah bon. Là, il me reproche de pas avoir de vie alors
que c'est lui qui a insisté pour que ce soit comme ça.
J'aimerais pas ça, moi, travailler, avoir une vie pis une
carrière?
J'en avais une, et c'est toi, le sale, qui me l'as fait lâcher.
Oufff.
Au Walmart. Sérieux?
Tous les coups étaient donc permis.

— Bon, j'ai compris. De toute façon, il est trop tard. T'es même pas assez intelligent pour te cacher comme du monde. La prochaine fois que tu mettras ton jean au lavage, vide tes poches.

J'ai brandi le condom que j'avais trouvé dans ladite poche. Et j'ai ajouté :

— Au moins, t'es assez smatte pour te protéger. Les femmes sur les sites sont assez désespérées. Elles couchent avec tout ce qu'elles peuvent pogner pour essayer d'en garder un.

Il est resté muet quelques secondes, puis il a tenté le tout pour le tout :

— Maryse, c'est pas ce que tu penses. C'est juste une *joke,* j'ai acheté ça à la toilette de la Cage aux sports, hier soir, pour le donner à François, t'sais mon chum avec qui je joue au golf, des fois ? Il vient de se séparer et…

Je me suis levée, les couverts à la main. Avais-je l'intention de les utiliser pour le menacer à coups de fourchette et de couteau à beurre ? Je n'en sais rien. J'ai juste explosé.

— ARRÊTE DE ME MENTIR ! Ça fait un bout de temps que je me doute que tu me trompes, ça c'est juste la cerise sur le *sundae.* Pour une fois, sers-toi de tes couilles pour la bonne raison, fais un homme de toi et sois honnête !

François a rien à voir là-dedans, on parle juste de toi pis moi, là !

Nouveau silence. Puis :

— C'était une erreur, Maryse. C'est arrivé sans que je m'en rende compte. Ça sonne con, mais c'est ça pareil…

— Sans que tu t'en rendes compte. Oui, ça sonne con, vraiment con. Explique-moi donc ça comment on trompe sa femme après autant d'années ensemble sans s'en rendre compte ? À moins que ce soit pas la première fois, peut-être que tu l'as fait en masse sans t'en rendre compte, avant ? Tu devrais peut-être aller voir un médecin, un neurologue, je sais pas trop. Pas normal de fourrer sans s'en rendre compte.

— Arrête ! Non, j'te jure, c'est arrivé juste une fois !

Il s'est mis à pleurer. L'arme ultime du manipulateur aguerri. Cette fois, pour la première fois, en fait, je ne me suis pas laissé prendre à son jeu. Je suis restée de glace, curieuse de voir jusqu'où il irait. Combien de fois m'étais-je laissé attendrir par ses larmes ? Chaque fois que j'avais évoqué un malaise, autrefois, quand je lui avais dit que je croyais que nous ne restions ensemble que pour les enfants… il y avait de ça tant d'années. Il avait pleuré, me disant qu'il ne pourrait vivre sans moi, qu'il m'aimait plus que tout.

Des mensonges, juste ça. Il me disait ce que je voulais entendre et moi, épaisse, je gobais tout ça.
Wow, ça fait du bien de voir clair !

Je comprenais enfin que ce n'était que sa façon de me retenir, de me contrôler. J'avais été tellement aveugle, tellement naïve ! Ma colère a encore connu un sursaut de vigueur, ce que je n'aurais pas cru possible, mais je n'ai rien ajouté. Je voulais le laisser s'inquiéter de mon silence, de ma froideur. Après quelques minutes, quand il a compris que je n'ajouterais rien, il m'a expliqué, d'une voix chevrotante :

— Je ne sais pas ce qui m'a pris, Maryse. François m'avait parlé de toutes ces femmes sur les sites, et j'étais curieux. C'était juste pour voir, pour m'amuser. Je serais jamais entré en contact avec personne, je t'aime et tu as toutes les raisons du monde de m'en vouloir. Mais je te jure, c'était juste un jeu pour me désennuyer. Je me sens si seul, depuis si longtemps, Maryse…

Pauvre chou. Il se sentait seul. Nous étions seuls tous les deux dans la même maison depuis des années, je le savais aussi bien que lui. J'avais tendu des perches, suggéré des avenues de rapprochement, il ne s'était éloigné que davantage et le savait pertinemment. Je n'ai toujours rien dit, préférant le regarder souffrir sans lui venir en aide.

— Cette femme a commencé à m'envoyer des messages et, de fil en aiguille, on s'est mis à se raconter des choses intimes, sa solitude était la même que la mienne, on se comprenait. C'était juste amical, pour moi, ça serait resté juste ça, je voulais rien d'autre. Mais on s'est rencontrés, et je me suis retrouvé dans sa chambre d'hôtel et…

— C'est beau, Gilles, j'ai pas besoin de détails. Lundi, j'appelle un avocat. Je pourrais aller m'installer chez Julie, mais je préfère que tu partes. Tu peux aller chez ton chum François, vous allez être bien tous les deux.

Il est devenu livide. Je ne savais pas s'il allait pleurer, crier, me supplier. Il a tout fait. Il a commencé par m'accuser d'être intransigeante, incapable de lui pardonner sa première erreur en tant d'années. Tant de couples vivaient ça, nous devions pouvoir en faire autant.

— Cette femme-là voulait rien dire, c'était juste un accident de parcours, le premier et le dernier. Tu vas vraiment détruire notre vie pour ça ? Eh ben non, je vais pas partir ! C'est ma maison ! En plus, c'est ta faute tout ça. Si t'avais pas passé tout ce temps-là à t'éloigner de moi, si t'avais pas toujours pris la défense d'Oli, aussi !

— Ma faute !? Et la faute d'Oli que tu traites comme de la marde depuis aussi longtemps ? Ah ben là, j'aurai tout entendu !

— Pis en plus, tu dis que t'as des doutes depuis longtemps, mais t'as rien dit. Peut-être parce que finalement, ça faisait ton affaire, hein ? Parce que pendant ce temps-là, t'avais la paix ? Peut-être même que tu faisais la même chose de ton côté. Mais moi, je fouille pas dans ton ordi ou dans tes poches, je te fais confiance.

Ben oui ! Ça fait mon affaire que mon mari me trompe. Et je fais la même chose de mon côté. N'importe quoi !

Ben non, justement.

C'était absurde. Évidemment, il m'accusait d'avoir fait la même chose. Je n'aurais pas cru qu'il se serait abaissé à ce point, mais ça ne m'étonnait pas, ce n'était que sa technique habituelle qui atteignait des sommets inégalés. Je restais de glace devant l'absurdité de ses propos, et il s'est écroulé. Les larmes ont refait leur apparition, inondant ses joues, déversant des torrents de regrets amers. Je n'avais toujours pas la moindre réaction. Il s'excusait, ne savait pas comment il avait pu me faire une telle chose, moi qui avais toujours été là pour lui, fidèle, disponible, la meilleure mère au monde pour ses enfants adorés. Quelle blague ! J'ai enfin vu, pour la première fois, à quel point il était incapable de sincérité. Il changeait d'attitude à tout instant, désespéré de trouver celle qui me ferait fléchir. Il n'y parvenait pas, mais quel talent, tout de même !

Puis, il a fait une tentative ultime : la résignation.

— Je comprends, Maryse. J'accepte que tu refuses de me croire. Je suis dégueulasse, je mérite juste que tu me traînes dans la boue. Je te mérite pas. Je sais pas comment t'as fait pour m'endurer tout ce temps. Je peux pas aller chez François... on est pas les meilleurs chums du monde, ces temps-ci. En plus, il vit avec un ami, en attendant de régler les affaires avec sa femme.

— Tiens donc. Vous faites une belle paire, hein ? Moi qui trouvais ça bizarre que tu l'invites jamais ici, ou que tu dises tout le temps que ça te tentait pas quand je te proposais de les inviter à souper, lui pis sa femme. Finalement, c'est peut-être aussi bien !

— Sa femme est folle, Maryse. Pis lui, je l'ai jamais emmené ici parce que chaque fois qu'il voyait des photos de toi, il me traitait de maudit chanceux. Comme s'il tripait sur toi !

— Ah bon ? Ça doit pourtant être pas mal dur pour toi de croire qu'un homme pourrait triper sur moi, mais bon. Les seules fois où je l'ai vu, il était tellement timide... En tout cas ! Change pas de sujet.

— Je change pas de sujet. Je peux aller ailleurs et attendre des nouvelles de ton avocat. Sache que je t'ai toujours aimée, Maryse, et que je t'aimerai toujours. Je te remercie de tout ce que tu as fait pour me donner une aussi belle vie, même si j'ai pas su l'apprécier à sa juste valeur. C'est quand on perd quelque chose de vraiment précieux qu'on comprend combien c'était important, hein ? C'est con et Frank a bien essayé de me faire voir tout ça, mais j'étais trop cave. Lui, il veut divorcer, mais sa femme capote et il en arrache. Je peux pas le regarder en pleine face parce que j'ai honte. Je pense qu'il a toujours été jaloux de moi et j'ai été faire l'imbécile. *Anyway,* je me suis mis moi-même dans cette situation, j'ai pas le choix de l'accepter. Si tu me donnais une autre chance, si t'étais capable de trouver dans ton cœur une toute petite parcelle d'amour pour moi et pour ce qu'on a vécu ensemble, je te jure que je te donnerais plus jamais de raisons de douter de moi. Jamais. Mais je comprends que t'en sois pas capable.

Wow, du grand art. Ça aurait valu un Oscar certain !

Il me regardait, son air de chien battu plus abject que tout le reste. Je ne voulais pas divorcer, je ne voulais pas lui faire de mal et encore moins le jeter à la rue. Ce que je voulais, tout en sachant que c'était utopique, c'était qu'il me prenne dans ses bras et qu'il me dise que ce n'était qu'un cauchemar, que rien de cela n'était réel. Je le voyais enfin sous son vrai jour et je détestais l'homme qui se tenait devant moi. Malgré ça, malgré tout, j'aurais aimé revenir en arrière, ne pas l'avoir entendu me mentir, me ridiculiser, me mépriser ni même me supplier. Je voulais encore croire que tout était possible.

T'as vraiment la tête dure ou t'es maso ?

Les deux, j'imagine…

J'étais triste, confuse et surtout épuisée. Alors je l'ai regardé et lui ai dit, avec toute la lassitude que je ressentais :

— Pour ce soir, tu peux juste aller dans la chambre d'amis, ça fera pas tellement changement. Je suis fatiguée, je sais plus où j'en suis ni ce que je veux. J'ai besoin de temps et de distance, Gilles.

— Je comprends. Prends tout le temps que tu veux.

Il est sorti, il avait besoin d'air, le pauvre. Je suis restée plantée au milieu de la cuisine avec les assiettes sales et les chandelles qui vacillaient.

Toute seule.

Pour faire changement.

17

Mon deuil, celui de ma vie de couple, pas de mon mari toujours vivant à l'époque, a commencé ce soir-là, aussi froid que le vent de ce janvier de merde, même si j'avais cru avoir entamé ce deuil auparavant. Ça a duré à peu près trois mois. Les semaines suivant la scène des aveux, j'étais plus ou moins en mode « légume ». J'ai informé tous mes clients que je ne prenais pas de nouveaux contrats pour le moment et qu'il serait plus sage, pour ceux que ça concernait, de trouver une solution de remplacement à mes services pour leurs déclarations de revenus. Je ne pouvais pas travailler efficacement dans cet état. Je ne sortais plus, je ne mangeais à peu près pas. J'étais verte, cernée, j'avais l'impression d'être faite de plomb. Gilles se faisait le plus discret possible, surtout quand Oli était à la maison, mais sa présence m'irritait. Oli s'est inquiété ; je lui ai fait avaler une histoire de virus, la même qu'à Julie et Valérie, d'ailleurs. C'était l'hiver, ça tombait plutôt bien, tout le monde était malade et personne n'avait envie de sortir. Moi moins que quiconque. Je restais sur le canapé à longueur de journée, contemplant la vie qui m'attendait avec ou sans Gilles. Quand nous étions seuls à la maison, lui et moi, nous essayions de nous parler. Gilles me suppliait de lui pardonner ; il pleurait abondamment, s'autoflagellait en s'accusant d'être le pire des cons, s'est excusé des milliers de fois. Il me disait qu'il avait fait une erreur, une gaffe monumentale, m'assurait qu'il m'aimait autant que lorsque nous nous étions rencontrés et que sa vie avec moi lui importait plus que tout au monde. Il prétendait que son vœu le plus cher était de finir ses jours avec moi, celle qui le connaissait mieux que quiconque, avec qui il avait vécu tant de choses.

Je l'écoutais, sans savoir quoi dire. Je voulais désespérément le croire, j'aurais voulu lui pardonner, mais ça demanderait du temps, beaucoup de temps. Il était prêt à attendre, alors je ne savais plus quoi penser. Je voulais juste qu'il se taise, qu'il se la ferme pour me laisser le haïr en paix. J'essayais d'imaginer cette femme d'après les quelques photos que j'avais vues, la Jocelyne qui avait couché avec mon mari. Les images qui apparaissaient me donnaient la nausée. J'ai compris que je n'étais pas jalouse. Ce n'était pas l'idée que mon mari ait touché une autre femme qui me dérangeait, mais plutôt le manque de loyauté dudit mari. Moi qui avais maintenu l'illusion que cet homme, mon conjoint depuis tant d'années, était la personne dont j'étais le plus proche, je venais de faire crever ma bulle de manière assez brutale. Je ne connaissais pas cet homme. Tout un pan de sa vie m'était inconnu, inaccessible. Et ça, ça faisait mal. Puis, après cette constatation, il y avait le fait qu'il venait de faire un geste irrévocable, balayant du revers de la main toute signification profonde qu'aurait pu avoir plus de la moitié de cette vie que je venais de passer avec lui. Ça ne valait plus rien, ne voulait rien dire, n'avait peut-être jamais voulu dire quoi que ce soit. Je n'avais été qu'un accessoire à la vie stable, rangée, harmonieuse à laquelle il avait aspiré et qui lui avait permis d'atteindre le statut d'homme prospère et « heureux », en apparence du moins, qu'il convoitait tant.

Lui, il l'avait obtenu, ce qu'il voulait. Je lui avais tout donné. Mais moi ? Il me semblait que je perdais tout. À cause d'une Mousseline.

Ouain. Mousseline. Tu sais que c'est pas elle, le problème, hein ?

Oui, je sais. Son seul défaut, elle, c'est d'être réelle, d'exister.

En plus, elle a dit à Gilles qu'elle avait vécu la même chose, faque y'a probablement un homme, quelque part, qui se fait tromper sans le savoir.

Au moins je suis pas toute seule !

Qui était-il, ce mari trompé ? Il méritait mieux que d'être le simple cocu, l'homme bonasse et inconscient de ce qui se déroule autour de lui. Quant à Jocelyne/Mousseline, elle méritait de souffrir autant que moi. Je le voulais avec toutes les fibres de mon corps tout en étant parfaitement consciente que ça n'arrangerait rien. Il me démangeait de trouver qui elle était, où elle habitait, et de détruire son masque de duplicité. Je jouirais de la voir se démerder, affolée, tentant par tous les moyens de se faire pardonner par son mari. Y arriverait-elle ? Sans doute pas, et je serais heureuse de la voir pleurer toutes les larmes de son corps en regrettant son geste stupide. Je voulais la détruire, de la même manière que Gilles avait détruit mes rêves, mes aspirations, ma vie, au fond.

Ah, pis dis-le donc que tu voudrais le détruire, lui aussi ?

Euh... Oui. Tout à fait.

Je tombais de haut et j'avais mal à l'âme, au cœur, partout, en fait. Je venais de m'aplatir contre un mur et je me sentais littéralement broyée. Pendant toutes ces années, j'avais misé sur le mauvais cheval. Moi qui avais cru cet homme gentil, stable et généreux, qui me procurerait un bonheur sans tache jusqu'à la fin des temps. Et voilà qu'il me montrait son vrai visage et je le trouvais laid. Repoussant. Ou plutôt, je le voyais enfin tel qu'il était réellement, ce que j'avais toujours refusé de faire malgré les signes évidents. Pourrais-je lui pardonner comme il me suppliait si ardemment de le faire ? Je ne le croyais pas. En même temps, je paniquais à la perspective de me retrouver seule à cinquante ans, sans véritable emploi et les poches vides. Allais-je me retrouver à la rue ? Devrais-je m'embarquer dans des procédures juridiques aussi pénibles que coûteuses pour seulement obtenir la juste part de ce qui me revenait après tout ce gâchis ?

Oui. Comme tu voulais que Jess le fasse, tu vas le laver.

C'est lui, le méchant de l'histoire, pas toi !

Oui, c'est vrai, mais il se laissera pas faire…

Non, c'est sûr. T'es capable de te battre, non ?

Sais pas, en fait, c'est ça mon problème.

Méchant problème, en effet.

J'étais assez sûre d'obtenir la moitié de nos biens, mais pour le reste, il me faudrait subvenir à mes besoins, et l'idée de réintégrer le marché du travail à temps plein m'angoissait. Je le ferais sans hésitation ; toutefois, qui voudrait d'une femme de cinquante ans sans expérience pertinente autre que quelques petits clients ici et là ? Allais-je me retrouver seule, sans le sou, sans maison, rejetée de tous, une itinérante de plus dans les rues de la métropole ?

Wô, là. Tu dramatises un peu, non ?

Oui, sûrement, mais je sais pas comment faire, moi !

Tu vas apprendre, t'es aussi capable qu'une autre.

Vraiment ?

J'exagérais, je le savais, mais ça me faisait du bien de pleurer sur mon sort et je m'en accordais le droit. Plus que tout, je n'arrivais pas à croire que malgré ce bouillon de tristesse, de frustration, de colère et de désespoir, je m'accrochais tout en rêvant de vengeance.

Et ça me mettait hors de moi. J'étais à la fois indignée, au point de faire mes valises et de partir de cette maison sans me retourner pour refaire ma vie telle que je la souhaitais, et anéantie, sans confiance et apeurée. J'aurais voulu être forte, foncer comme Julie, refuser d'envisager quoi que ce soit d'autre que de détruire cet homme qui me faisait tant souffrir, mais ce n'était pas le cas. Même si ça m'énervait au plus haut point, une partie de moi voulait toujours croire Gilles, refusait d'admettre que ce genre de situation puisse être en train de m'arriver à moi, sans que j'aie rien vu venir. Ou si, j'avais bien vu, en refusant d'y croire. Si au moins j'avais pu parler à quelqu'un… qui ? Certainement pas Julie ni Valérie. Je ne deviendrais pas celle qu'elles devaient sauver, la demoiselle en détresse comme Julie l'avait été. Non, moi j'étais Maryse, la femme solide, celle à qui tout réussit, qui avait le mariage parfait et qui le méritait. Jessica ? Certainement pas ! Ma petite voisine, la jolie brunette d'à côté, qui vivait à peu près la même chose que moi ?

Ah oui, elle.

Les hommes et leur queue, le combat éternel.

Non, je ne pouvais pas lui parler non plus, j'avais trop peur que nous partions en croisade toutes les deux, car je sentais qu'il ne me faudrait qu'un tout petit peu d'encouragement pour traverser du côté sombre de moi-même et devenir une *bitch* totale. L'envie de me venger était tentante, mais…

Come to the dark side, Maryse… Ha ! ha !

C'était mon problème, pas celui de Jessica ; nos situations étaient semblables, mais les paramètres étaient opposés, et je n'avais pas besoin d'une compagne d'infortune, juste d'une oreille. J'allais devoir m'en passer.

Pendant toutes ces semaines où je ne savais plus de quoi serait fait mon avenir, la présence de Gilles, bien que discrète, m'empêchait de voir clair. Cependant, je n'arrivais pas à le chasser, à décider de manière formelle que je ne voulais plus de lui dans ma vie. Pourquoi ? En bonne mère Teresa que j'avais toujours été, je me répétais que nous n'étions pas le premier couple à vivre une telle crise, que d'autres avant nous avaient surmonté ce genre d'épreuve. Peut-être après tout s'agissait-il d'un incident isolé et que ses regrets étaient sincères ? Comment pouvais-je être certaine du contraire ?

Gilles voyait bien mon état se détériorer. C'était flagrant. Je maigrissais à force de ne rien manger, je ne quittais plus la maison, je ne m'étais pas maquillée depuis plusieurs semaines ; les tâches minimales, comme me laver, faire une lessive de temps en temps ou mettre des vêtements propres, m'épuisaient. Mon mari compensait de son mieux, remplissait le garde-manger, préparait ses repas et s'occupait de lui-même sans me demander quoi que ce soit. Il avait de toute évidence dit quelque chose de crédible à Oli, car ce dernier et sa chère copine se faisaient le plus invisibles possible. Notre drame aurait au moins servi à ça…

Julie me téléphonait régulièrement pour prendre des nouvelles. Je me sentais mal de ne pas m'intéresser à ses récentes mésaventures, mais je n'y pouvais rien, pas plus que de m'intéresser aux messages issus du blogue qui s'accumulaient. Tout ça me paraissait futile. Julie a temporairement repris les rênes de Karma sutra et, presque par miracle, j'ai recommencé à fonctionner un minimum.

Tu te sens mal, hein? Tu laisses tomber Julie, là…

Non! C'est pas ma faute, je peux juste pas, maintenant.

Lâcheuse…

Ta gueule! J'ai d'autres choses à régler avant!

Gilles ne savait toujours pas à quoi s'en tenir. Je ne pouvais pas l'éclairer, ne sachant pas moi-même où j'en étais. Nous cohabitions tant bien que mal. J'étais faible, je n'avais envie de rien, mais les jours passaient, les uns après les autres, relativement tolérables. J'avais un choix à faire et l'envisager m'épuisait. Je pleurais chaque jour, chaque soir. Mes amies essayaient de me faire sortir, alors j'ai prétendu souffrir d'une pneumonie. Trop faible. Elles s'inquiétaient, évidemment. Puis un soir, environ deux mois après la soirée mémorable, Valérie et Julie sont venues à la maison, pour me changer les idées.

J'étais heureuse de les voir, mais en même temps terrorisée à l'idée qu'elles devinent ce qui se passait dans ma vie, qu'elles me lisent comme un livre ouvert. Toutefois, il était temps que ça finisse, que je sorte de cette torpeur malsaine. Peut-être que de voir d'autres visages que celui de Gilles et de me rebrancher sur le monde réel me soulagerait?

J'étais, comme à mon habitude, installée sur le canapé, avec ma boîte de mouchoirs. Il y en avait partout autour de moi, souillés, et je m'en foutais.

— Mon Dieu, Maryse, tu fais peur, ma belle!

Du vrai Valérie. Toutefois je savais qu'elle avait raison. J'imaginais trop bien mon nez à vif de m'être trop mouchée, mes yeux rouges et bouffis, mes cheveux en bataille, mon teint de vampire. Je leur ai confié que mon dernier repas datait de trois jours et que je m'étais rarement sentie aussi faible. J'avais la nausée et je pleurais sans pouvoir me contrôler. J'avais si peur de tout leur déballer sans prévenir ! Ça aurait été tellement bon de pouvoir déverser sur elles toute ma douleur et ma confusion. Quelle libération ça aurait été ! Je ne pouvais pourtant pas me montrer aussi vulnérable devant elles. Pas moi, leur aînée, leur modèle. Elles avaient déjà l'air assez bouleversées comme ça. Je me suis donc appliquée à les rassurer :

— Ben non. C'est juste une mauvaise grippe. La fièvre a baissé aujourd'hui. J'ai téléphoné à Info-Santé, ils m'ont dit de consulter si ça ne s'améliorait pas d'ici lundi ou mardi, que je devrais consulter. On verra à ce moment-là.

Pas mal ! Maudite menteuse, va !

Ça n'a pas semblé les convaincre et je me sentais plus mal que jamais de leur mentir. Elles me connaissaient beaucoup trop bien ; j'évitais leur regard, car mon ton était peu convaincant. Je les ai laissé parler.

Julie s'est alors mise à nous raconter dans ses propres mots les témoignages qu'elle avait choisis parmi tous ceux qu'elle avait reçus au cours des dernières semaines. Ça aurait dû venir de moi, mais le blogue me semblait appartenir à un autre monde – je l'avais presque oublié, prise que j'étais dans mon drame –, ce qui ajoutait à ma culpabilité. Je l'avais mis en ligne, et là, je le laissais aller... Je n'étais pas fière de moi, mais Superwoman avait aussi ses limites. Je savais à quel point certaines de nos lectrices étaient ravies de partager ces bijoux de mésaventures. Certaines anecdotes étaient tellement farfelues que si nous les avions inventées, nous aurions été accusées de charrier. Ce divertissement me ferait sans doute le plus grand bien.

Julie a débuté avec l'histoire d'une femme, Hélène, et de son « bon gars », le genre petit chauve à lunettes. Super gentil, apparemment. Généreux, doux, romantique, tout le kit, comme s'était plu à le décrire Julie. Mais sans doute très laid. Je l'ai écoutée, faisant de mon mieux pour suivre le fil sans retomber dans mes sombres pensées, ce qui était plus que difficile. Le dénouement ne s'est pas trop fait attendre.

— Ils ont fait ce qu'ils avaient à faire et Hélène était aux oiseaux. Plus tard dans la soirée, elle s'est levée pour aller aux toilettes. Le gars l'a suivie. Elle était pas trop sûre quand il est entré dans la toilette avec elle. Elle a dit : « Vas-y avant, si tu veux… », mais il lui a répondu : « Non, je voudrais juste te regarder faire, ça m'excite. J'aimerais ça que tu fasses ça sur moi, quand on va mieux se connaître… »

— Ouache ! ! ! !

Valérie était outrée.

Moi, j'avais mal au cœur. J'avais besoin de rire, pas de vomir.

— Malheureusement vrai, a acquiescé Julie. Vous en voulez une autre ?

Je n'en étais plus certaine :

— Pas si c'est dans le même genre ! Je recommence à me sentir mal…

Elle a enchaîné avec l'histoire d'un fétichiste, puis enfin d'un étrange de la pire espèce.

Julie excellait pourtant dans ce genre d'histoire, mais mon esprit était à des années-lumière de tout ça.

M'en fous un peu, du chirurgien…

Écoute, ça va te changer les idées !

J'essaie ! Mais j'y arrive pas, je veux rien savoir…

Un p'tit effort, fais semblant, au moins.

OK, je peux faire ça…

Incapable de me concentrer. Les voix de mes amies me parvenaient comme de lointains bourdonnements sans substance, jusqu'à ce qu'une remarque de Valérie se fraie un chemin jusqu'à ma conscience :

— Ah, sérieux, ça doit être poche, quand même, une p'tite queue...

Une telle réplique de sa part était si étrange que je suis sortie de ma bulle. Julie m'a regardée, puis nous avons fixé le visage de notre amie, qui avait l'air aussi étonnée que nous. Comme pour s'expliquer, elle a ajouté :

— Ben quoi, c'est vrai ! Celles qui disent que la grosseur c'est pas important sont menteuses ou ont jamais connu autre chose que des miniquéquettes.

— Aurais-tu quelque chose à nous confier au sujet du beau Robert, toi là ?

Je n'avais pas pu m'empêcher de lui poser la question. Valérie était tout aussi amoureuse que discrète au sujet de Robert que j'étais curieuse. Pour la première fois depuis des semaines, je cessais de penser à mon propre malheur et c'était merveilleux. Val avait pris une jolie teinte rouge tomate. Elle ne se serait jamais permis un tel commentaire, autrefois. Elle s'épanouissait... Et c'était tant mieux. Mais enfoncée dans ma pile de coussins, j'ai constaté que sa remarque m'a soudainement fâchée et j'ai laissé échapper, d'une voix tout à coup assez ferme :

— Ouain, peut-être, mais trop gros, c'est pas nécessairement mieux tout le temps ! Pis après ça, ben...

— Ben quoi ?

— Rien.

Ou presque. Ça me rappelait malgré moi la première fois où j'avais pris l'énorme pénis de Gilles dans ma bouche. J'avais été effrayée. Il y avait si longtemps...

Je ne voulais pas d'images aussi vives dans ma tête, trop de souvenirs de toutes ces années me hantaient déjà. Je ne dirais rien de plus.

Gilles et sa grosse queue.

Sa maudite grosse queue.

Mes lèvres se sont jointes en un pincement amer. Il avait tellement aimé ça la première fois que je l'avais sucé qu'il me l'avait demandé constamment par la suite. Et c'est sans compter la fois où, plusieurs années plus tard, il avait essayé de me la glisser dans « la porte arrière » sans prévenir… J'avais cru que la douleur me tuerait. Le salaud ! Je n'étais pas totalement contre cette pratique, mais il aurait fallu me préparer, y aller peu à peu… Gilles n'avait pas ce genre de patience. Ça avait été la première et la dernière fois.

Je me suis renfrognée. J'en avais assez du fil de ma vie qui rejouait sans cesse dans ma tête. J'ai prêté de nouveau attention à Julie qui avait repris son récit :

— … Il s'est mis à lui dire, et je cite : « Ah, tu l'aimes, ma grosse queue, hein, ma cochonne ? »… assez ordinaire… il a continué : « Dis-le, ma salope, que tu l'aimes ! Tu la veux plus loin, hein ? Tu veux qu'il te défonce, mon engin nucléaire, hein ? »

J'ai ri, mais j'étais la seule à connaître la part d'amertume contenue dans ce petit éclat. Encore une fois à cause de Gilles. Il était si fier de son « engin », lui aussi ! Seigneur ! Les hommes sont si enfantins ! Passent-ils leur temps à se comparer ?

Genre, « ma queue est plus grosse que la tienne, nah, nah ! »

Je faisais de mon mieux pour écouter mes amies, mais je n'en menais pas large et l'ampleur du ridicule de ma situation m'a sauté au visage.

*Tu y penseras plus tard. C'est pas le moment, toffe
encore un peu.*

OK, je toffe, mais pas longtemps.

*T'es capable. Prends une grande respiration et
concentre-toi sur tes amies.*

Oufff.

Je me suis enfin secouée en repoussant tout le reste le
plus loin possible. En la regardant avec attention, j'ai enfin
remarqué que Julie était rayonnante. Nous avons parlé du
blogue et d'autres sujets pendant un moment, puis j'ai
demandé à Julie s'il n'y avait pas quelque chose de nouveau
et de plus joyeux dans sa vie, depuis la dernière fois où nous
nous étions vues. Elle n'a pas répondu tout de suite ; elle
semblait jongler entre l'envie de nous dire quelque chose et
s'abstenir. Valérie et moi l'avons suppliée ; enfin, elle nous a
raconté l'histoire d'un certain Denis dont la rencontre avait
semblé, de prime abord, plutôt prometteuse jusqu'à la
déconfiture.

Valérie a réagi la première :

— Ouain, ça doit pas être drôle pour un gars de pas
bander quand ça y tente, hein ?

— Ben, c'était pas drôle pour moi non plus !

— Y'a jamais entendu parler de Viagra ? ai-je ajouté,
presque malgré moi.

— Ben là ! C'était notre première fois, je suis sûre
qu'il ne se doutait pas que ça se passerait de même…
Peut-être qu'il pensait encore trop à son ex, finalement…

*Pas sûre que Gilles ait beaucoup pensé à moi avec
Mousseline… ni qu'il ait eu besoin de Viagra…*

— Ben moi, me semble qu'un homme qui bande
normalement d'habitude, avec une belle fille comme toi, ça
en prend pas mal pour que ça lève pas, surtout si y'avait

hâte. Les gars sont bons pour compartimenter, crois-moi ! Même dans les pires moments, sont capables de penser juste à leur queue et d'oublier le reste ! J'dis pas si vous aviez bu deux bouteilles de vin et mangé comme des cochons avant...

Bravo ! Du vrai Maryse, là je te reconnais !

Pas fait exprès...

Pas grave, ça marche !

Je n'aimais pas le ton que j'avais employé, mais je n'avais pas pu m'en empêcher.

— OK, on dirait une fille qui parle en connaissance de cause ! a répondu Julie avec un clin d'œil, sans doute pour alléger l'atmosphère tout à coup tendue.

— Ben oui, Gilles a cinquante-quatre ans. C'est ben sûr que ça se passe pas toujours comme il veut. Mais quand il boit et mange trop, c'est quasiment automatique. C'est son excuse, en tout cas.

Ha ! ha ! C'était avant, ça, Maryse. Maintenant, plus besoin d'excuses.

Ça aura eu du bon, hein ?

J'en avais encore trop dit, le malaise s'est intensifié. Malgré moi, je ressassais de trop nombreux épisodes désagréables des derniers temps. Gilles qui prétendait que c'était ma faute s'il ne bandait pas, que je faisais exprès pour ne même plus « essayer » de l'exciter. Ark.

C'est assez, Maryse, focus !

Pus capable, là.

Je n'avais même pas eu le réflexe de m'exprimer au passé avec mes amies. Je leur avais parlé de Gilles comme si notre vie ensemble était telle qu'elle avait toujours été. J'ai senti mes yeux s'embuer et ma résistance faiblir. J'ai donc déclaré que j'étais fatiguée et que les heures des visites étaient terminées. Julie et Valérie parties, j'ai poussé un long soupir. Je suis demeurée sur mon canapé, triste et déçue et soulagée. Je n'avais pas pu leur confier ce que je vivais, mais les exclure ainsi de mes tourments drainait toutes mes forces. Maudit orgueil.

C'est des amies. Je sais qu'elles me jugeraient pas.

Mais es-tu prête à prendre le risque ?

Non, pas pantoute.

Alors, ferme-la pis endure.

Qu'est-ce que tu penses que je fais ?

Et ça, c'était avant même de savoir ce qui allait me tomber dessus.

18

Du fond de ma déprime, j'envisageais différents scénarios pour le reste de mes jours, que je voulais heureux et sereins, était-ce trop demander ? Je me trouvais passive et je m'énervais de ne pas pouvoir bouger ou faire bouger les choses. Captive d'une espèce d'état d'attente. Le rêve de vieillir tranquillement aux côtés de Gilles, de voir naître et grandir ensemble nos futurs petits-enfants me hantait toujours. Le soir, mon mari tournait en rond, ne sachant où se mettre. S'il s'enfermait dans son bureau, je le voyais trop bien à l'ordinateur s'adonnant à ses ridicules plaisirs solitaires devant des images de jeunes femmes soumises à ses moindres désirs lubriques et ça me donnait la nausée. Littéralement. S'il sortait, je l'imaginais aller rejoindre une femme, une autre que Mousseline, inconsciente du drame qui se jouait dans ma vie, dans ma demeure, dans la vie des enfants, bien qu'ils en soient toujours préservés. Une femme comment ? Je n'en savais rien. Je la voyais tantôt blonde et pulpeuse, un peu cheap et vaguement sotte. D'autres fois, je la voyais plutôt indépendante, solide, plus autonome que je ne l'avais jamais été. Sans doute plus jeune que moi, plus mince, aussi, et évidemment plus élégante. Classe. Enrageante. Mariée ? Pourquoi pas ? Qui se ressemble s'assemble... Ils devaient bien rigoler tous les deux, se trouver intelligents et habiles de me duper ainsi.

Je me torturais tout en sachant que ça ne m'apportait rien d'autre qu'une douleur inutile. Je ressassais toutes sortes de souvenirs idiots, tantôt de bons moments de l'époque où j'étais toujours insouciante, tantôt des soirées passées seule à la maison alors qu'il était supposément en congrès, en formation ou que sais-je encore.

Je songeais à Jessica, ma voisine, qui était passée par la même chose. Je lui avais même bêtement conseillé de cesser de se torturer avec de telles images. Ouf ! Facile de dire aux autres quoi faire… Je savais aussi que, comme moi, elle s'était imaginé son homme dans les bras d'une autre femme, leurs corps nus se donnant du plaisir qu'elle seule aurait été en droit de recevoir, d'exiger. Comme moi, elle s'était imaginé une autre femme caressant le corps si familier de son homme, lui prodiguant des touchers nouveaux, différents, qu'il appréciait sans la moindre retenue. Cependant, Jessica souffrait de ces images alors que moi j'en étais dégoûtée. Comme Julie aussi l'avait fait lors de sa rupture avec Danny, je me demandais ce que cette femme avait de plus que moi tout en conservant une certaine froideur. Qu'avait-elle qu'une déesse comme Julie, une beauté comme Jessica ou une… Maryse comme moi n'avait pas ? Rien. Strictement rien. Elle était seulement *une autre.*

Je ne ressentais aucune jalousie, contrairement à Jessica. De la colère, oui, comme si on me subtilisait quelque chose qui m'appartenait, mais pas la moindre brûlure, pas de douleur déchirante. J'étais déjà détachée, je suppose. Les dernières années avaient laissé leurs traces… Je crois bien avoir commencé à comprendre, au cours de ces longues journées à fixer le vide, calée dans les profondeurs abyssales de mon divan et de mon âme écorchée, que je n'aimais plus mon mari, sans doute depuis quelque temps déjà. Je m'accrochais à quelque chose que je ne possédais plus depuis longtemps, un rêve, une chimère, un fantasme. Celui du couple qui dure malgré les ans et les épreuves, de la famille indestructible, des liens sacrés du mariage qui nous unissaient pour le meilleur et pour le pire, jusqu'à ce que la mort nous sépare. Et c'est là, aussi, que je me suis demandé s'il ne valait pas mieux que Gilles disparaisse, qu'il s'évapore, comme s'il n'avait jamais existé. Lui voulais-je du mal ? Oui et non. J'avais passé avec lui des moments heureux, mais ceux-ci avaient été oblitérés par les chagrins et les trop nombreuses blessures.

Si j'avais connu ce que l'avenir me réservait, aurais-je regretté ces horribles pensées ?

Pas le moins du monde.

Pendant ce temps, Jessica tournait la page de sa propre vie et je l'admirais. Elle me rendait visite de temps à autre, me racontait comment, une fois les vacances de Noël passées, elle avait fait en sorte que Mathieu porte l'odieux de leur situation. Elle avait exigé qu'il annonce lui-même aux enfants sa désertion officielle du domicile conjugal, en sa présence, toutefois. Elle jouait le rôle de la mère protectrice, s'appropriait le chagrin et le désarroi relatif de ses enfants pour être celle qui les aimait plus que tout et prendrait soin d'eux malgré l'adversité. À cinq et sept ans, ses petits étaient encore bien peu conscients de ce changement dans leur vie, jusque-là stable et paisible. Jessica avait usé d'une habile stratégie pour que Mathieu soit rongé d'une culpabilité corrosive et avait, ma foi, bien réussi. En cela, elle était très différente de Julie, puisque ses enfants représentaient sa motivation la plus profonde, du moins en apparence. De plus, elle était beaucoup plus calculatrice que Julie, qui avait subi sa rupture sans autre choix que d'accepter stoïquement.

Mathieu avait eu l'intention d'habiter avec sa nouvelle flamme à l'autre bout de la ville, Jessica s'était opposée avec véhémence, affichant une détresse plus ou moins sincère. Elle avait obtenu qu'il s'installe près de leur demeure actuelle afin que les enfants puissent passer autant de temps que possible avec lui, tant la semaine que la fin de semaine. Pas question de les changer d'école, il en allait de leur bien-être. Elle jouait cette corde en virtuose, brandissant le spectre de séquelles indélébiles sur leur équilibre s'il en allait autrement. Elle se foutait qu'il vive avec sa copine ou non. Tout ce qui lui importait était qu'il assume sa part de responsabilité, tant financière que parentale.

Je ressentais un certain malaise, j'avais l'impression qu'elle utilisait les enfants pour régler ses comptes ; mais à y regarder de plus près, il n'en était rien. Elle paraissait vouloir se délester de la lourde tâche d'élever ses enfants seule, et je ne pouvais pas la blâmer. Ils étaient si petits ! J'avais du mal à m'imaginer à sa place. Aurais-je accepté que mes enfants doivent s'habituer à une nouvelle réalité aussi imprévue et lourde de conséquences ? Et mes propres chéris, eux, comment réagiraient-ils s'ils savaient ce qui était en train de se produire entre leurs parents ? Rien de comparable, bien sûr, ils étaient adultes, et Gilles n'avait pas l'intention de revoir la femme avec qui il m'avait trompée. Du moins, c'était ce qu'il prétendait.

Pour Jessica et sa famille, cependant, les choses étaient bien différentes. D'après ce que je comprenais, la copine de Mathieu était devenue, en l'espace de quelques semaines, la « belle-mère ». En plus d'hériter de sa présence auprès de leur père, les enfants devaient s'accommoder d'une fillette de trois ans, leur nouvelle demi-sœur, qui, selon Jessica, était une princesse gâtée que Mathieu traitait déjà comme un membre de sa nouvelle famille. Tout ça me semblait beaucoup trop précipité. Jamais je n'aurais pu supporter une telle situation, c'était impensable. Mais Jessica était très différente de moi et, au fil des semaines, j'ai utilisé cette réalité pour mes propres besoins de motivation. Après tout, ce qu'elle vivait n'était pas si exceptionnel de nos jours ; combien de couples devaient subir le même tremblement de terre et tout tenter pour s'y adapter le mieux possible ? Là où c'était plus épineux, c'était lorsque j'entendais ma voisine critiquer Mathieu devant les enfants. J'étais d'accord avec elle, c'était un salaud, un lâche, un mou. Mais il était clair que les enfants étaient plongés dans un délicat conflit de loyauté. Lorsqu'elle le reconnaissait, Jessica insistait sur le fait que leur père était responsable de tout ça et qu'elle n'était qu'une victime, tout comme eux. Je n'approuvais pas cette attitude, mais je ne me permettais pas de lui en parler. Ça ne me regardait pas... Malgré mes beaux principes, arriverais-je moi-même à discuter avec Fanny et Olivier de leur père sans méchanceté, sans l'accuser de ce qui s'était produit ? Je n'en étais pas si sûre. Pour le moment, mes enfants n'avaient pas à savoir, c'était ma façon de les protéger. J'espérais que les petits chéris innocents de Jessica s'en sortiraient sans trop de séquelles.

Au fil du temps, leur résilience a dépassé ce à quoi je m'attendais. Très vite, Jessica a semblé plus solide que jamais et les enfants se sont accoutumés à leur réalité. La nouvelle maman célibataire avait mené les hostilités de main de maître. Mathieu lui accordait presque tout ce qu'elle demandait, au nom des enfants. Ces derniers consi-déraient tout ça comme une espèce de jeu, voyant leur quantité de jouets et de possessions doubler du jour au lendemain. Ils passaient une semaine chez leur père, une semaine avec Jessica. Elle conservait la maison, le couple semblait avoir pris des arrangements financiers satisfaisants.

Mais Jessica entretenait une colère et une froideur qui augmentaient avec le temps. Devrais-je m'inspirer d'elle pour mener ma propre bataille et me libérer de mon mariage qui n'en était plus un ? Devais-je plutôt tenter d'être sereine comme Julie l'avait fait lorsque son univers avait volé en éclats ? L'éventualité de sortir de cette aventure la tête haute, avec une situation financière stable et un avenir moins sombre qu'il m'apparaissait, m'attirait davantage et, en cela, Jessica m'aidait beaucoup. Mais toute cette colère… comment pouvait-on vivre ainsi ? Pour moi, qui avais toujours tenté d'entretenir l'harmonie et la gentillesse, la colère et l'amertume me semblaient lourdes à porter. Plus que la tristesse, le sentiment de trahison ou tout autre sentiment. Ce n'était pas moi, du moins, je le croyais.

Au fait, t'es qui, au juste ? Le sais-tu au moins ?
Non, pas la moindre idée. Je le savais avant. Mais maintenant ?
Une étrangère. Je me regarde aller et je me trouve tellement conne !
Pas conne, juste… trop fine, j'pense.
Ouain…

J'ai également assisté à la transformation de ma belle voisine. Elle avait toujours été belle et *sexy,* quoique de manière sobre et retenue. Sans devenir vulgaire, elle s'est permis d'échanger son vernis de mère de famille séduisante pour un autre plus éclatant de femme libre à mi-temps, disponible et chasseresse. Ça lui allait bien, elle dosait parfaitement son jeu. Lorsqu'elle était avec les enfants, elle jouait son rôle de maman à merveille : attentive, enjouée, elle faisait avec eux des activités amusantes, ne se gênant pas pour afficher son nouveau statut de mère célibataire. Mais lorsque les enfants étaient avec Mathieu, je la voyais parfois sortir avec une copine et je plaignais alors les pauvres hommes qui seraient soumis à ses charmes. Jessica avait un corps splendide et le mettait en valeur avec aplomb.

Je n'avais aucun mal à l'imaginer dans un bar, en train de choisir sa prise du jour. Elle le voudrait grand, viril, musclé et savait qu'aucun homme ne pouvait lui résister. Je me plaisais à visualiser ces pitres faire la queue devant elle en se prosternant. Jessica, du haut de son charme irrésistible, se contentait de choisir. Les ramenait-elle ensuite à la maison ? Dans la chambre qu'elle avait partagée avec Mathieu, s'adonnait-elle à des stripteases audacieux ou autres spectacles ? Je la croyais du genre à pouvoir torturer un homme, en lui interdisant par exemple de la toucher ou de se caresser jusqu'à ce qu'elle l'autorise. Je la voyais même danser autour d'un poteau, pourquoi pas ? Ce ne serait pas étonnant et j'étais certaine qu'elle aurait un talent fou.

Jess ? Du poledancing ? Oui, ça se pourrait très bien.

Tu devrais essayer ça, Maryse !

Ha ha ha ! Ben oui !

Les hommes qu'elle choisissait devaient être subjugués, devaient souffrir d'un désir presque trop intense, comme je n'en provoquerais jamais. Yeux brillants et mains baladeuses, ils exploreraient le corps de Jess dans ses moindres recoins pour le plus grand plaisir de la jeune conquérante. J'étais certaine que faire l'amour était essentiel pour elle, maintenant plus que jamais. Je la voyais marcher, la tête haute et le pas assuré, et je l'enviais d'avoir tous ces hommes à ses pieds. Jessica était une sorte de Julie, prédatrice et conquérante, mais à la fois très différente. Là où Julie faisait preuve de force et d'aplomb, Jessica manifestait plutôt un léger mépris et une arrogance que sa jeunesse expliquait peut-être.

Lorsque Mathieu était dans les parages, j'étais persuadée qu'elle faisait même un effort supplémentaire pour se rendre encore plus belle et désirable, si la chose était seulement possible. Elle m'avait d'ailleurs confié :

— T'sais, quand ton ex te regarde en se demandant ce qui lui a pris ? Ça a pas de prix. Je sais qu'il me désire encore, qu'il pense à certaines choses qu'on avait. Je sais pas s'il est aussi heureux qu'il le laisse croire, mais j'espère sincèrement que non. Je souhaite de tout mon cœur qu'il le regrette et, ce jour-là, je vais pouvoir l'envoyer chier, solide. Et là, je vais être guérie.

Non, tu vois, Julie a jamais eu cette étincelle de méchanceté...

Étincelle ? Ouf. Je parlerais plutôt de lance-flammes !

Vraiment, j'aimerais pas être à la place de Mathieu !

Non, mais c'est qui la vraie Jess, dans tout ça ? Elle a beau être encore plus pétard qu'avant, je suis pas sûre de qui elle est au juste...

Pas sûre pantoute.

C'était bien vrai que son changement d'apparence ne réglait pas tout. Peut-être agissait-il sur elle comme une armure ? Était-ce aussi simple ? Ça m'a rappelé que j'avais moi aussi envisagé une telle transformation, j'en avais rêvé, lorsque Valérie s'en était offert une avec notre aide. Un autre beau projet abandonné. Était-il trop tard ? À quoi bon, maintenant ? Gilles semblait sincèrement tout regretter et me le disait à répétition. Ce n'était pas suffisant pour me guérir, moi, pourtant. Je savais que je n'étais pas la seule à ressasser des souvenirs. Gilles évoquait souvent des moments particulièrement agréables passés ensemble, c'était sans doute sa façon de tenter de me convaincre qu'il était encore possible de réparer ce qui me semblait irréparable. Puis, presque trente ans avec lui ne se comparaient pas, selon moi, aux huit ans de Jessica et Mathieu. Ou peut-être que oui, au fond. Quand on s'investit avec quelqu'un pour la vie et que cette vie nous explose au visage, le nombre d'années ne doit pas faire tant de différence que ça.

De toute manière, pour eux, c'était encore trop tôt pour tirer des conclusions, et les circonstances étaient tout à fait différentes. Mathieu, tout amoureux qu'il était, devait flotter dans une espèce de brouillard surréaliste qui l'empêchait de voir l'énormité de son geste. Il devait être, comme tout nouvel amoureux, trop subjugué, passionné, assoiffé de sexe et de la nouveauté de cette union pour se rendre compte qu'il se faisait manipuler par son ex. Mais le jour viendrait où il se rendrait compte de tout ça ; Jessica aurait alors sa vengeance. Sauf que pour elle, savoir que ce jour viendrait ne suffisait pas. Loin de là.

Au cours des semaines que j'ai passées à tenter de guérir mon âme agonisante, Jessica est venue me rendre visite assez souvent pour me faire de nombreuses confidences. De mon côté, j'essayais de voir si des bribes de cette expérience pouvaient m'être utiles. Elle ne savait rien de ma situation, je m'étais bien gardée de lui en parler. Comme le croyaient aussi Julie et Valérie, je me remettais lentement de ce méchant virus. Jessica avait pitié de moi et m'offrait de faire mes courses, de me faire à manger. J'appréciais ses visites ; de la voir ainsi retombée sur ses pattes m'encourageait et me faisait le plus grand bien. Si elle y était parvenue aussi rapidement, j'y arriverais sans doute aussi, même si c'était difficile à entrevoir. Pour le moment, mon désespoir devenait constant, presque trop confortable.

Après la visite de mes amies, j'ai commencé à me sentir un peu mieux. Je n'avais pourtant rien décidé d'autre que de laisser le temps me dicter la suite, mais c'était mieux que rien. J'acceptais que Gilles reste au domicile conjugal, j'étais d'accord pour continuer la mascarade de notre mariage afin de voir ce qu'il adviendrait et si je pouvais lui refaire confiance ou non. J'envisageais de reprendre mes activités au blogue, il me tardait de me plonger dans autre chose que mes sombres pensées. Gilles partait en formation à Québec deux semaines d'affilée. L'une d'elles avait d'abord été prévue à Montréal, ce qu'il aurait bien aimé, mais ce n'était plus le cas. Je perdais le fil, avec tous ces déplacements, parfois à Montréal, mais plus souvent à Québec, Toronto ou Trois-Rivières. Il m'avait juré sur la tête des enfants qu'il s'agissait de formations, et rien d'autre, ajoutant même qu'il essaierait d'aller souper avec Fanny. Je le croyais presque. J'avais réussi à me convaincre que s'il devait répéter son erreur, il attendrait au moins que la poussière soit retombée. Il s'était également désabonné des sites pornos.

Ma plus grande surprise, cependant, a été lorsqu'il a suggéré que nous suivions une thérapie de couple. Il souhaitait nous donner toutes les chances, affirmait-il, tout faire pour que nous retrouvions notre intimité. Il regrettait ses paroles blessantes à mon endroit, jurait qu'il me trouvait aussi belle que lorsque nous nous étions rencontrés, ce dont je doutais tout en m'abstenant de dire quoi que ce soit. J'étais touchée par cette offre inattendue. Gilles n'avait jamais cru en ce genre de chose : dévoiler des démarches intimes et personnelles à un « étranger ». En soi, cette initiative était plus éloquente que toutes les belles paroles qu'il avait prononcées jusqu'alors. Je me suis même félicitée d'avoir persisté à croire en lui. Si Gilles voulait aller en thérapie, tout était possible !

Il est donc allé suivre sa première formation et m'a téléphoné dès le premier soir. Nous avons discuté long-temps, beaucoup plus que depuis des années. C'était bien mince comme départ, mais c'en était tout de même un, et je l'accueillais avec soulagement. Puis, il est revenu à la maison, calme et serein ; dans son regard, je ne voyais que de l'espoir et une bonne dose d'humilité. Ça m'a rassurée davantage. Nous avons passé quelques soirées à discuter et c'était déjà moins douloureux, même s'il m'arrivait encore de verser des larmes, et lui aussi d'ailleurs.

Je remontais la pente et j'avais envie de prendre soin de moi. De voir si mon couple avait encore une chance repré-sentait un défi stimulant.

Idiote.

Vraiment, tu y as cru, hein ?

Ben oui. Je sais, je sais : niaiseuse.

Il a donc quitté Montréal pour sa seconde formation et je me suis retrouvée seule à la maison. Oli et Josiane profitaient du chalet de leur ami pendant plusieurs jours et j'étais ravie. J'ai choisi ce soir-là pour renouer avec le blogue et voir où nous en étions. Julie vivait toutes sortes d'émotions et je la sentais fragile. Le simple fait que je m'inquiète pour elle m'indiquait que je redevenais moi-même. Enfin ! Je n'avais pas eu d'autres nouvelles depuis le soir où elles étaient venues à mon chevet, ni de Val non plus d'ailleurs, qui profitait de chaque instant de la présence de Robert à Montréal.

Seule à la maison, j'ai débouché une bouteille, ce que je n'avais pas fait depuis le fameux soir où mon château de cartes s'était écroulé. J'en ressentais le besoin symbolique et je n'étais pas dans le même état d'esprit dépressif qu'alors ; ce soir marquait le début de quelque chose. Je ne savais pas où ça nous mènerait, mais j'apprenais tout doucement à refaire confiance à Gilles. C'était déjà ça.

Puis est arrivé le coup de fil, juste quand j'allais me mettre au lit.

— Madame Provost ? Je suis infirmière aux urgences de l'Hôpital général de Montréal. Votre mari vient d'être transporté ici de l'hôtel où il logeait, il a eu un malaise et c'est... très grave.

Il m'a fallu un moment pour bien comprendre. Je n'avais même pas pris la peine de corriger la femme sur mon nom de famille. Madame Després. Je ne portais pas le nom de mon mari. Peu importait ; il avait eu un malaise.

C'était grave. Non, *très* grave.

Il était à Montréal.

Sa formation avait lieu à Québec, non ?

Peut-être que les changements entre Montréal et Québec m'avaient échappé ?

J'étais confuse et mon esprit refusait de se rendre à l'évidence. En revanche, je savais que ses formations se tenaient fréquemment dans des salles de conférences d'hôtel. Ce détail-là, au moins, ne tenait pas du mystère.

J'étais désemparée, confuse, paniquée. Je ne savais pas quoi faire. J'ai donc téléphoné à Julie qui, de la voix de celle qui est affolée mais qui tente de garder son calme, m'a simplement dit qu'elle venait tout de suite me chercher. Le reste est limpide dans ma mémoire, alors que sur le coup, ça m'a semblé flou.

Dans la voiture, j'ai essayé de lui expliquer, mais j'étais en déni, je crois bien :

— Qu'est-ce qu'il fabriquait là ? Je comprends pas, Julie, je comprends rien !

Julie se concentrait sur la route et c'était très bien. Je n'attendais pas réellement de réponse de sa part. Comme pour me justifier, j'ai ajouté :

— C'est vrai qu'il part tellement souvent que j'ai peut-être mélangé les dates. Québec, c'était la semaine passée, oui, ça doit être ça. Mais si c'était à Montréal, pourquoi il dormait à l'hôtel ? Oh, Julie, on arrive-tu, là ? J'en peux plus !

Non, je n'en pouvais plus d'essayer de comprendre, mon cerveau refusait d'analyser ce que je venais d'apprendre.

Une préposée au triage nous a dirigées vers une pièce attenante. Je me suis aussitôt avancée vers l'infirmière en poste, lui disant qui j'étais et que je voulais voir mon mari. Julie, elle, semblait plus intéressée par la conversation que deux médecins tenaient avec une femme, un peu à l'écart. Elle s'est approchée d'eux et les a interrompus pour leur dire, en me désignant :

— C'est la femme de Gilles Provost, Maryse. Qu'est-ce qui se passe ?

La femme qui discutait avec les médecins a ouvert la bouche pour dire quelque chose, mais elle s'est tue. Elle avait l'air d'une statue. Le médecin s'est approché de nous et l'étrangère est restée là, comme une plante verte. Il m'a pris le bras et nous a attirées un peu plus loin :

— Madame Provost, je suis vraiment désolé. Votre mari a été transporté il y a moins d'une heure. Il a souffert d'une rupture d'anévrisme de l'aorte, ce qui a causé une hémorragie importante.

Je l'ai interrompu :

— Je veux le voir ! Maintenant. Amenez-moi le voir.

Encore madame Provost. C'était décidément un tic, dans cet hôpital.

Le médecin a continué :

— Madame, nous avons fait tout ce que nous avons pu, mais votre mari est décédé. Je suis vraiment, vraiment désolé. Nous ne pouvions déjà plus rien faire quand il est arrivé.

Là, je ne sais plus trop. Il me semble que j'ai arrêté de respirer. Le médecin me parlait, mais je ne l'entendais plus. Je n'arrivais pas à saisir ce qui se passait ni à le croire. Comme si j'assistais à quelque chose qui ne me concernait pas. Finalement, j'ai capté qu'il me demandait si je voulais toujours voir Gilles, et là, je n'ai pu que regarder Julie, en espérant qu'elle m'explique, qu'elle me dise quoi faire. J'étais devenue inutile, un pot de fleurs, sourde et muette. J'allais voir Gilles, il allait tout m'expliquer, lui. Il était le seul à pouvoir me dire ce qui se passait même si je n'étais pas certaine de lui faire confiance. Julie m'a retenue.

— Attends un peu, Maryse, viens t'asseoir, OK ? On pourra y aller dans quelques minutes, mais là, suis-moi.

Elle m'a fait asseoir et mes oreilles bourdonnaient. Je me souviens qu'elle m'a prise dans ses bras, c'était si doux…

Je suis sortie de mon brouillard quand la femme que nous avions vue plus tôt s'est approchée de nous. Elle restait là sans bouger, ayant l'air d'attendre que nous l'invitions à prendre un café ou quelque chose du genre. Enfin, elle a aussi semblé se réveiller. Elle m'a regardée, puis a posé ses yeux confus sur Julie ; elle avait l'air de ne pas savoir quoi faire ou dire. Enfin, elle s'est avancée timidement. Je me suis sentie raidir, comme si je savais que quelque chose d'important mais de déplaisant allait se produire. Julie s'est levée pour essayer d'éloigner l'inconnue et j'ai vu qu'elle pleurait. Puis, je l'ai entendue dire à mon amie d'une voix tremblante :

— Ça s'est passé tellement vite… Un instant, il était en pleine forme, et la minute suivante… Les ambulanciers sont arrivés rapidement, ils m'ont dit que j'aurais rien pu faire, il était déjà trop tard… Je…

Presque un murmure, mais ses mots auraient eu le même résultat s'ils avaient été criés. Je me suis avancée vers cette femme qui n'aurait pas dû se trouver là, avec la terrible envie de l'égorger, même si elle n'y était pour rien dans ce mélodrame ridicule. Au lieu de cela, je lui ai demandé :

— Et, t'es qui, toi ?

— Euh… juste une amie, on se fréquentait depuis seulement trois semaines…

— Vous vous QUOI ?

Ah ouain ?

Oui, mesdames et messieurs, ils se fréquentaient.

Depuis seulement trois semaines.

Chien sale.

Pis elle, j'vais lui sauter à la gorge !

Elle a rien à voir là-dedans, et tu le sais. Fais pas de scène, Maryse. C'est juste lui, le coupable, et lui, ben… tu peux plus tellement lui faire grand-chose.

Comment ça ? Ahhh. Parce que…

Shit.

Soudain, j'ai compris comment on pouvait en venir à vouloir tuer quelqu'un.

19

Les semaines qui ont suivi le décès de Gilles se sont passées dans un tourbillon brumeux d'obligations, de paperasse, de cérémonies, de condoléances et de moments à essayer de réconforter les enfants. Je m'occupais toujours du blogue, mais je me contentais de le maintenir actif, n'y mettant qu'un minimum de temps. J'avais écrit un billet pour m'excuser du délai de réponse anormalement long, me justifiant par un volume important de messages. Julie répondait aux plus urgents et je l'aidais quand j'en avais la possibilité, ce qui a été plutôt rare en cette période mouvementée.

J'avais du mal à jouer le rôle de l'épouse éplorée, et c'était bien normal, dans les circonstances. Éplorée, moi ? Pas le moins du monde. Au contraire.

Fait chier que tu sois mort avant que j'aie pu te faire payer.

Dire que j'avais recommencé à te faire confiance...

J'pense que quelque chose a cassé, en dedans, et ça me fait peur.

La thérapie, c'était juste une autre de tes stratégies, hein ? T'en as jamais eu l'intention, jamais. Tu m'as encore eue.

Tu disais que t'avais besoin d'air, de réfléchir.

Et moi, je me trouvais conne de t'imaginer avec une
autre femme. Wow.
Vraiment, t'as été un écœurant jusqu'au bout.
Tu t'en tires trop bien, et ça me fait chier.

Le soir de sa mort, évidemment, je ne ressentais pas encore la jubilation qui viendrait quelques jours plus tard. Je n'avais pas feint mon désarroi, cette nuit-là. Après tout, même si j'avais plus ou moins souhaité me retrouver débarrassée de lui de façon radicale, je ne pouvais pas faire abstraction aussi facilement de toutes les années passées auprès de lui. Si ? Je ne l'aimais plus, depuis longtemps. Je lui en voulais terriblement et ma colère m'effrayait. Je n'arrivais presque déjà plus à éprouver le moindre attachement envers lui, même s'il était le père de mes enfants.

Ce n'est donc pas cette nuit-là que j'ai pleinement pris conscience de ce qui se passait. Ni le lendemain, alors que les enfants avaient besoin de mon réconfort tandis que moi, droguée grâce aux bons soins de Valérie, je dormais comme un bébé. C'est seulement au cours de la deuxième soirée au salon funéraire que le déclic s'est produit et que j'ai pu savourer ma libération. Mais aussi, surtout, rager du fait qu'il ne serait jamais puni.

Je me sentais à la fois vidée et fébrile. L'adrénaline coulait à flots et tout me semblait irréel. Gilles ? Vraiment mort, parti pour toujours ? Je m'attendais à tout moment à ce qu'il arrive, salue tout ce monde et se mêle à la foule comme si c'était les funérailles de quelqu'un d'autre. Je l'aurais souhaité ; comme ça, j'aurais pu lui sauter à la gorge et vomir toute la colère qui m'étouffait. Un volcan en moi n'attendait que le bon moment pour entrer en éruption. Il grondait, chauffait, hoquetait parfois, me faisant sursauter et comprendre subitement l'ampleur du changement qui s'opérait dans ma vie, sans que j'y sois préparée. Car au-delà de ce changement, il y avait une chose que je comprenais très, très clairement : Gilles m'avait menti malgré ses belles promesses, avait trahi ma confiance une fois de plus, m'avait traitée comme si j'étais une merde et moins que ça, encore. Mais surtout, il m'avait privée du plaisir de le condamner et de lui imposer la sentence qu'il méritait. Je repoussais les coulées de lave vers mon estomac, me promettant de les laisser exploser un jour – il le fallait absolument si je voulais survivre –, dans un feu d'artifice impressionnant. Pour le moment, il me restait assez de contrôle pour jouer le dernier acte de la mauvaise pièce qu'avait été mon ancienne vie, et je le jouerais le mieux possible.

C'était exigeant, recevoir tous ces gens qui n'avaient vu en Gilles et moi que le couple uni que nous étions censés former. Épuisant de ne pas leur crier au visage que c'était une farce, que mon mari me trompait depuis Dieu sait quand, que j'étais heureuse qu'il soit enfin sorti de ma vie. Impensable. Mais l'idée de le faire me redonnait le courage de continuer. Il suffisait que j'imagine leurs têtes pour qu'un petit sourire se dessine sur mes lèvres qui auraient dû trembler de chagrin.

Les collègues et quelques amis de Gilles sont venus, dont François, le plus-tellement-chum de mon mari. En le voyant, je n'ai pas trop su comment réagir. Il était secoué, ce qui était normal, mais j'ai mal interprété son désarroi. Il s'est approché de moi et m'a prise dans ses bras avec maladresse.

— Maryse, je suis désolé. C'est tellement inattendu…

Je me souvenais de ce qu'avait dit Gilles à son sujet. François avait-il réellement été jaloux de mon mari pendant tout ce temps ? Était-il vrai qu'il n'approuvait pas les agissements de Gilles et avait tenté de le raisonner ? Je n'en avais pas la moindre idée et ne savais plus trop que croire. Je me suis contentée de soupirer et de lui dire :

— Tu sais, François, après tout ce qu'il m'a fait endurer, je suis assez mêlée…

— Je te comprends. Et c'est pas pour lui que je suis ici, c'est pour toi. C'est pas le moment de parler de tout ça, mais j'aimerais quand même que tu saches qu'on se voyait plus tellement les derniers temps. Il savait que j'approuvais pas la façon dont il te traitait et qu'il y a des limites à l'amitié. Il disait que c'était pas de mes affaires, mais j'étais pas d'accord et c'est devenu pire quand je me suis séparé. En fait, juste avant que ça arrive, j'allais enfin réagir et lui dire ma façon de penser. J'ai pas eu l'occasion de le faire, la vie s'en est occupée. Pareil pour ma femme, d'ailleurs. On pourra s'en parler à un moment donné, si t'en as envie. Je pense qu'il le faudrait, en fait, y'a des choses que tu devrais savoir. En attendant, si je peux faire quoi que ce soit, hésite pas, OK ? N'importe quoi, je suis là pour toi, oublie pas ça.

Était-ce mon imagination ? Il me semblait que François me regardait avec une intensité qui n'était pas faite que de sollicitude. Vraiment ? Non, ce n'était pas le moment. J'avais bien l'intention de creuser davantage, un jour. François pourrait sûrement m'apprendre d'autres choses que mon cher époux m'avait cachées et je lui étais reconnaissante de son offre tout en sachant que chaque nouveau détail ne ferait qu'attiser l'épouvantable colère qui me brûlait les entrailles. « Des choses que tu devrais savoir », avait-il dit. J'étais intriguée, mais aussi agacée. Je n'arrivais pas à cerner cet homme et le croyais de la même trempe que Gilles, peu digne de confiance. Pourtant, je me doutais qu'il passait lui aussi un dur moment.

— Merci, François, j'apprécie vraiment. Oh, et je suis désolée pour ta femme et toi... Ça faisait longtemps que vous étiez ensemble ?

— Oui, onze ans. C'est compliqué... techniquement on est encore mariés, mais je lui ai demandé le divorce. J'en peux juste plus. C'est une longue histoire : elle a de sérieux problèmes qui durent depuis trop longtemps. Et elle refuse de chercher de l'aide. J'ai essayé, vraiment fort et pendant des années, mais à un moment donné, si quelqu'un veut pas s'aider... J'avais déjà demandé le divorce, mais elle me niaisait avec ses avocats et là, il arrive ça avec Gilles et...

— Oui, je comprends.

Je n'en étais pourtant pas certaine. J'avais maintes fois entendu Gilles dire de Sonia, la femme de François, qu'elle était « folle », mais ça pouvait être subjectif et vouloir dire tant de choses ! Ne sommes-nous pas toutes des folles hystériques, selon la plupart des hommes ?

Nous nous sommes laissés sur une accolade dans laquelle je n'ai senti que sincérité et sympathie. Ça m'a fait du bien, comme si j'avais permis à ma soupape de laisser échapper un tout petit peu de poison. Juste un peu, mais assez pour endurer le reste de ces journées.

Mes belles-sœurs, les épouses des deux frères de Gilles, étaient les plus difficiles à supporter. Leur sollicitude m'exaspérait. Gilles avait été « si généreux », « si gentil », « si dévoué » ! Pires encore que leurs maris, elles s'étaient investies de la mission de dorer l'image de leur beau-frère, même si les relations étaient pour le moins tendues au sein de la fratrie élargie. Gilles avait réussi là où ses frères avaient lamentablement échoué : il s'était bâti, à coups de placements et d'investissements immobiliers judicieux, un pécule des plus appréciables, tandis qu'eux travaillaient à la même usine depuis trente ans. Ils étaient devenus des gérants de second ordre au service d'un patron belliqueux. J'imagine qu'en secret ils espéraient avoir leur part de ce que leur cadet avait habilement entassé, toutefois il n'en serait rien. Je n'étais encore que vaguement au fait de ces choses, mais j'étais certaine que jamais Gilles n'aurait fait profiter ses frères de ses acquis, eux qui n'avaient fait que le critiquer d'aussi loin que je me souvenais. Chaque fois qu'ils étaient venus chez nous, la soirée s'était déroulée de la même façon : le vin déliait d'abord les langues, puis l'envie éclatait dans toute sa splendeur. Elle se manifestait en premier lieu par des compliments sur la décoration de notre maison, la nouvelle voiture de Gilles ou ses gadgets dernier cri. Ça finissait invariablement par le fait que leurs enfants, dont l'aînée de chaque famille était notre filleule, n'avaient pas la chance d'Oli et de Fanny de fréquenter l'école privée, puisque leurs parents, à eux, n'en avaient pas les moyens. Il était sous-entendu que nous aurions dû, en tant que parrain et marraine, faire quelque chose en ce sens ; Gilles n'avait jamais vu les choses sous cet angle.

Du temps où les parents de mon défunt mari étaient vivants, les réceptions de famille avaient été plus agréables, mais depuis leur décès, c'était devenu infernal. C'est pourquoi j'avais commencé à inviter ma mère en même temps, espérant leur imposer une petite gêne, cependant ça n'avait pas suffi. Si je n'avais pas été fille unique, j'aurais pu convier plus de monde et ainsi équilibrer les choses en évitant les sujets trop personnels, mais ma pauvre maman, seule, n'était pas de taille. Tout ce qu'elle souhaitait, d'ailleurs, était de retourner au plus tôt en Floride où ses amies l'attendaient pour passer l'hiver, bien au chaud.

Bref, au salon funéraire, je n'étais pas dupe de leur gentillesse. Toutefois, je ne serais tout de même pas allée jusqu'à critiquer Gilles devant eux, ça n'aurait fait que leur donner raison sur un tas de sujets qui n'avaient aucun rapport. Je n'avais pas de scrupules à cet égard, mais je n'avais pas envie de gérer ce genre de situation en plus de tout le reste. Ce n'était ni le bon moment ni le bon endroit. Mes amies n'avaient pas à connaître le côté dégueulasse de Gilles ; Julie, la seule à être au courant d'une partie de la vérité, tenait admirablement bien sa langue et m'assistait avec une affection qui m'était précieuse. Valérie aussi, d'ailleurs, m'apportait un soutien incroyable. Je ne sais pas comment j'aurais traversé cette épreuve sans elles. Je n'avais que faire des arrangements funéraires ni des condoléances de collègues et d'amis. Je voulais que ce moment passe pour enfin tourner la page.

Mais il y avait les enfants. Autant Gilles m'avait blessée, autant je souhaitais préserver son image dans leur cœur. Il n'était pas nécessaire qu'ils sachent que leur géniteur était un salopard de la pire espèce. Qu'est-ce que ça aurait donné ? De la colère, encore plus de douleur, de l'incompréhension et de l'amertume. Non, je voulais que mes enfants vivent leur vie en pensant que leur père avait fait de son mieux, les avait aimés de tout son cœur et s'était dévoué pour eux comme un père devait le faire.

Même là, Maryse-la-sainte peut pas s'empêcher d'être gentille, hein ?

Les enfants ont rien à voir là-dedans.

C'est leur père ! Et ils vont l'idéaliser, encore plus astheure qu'il est mort !

Ils vont s'en remettre, beaucoup mieux et plus vite que s'ils connaissaient la vérité.

Wow. T'es bonne.
Oui, je sais. VRAIMENT bonne.
Salaud de merde.

Je ne leur épargnais pas le côté abject de leur père pour préserver sa mémoire, mais bien pour eux, pour maintenir leur équilibre. C'était ce qu'ils méritaient et même si j'avais largement contribué à protéger leur estime de soi, surtout celle d'Oli, je ne souhaitais pas en obtenir le crédit. Tout ce qui m'importait était leur bonheur.

C'est ça la différence entre une mère et un père, hein?
Tu le sais qu'il y a des bons pères…
Oui, mais ça sera jamais pareil.
Très vrai. Good for you.

Je songeais à tout ça, le deuxième soir, lorsque Daniel est apparu au salon funéraire. Je ne l'avais pas vu depuis plusieurs années, mais chaque instant passé avec lui m'est revenu en mémoire en un instant. À quel point je l'admirais et le désirais! Combien c'était réciproque, surtout. J'avais vraiment été stupide de me retenir de vivre avec lui une aventure qui m'aurait fait le plus grand bien. Avoir su! Mes beaux principes me paraissaient ridicules!

Non, pas stupide. T'as été la plus smatte des deux et
t'en es fière.
Oui.

Daniel était aussi séduisant que la dernière fois que je l'avais vu; il se tenait au fond de la salle, ne sachant pas où se mettre. Il ne souhaitait apparemment pas m'imposer sa présence, mais j'étais folle de joie de le voir là et si j'avais pu trouver un prétexte élégant pour chasser tous ces gens afin de me retrouver seule avec lui, je l'aurais fait. Ça devrait attendre. Je me suis approchée et l'ai laissé me prendre dans ses bras. J'ai même eu une petite pensée fugace, qui m'a fait sourire : j'espérais que Gilles me regarde, en cet instant, et voie combien j'étais heureuse de retrouver Daniel, d'être dans ses bras. Je souhaitais que chaque parcelle de ses cendres se retourne dans son urne, c'était ma façon de faire un pied de nez à son âme pourrie, s'il en avait une. J'ai regardé Daniel, ses yeux ont plongé dans les miens, et le temps s'est arrêté. Il a reculé, en fait, et je me suis instantanément souvenue de chaque détail de ce soir, plusieurs années plus tôt, où j'avais choisi de mettre mes désirs en veilleuse pour... rien.

Il sentait merveilleusement bon, et son corps solide m'attirait comme un aimant. Ce n'était pas le moment, je savais bien, mais je l'aurais suivi n'importe où, à cet instant-là, et j'aurais repris le fil de notre attirance là où je l'avais coupé, ce que je regrettais aujourd'hui. Je l'aurais embrassé. En fait, je pouvais goûter ses lèvres, sentir ses mains sur mon corps, douces et apaisantes. Contrairement à Julie, je ne recherchais pas de grands élans de passion sauvage ; j'étais plutôt affamée de douceur, passionnée, oui, mais avec retenue. Je désirais de la tendresse, qu'un homme me regarde comme si je l'émerveillais et lui rendre la pareille. Je rêvais de moments d'éternité durant lesquels nos regards seraient plus éloquents que toute parole, nos gestes plus représentatifs de l'ardeur qui nous consumait, la lenteur de nos ébats témoignant de notre désir d'en savourer chaque instant. C'est exactement ce que je ressentais pour Daniel. Je me serais blottie contre lui, l'aurais laissé me dévêtir lentement, et j'aurais fait de même. Je n'aurais peut-être même pas eu envie de faire l'amour, son corps chaud et invitant contre le mien m'aurait suffi. M'aurait sécurisée, apaisée.

Ha ! ha ! Ben oui.

Tu coucherais avec lui ce soir même si tu pouvais.

Avoue donc !

Hmmm. OK, oui.

J'ai fait un effort surhumain pour me reprendre en main, pour me retenir de l'embrasser à pleine bouche devant tous ces gens. J'avais le reste de ma vie devant moi pour ce genre de choses. Il me fallait toutefois lui faire comprendre à quel point j'étais heureuse de le voir.

— Je ne peux pas croire que tu sois venu...

— J'ai vu l'avis de décès dans le journal, je n'ai pas pu m'en empêcher. J'espère que tu ne m'en veux pas... si tu crois que ce n'est pas ma place, je pars tout de suite.

— Non, tu peux pas savoir à quel point te voir ici me fait du bien. Je suis pas tellement disponible, mais reste un peu, s'il te plaît...

Nous avons parlé quelques instants, mais c'était malaisé, puisque j'étais sans cesse interrompue par des visiteurs qui arrivaient ou qui partaient. Les enfants étaient bien entourés de leurs amis et de leurs cousines, nettement plus gentilles que leurs parents. J'étais étonnée que ces filles soient devenues aussi douces et bonnes étant donné leur environnement familial ! Mes enfants me semblaient si fragiles, si perdus... C'était un réel choc pour eux. Gilles était encore si jeune ! Et à leur âge, Oli et Fanny vivaient toujours dans la bulle magique du jeune adulte qui se croit à l'abri des tragédies, invincible et invulnérable. Les gens, la vie, la santé, tout ça est acquis quand on est dans la vingtaine, ce genre de choses n'arrive qu'aux autres. Chacun d'eux a été anéanti à sa manière, très différente l'une de l'autre. Je croyais qu'Oli le prendrait moins difficilement, étant donné la nature houleuse de sa relation avec son père ;

au contraire, il semblait presque plus perturbé que sa sœur. Il avait tenté de mettre des mots sur ce qu'il ressentait, mais en digne représentant de la race masculine, cette tentative avait été maladroite :

— Je sais pas, m'man... c'est comme si y'avait un paquet d'affaires qui restaient en suspens. J'ai pas eu le temps de régler mes comptes avec lui, pas pour le blaster, même si j'en ai eu le goût pendant longtemps, juste pour qu'il sache... comment c'était pas évident et comment j'ai essayé de *dealer* avec le fait que j'ai juste été une grosse déception pour lui. J'aurais aimé ça lui dire que je comprends maintenant que c'était lui le problème, pas moi. Pas pour lui remettre sous le nez... j'sais pas comment dire !

— Je pense que je comprends, Oli. Et tu sais quoi ? Il aurait été fier de toi, de voir que tu te tiens debout et que t'as pas peur d'être qui tu es. T'es quelqu'un de différent de ce qu'il aurait voulu, peut-être, mais t'es encore mieux parce que t'es toi. Et ça, je pense qu'il a fini par le comprendre.

— Oui, mais il le verra pas, c'est trop chien !

Il s'était mis à pleurer. Mon grand garçon de vingt-trois ans me semblait tout petit, tout fragile dans mes bras même s'il me dépassait d'une bonne paire d'épaules et qu'il semblait plié en quatre pour se blottir contre moi. J'avais pleuré aussi, pas sur la perte de mon mari, mais sur son inaptitude en tant que père, à l'égard du fils incroyable qu'il avait engendré. Je lui en voulais terriblement pour ça aussi et lui en voudrais sans doute toujours. Son attitude envers son fils avait été inacceptable, alors je ne pouvais que me réjouir de voir mon Oli revendiquer son droit d'être l'homme qu'il avait choisi d'être.

Fanny, elle, semblait perdue. Elle ne comprenait pas comment une telle chose avait pu se produire. C'était impossible que son papa lui ait été aussi soudainement enlevé. Elle n'arrivait tout simplement pas à concevoir qu'il ne serait plus jamais là, lui qui s'était toujours montré disponible pour sa princesse. Fanny se comportait comme si elle était en déni, la plupart du temps. Puis, devant une situation anodine – la vue de la voiture de Gilles dans l'entrée, par exemple, ou la livraison du journal du matin –, elle s'écroulait. Littéralement. Elle pleurait à chaudes larmes, marmonnant des paroles incompréhensibles, laissant libre cours à son chagrin sur ses joues si douces. Je crois qu'elle m'en voulait, aussi. C'était sans doute inconscient, mais son regard trahissait l'amertume qu'elle ressentait envers moi. Comment se faisait-il que je ne sois pas aussi démolie qu'elle ? Qu'après autant d'années passées à ses côtés, je ne sois pas déboussolée, anéantie, inconsolable ? Son regard trahissait le fait qu'elle me trouvait froide, trop peu émotive alors que son monde à elle, son ultime pilier, venait de s'écrouler. Nous n'en avions pas tellement parlé. La communication avec Fanny était facile lorsque nous n'étions que toutes les deux, mais dès qu'il s'agissait de son père, elle se montrait possessive et le défendait sans arrêt. Elle m'a peut-être toujours considérée comme une rivale, celle qui la privait d'une part de l'affection de son père. Si elle avait su ! J'aurais très bien pu, là encore, rectifier l'image qu'elle avait de lui, lui expliquer que celui qu'elle considérait comme un superhéros n'avait été, en fait, qu'un lâche, un menteur et un manipulateur. Mais je ne l'aurais que dressée davantage contre moi. Tout ça n'avait plus d'importance. Gilles nous avait quittés, il ne restait que nous trois dans la famille et j'allais tout faire pour nous réunir plutôt que nous éloigner l'un de l'autre. Quitte à ravaler ou tenter d'ignorer la colère que je ressentais envers cet homme que j'avais aimé. J'étais en manque de repères, mais j'avais toutefois l'impression que pour la première fois depuis longtemps, ma vie avait du sens. Si ça voulait dire que je devrais vivre avec la haine et la rancune, soit. C'était déjà mieux qu'avec la tristesse et le désespoir.

Vraiment ?

20

J'ai revu Daniel environ un mois après les funérailles. Ce n'est pas par choix que j'ai attendu aussi longtemps, mais les enfants, désormais à moitié orphelins, avaient encore besoin de ma présence avant de retourner à leurs vies d'étudiants. De plus, la paperasse avec le notaire et le gouvernement ainsi que les derniers arrangements m'avaient beaucoup accaparée ; encore une fois, Julie et Val m'avaient apporté une aide inestimable. J'avais repris mon travail à Karma sutra et rattrapé le retard, sans toutefois solliciter mes anciens clients. Je n'avais tout simplement plus envie d'accomplir ce genre de travail. Après deux semaines, Fanny est retournée à Québec terminer sa session et reprendre ses examens manqués ; Oli et Josiane ont aussi repris leurs cours et, à ma grande surprise, m'ont annoncé qu'ils déménageaient la semaine suivante. Josiane avait trouvé un joli logement qu'ils pouvaient payer ensemble. Je trouvais le moment mal choisi et j'en voulais à Josiane d'entraîner mon fils là-dedans alors qu'il aurait dû, selon moi, prendre le temps de laisser le choc se résorber. Il l'a senti et m'a rassurée :

— Au contraire, maman, je pense que ça va m'aider. Être ici, c'est rendu plus *toffe*, j'ai toujours l'impression que papa va arriver du travail d'une minute à l'autre. Si je pars, je vais pouvoir m'habituer plus vite… Mais toi, vas-tu être correcte ?

— Oui, inquiète-toi pas pour moi, Oli. Faut que je m'habitue aussi, mais moi j'ai pas l'intention de partir nulle part. C'est ma maison, ici, maintenant… que tu sois ici ou pas, rien va changer ça.

Mes yeux se sont remplis de larmes et j'ai laissé Oli croire que c'était l'émotion. Il n'en était rien. C'était de le voir partir, lui, qui m'émouvait. Il me semblait tellement fragile… plus que sa sœur, déjà plus solide.

Je comprenais très bien son besoin de partir et il me fallait au moins lui laisser la chance de l'essayer. Des amis sont donc venus les aider à transporter leurs affaires et ils sont partis tous les deux. Là, laissée à moi-même, j'ai senti une tonne de pensées refoulées me submerger. Julie et Valérie avaient du mal à me laisser seule, mais j'en avais un besoin viscéral. À contrecœur, elles m'ont donc permis d'apprivoiser mon nouveau statut de veuve. Elles attendraient un signe de ma part avant de se manifester. Je voyais bien sur leur visage, Valérie encore plus que Julie, que cette exclusion les blessait ; mais elles me respectaient assez pour me laisser faire les choses comme je l'entendais.

Qu'allais-je faire des cendres ? J'avais envie d'aller les disperser dans un endroit sale, un dépotoir, peut-être, ou les toilettes tout simplement, mais j'avais peur de le regretter. Ou alors de jeter l'urne aux ordures sans que les enfants le sachent ?

Avoue que ça serait quelque chose de le jeter aux
toilettes après ta besogne du matin !
Ouiii ! Trop !
Quand même… Tu l'haïs tant que ça ?
Oh, que oui !

Je savais bien que je n'en ferais rien. Fanny et Olivier avaient besoin de savoir leur père quelque part, dans un lieu où ils pourraient le visiter. D'accord, pas le choix. J'ai pris les dispositions qu'il fallait. La maison, maintenant. Ce foyer me plaisait, mais il n'était pas réellement à mon image. Je n'étais pas certaine de l'allure que je voulais lui donner, seulement qu'il manquait de chaleur. J'avais envie de tout vider et de recommencer à zéro. Je savais maintenant que j'en avais les moyens, j'y viendrais. En attendant, je me surprenais à faire des gestes qui auraient été impensables du vivant de Gilles, mais qui me procuraient un incroyable sentiment de liberté : je laissais traîner mes vêtements au sol, dans MA chambre, même mes petites culottes ; je ne tirais pas toujours la chasse d'eau ; j'éparpillais mes magazines et, comble d'insolence, je n'ai pas fait mon lit pendant trois jours d'affilée. Gilles en aurait fait une poussée d'urticaire et cette pensée me réjouissait d'une manière presque louche. Plus que tout, la présence des affaires de Gilles m'empêchait de pleinement prendre conscience – et apprécier –, son absence et de la savourer. Cette non-présence définitive. Je ne voulais plus voir ses vêtements dans le placard ni ses effets personnels dans la salle de bains. Je ne voulais pas effacer toute trace de son passage, mais certainement les plus évidentes.

En une semaine, j'ai tout vidé. J'ai donné ses vêtements et autres effets personnels à des organismes de charité ; j'ai rangé sacs de golf, patins, skis et autre équipement de sport ou de loisir dans le cabanon pour Oli et Fanny. J'ai jeté tous ses documents dans des boîtes, me promettant d'y revenir plus tard, cependant j'ai laissé son ordinateur branché. J'avais l'intention de le fouiller, à la fois curieuse et inquiète de ce que j'allais y trouver.

Je pleurais parfois, à la vue d'une chemise qui lui allait particulièrement bien ou d'un souvenir de voyage, mais beaucoup moins que je l'avais craint et, surtout, bien peu de ces larmes en étaient de chagrin. C'était des coulées de colère et d'amertume, de dépit sur ce qui aurait pu être et n'avait jamais été. Bien sûr, il m'arrivait d'éclater en sanglots, de m'inquiéter de mon avenir, seule avec moi-même, peut-être pour le reste de mes jours. Mon deuil avait commencé bien longtemps avant sa mort, et même si nous avions connu quelques bons moments, j'avais de plus en plus l'impression, au fur et à mesure que ses choses disparaissaient, que ce qui m'attendait était infiniment plus agréable que ce que j'avais vécu jusqu'alors. En oblitérant ces vestiges de mon ancienne vie, j'écoutais de la musique à un volume d'adolescent dans la maison, chose autrefois interdite. La musique que MOI j'avais envie d'écouter, du bon vieux rock de mes années d'université. Je chantais et dansais dans mon salon avec un abandon total et c'était merveilleux.

Alors, rien ne me faisait peur : j'apprendrais à m'acquitter de tout ce qui était de son ressort autrefois, des ordures aux petites réparations en passant par l'entretien de la piscine et le déneigement. J'apprivoiserais la solitude et je serais heureuse de vivre seule. Une chose à la fois. Je savais qu'il fallait en général un cycle d'une année, avec tous les changements de saison, les anniversaires et les Fêtes, pour traverser toutes les étapes du deuil et mesurer les retombées de l'absence d'un compagnon de vie, mais contrairement aux nombreuses fois où j'avais envisagé de quitter mon mari, tout ça ne m'inquiétait plus. C'était un beau défi que je relèverais haut la main.

Mon défunt mari, pour lequel je ressentais toujours un mélange de haine, de colère et de mépris, m'avait laissé une somme considérable en héritage. En plus de son assurance-vie des plus costaudes, les placements et biens immobiliers qu'il m'avait légués me laissaient dans une position que je n'aurais jamais pu imaginer. Je me prenais à divaguer en me voyant acquérir un mas en Provence. Je le pourrais, et le payer comptant, en plus. Ou alors une petite villa en Italie ou en Californie. C'était enivrant et étourdissant. Inattendu, aussi.

Les enfants n'étaient pas en reste ; ils possédaient chacun une somme considérable en fiducie qui, s'ils en usaient intelligemment, leur garantirait des revenus substantiels pour le reste de leurs jours. Notre notaire avait insisté pour qu'ils retiennent les services d'un conseiller financier afin de les aider à faire de bons choix, ce à quoi ils avaient réagi avec enthousiasme. Ni l'un ni l'autre n'avait l'intention de céder à la facilité. Ils voulaient tous les deux terminer leurs études et exercer le métier qui les attirait, soit le design graphique pour Oli et l'enseignement pour Fanny. J'étais fière d'eux, mais de mon côté, je voulais surtout me donner le temps de bien réfléchir. Il aurait été trop facile d'agir sous le coup de l'impulsion, et ce n'était pas dans ma nature.

Ta nature ? Tu sais que t'as le droit de faire rewind et la redéfinir, ta nature, hein ?
Oui. Mets-en. Et je vais le faire, mais lentement, à mon rythme, OK ?
OK !

Par contre, je tenais à faire une chose. Quand j'ai été certaine que tout était réglé et que j'avais plus que ce dont j'aurais besoin pour vivre dans le luxe, j'ai ouvert un compte d'épargne pour payer les études universitaires de mes filleules et de mes autres neveux et nièces. J'y ai mis plus d'argent qu'il en fallait pour leur permettre de demeurer étudiants aussi longtemps qu'ils en auraient envie. Je le faisais d'abord parce que nous n'avions jamais rien fait de spécial pour eux, ensuite parce que je savais que ça aurait mis Gilles hors de lui et c'était là l'aspect le plus réjouissant.

Mes beaux-frères et leur famille m'ont remerciée à profusion. Je m'attendais à ce que les épouses, surtout, formulent quelques commentaires, à savoir que seuls les enfants en profitaient alors que la famille, qui avait toujours été présente, n'avait rien, mais elles ont eu la décence de s'abstenir et de se réjouir de ce cadeau inattendu. Je n'avais aucune obligation envers ces membres de la famille de Gilles, mais ce geste m'a permis de les éloigner de ma vie sans scrupule. Un contact sporadique sur Facebook serait suffisant même si leurs enfants étaient les bienvenus chez nous à tout moment. Ah, et j'ai aussi payé le solde d'hypothèque sur la maison mobile de ma mère en Floride. Elle a été émue et enchantée. Elle en a profité pour me dire qu'Henry viendrait habiter avec elle à Montréal durant l'été, comme ça ils pourraient se voir toute l'année.

— Qui sait combien d'années il nous reste ? On veut en profiter, tu comprends ?

Bien sûr que je comprenais et je me réjouissais pour elle de tout mon cœur.

C'est seulement après ce premier mois riche en émotions que j'ai repensé à Daniel. J'étais allée souper la semaine précédente avec Julie et Val ; nous nous étions régalées d'une de nos fondues traditionnelles et de quelques bonnes bouteilles, et je me sentais enfin moi-même.

Un bon matin, alors que je répondais aux messages du jour sur le blogue, j'ai senti que plus rien ne m'empêchait de voir Daniel. Qui plus est, pendant tous ces jours où je réaménageais ma maison et consolais mes enfants, Jessica, elle, profitait de ses moments de liberté avec divers partenaires. Je les voyais arriver chez elle, bouteille de vin et fleurs à la main ; elle les accueillait avec chaleur avant de refermer rapidement la porte. Puis, plus tard, je les entendais discuter et rire doucement dans le spa, leurs voix discrètes se perdant dans une musique d'ambiance langoureuse tandis que des bougies répandaient un parfum capiteux jusque chez moi. Je la félicitais de s'offrir ce genre de soirée. Je devinais sans peine la façon dont ma jolie voisine avait occupé les moments précédant ce bain de soirée. Je l'en félicitais en même temps que je ressentais une forme d'envie. Il me semblait qu'elle pouvait tout se permettre, elle, qu'elle en avait le droit, alors que moi j'étais condamnée à demeurer veuve et solitaire pour toujours.

Faisait-elle exprès ? Je l'ai cru, l'espace d'un moment, alors que je l'ai entendue rire en compagnie d'un de ses « amis ». Tendant l'oreille, j'ai bien perçu de petites exclamations de surprise qui n'avaient rien à voir avec la température du spa. Ne pouvant me retenir, en vilaine petite voyeuse, j'ai jeté un coup d'œil au-dessus de notre clôture mitoyenne et je les ai vus, elle et un grand blond baraqué, s'en donner à cœur joie sur sa terrasse. À cause de la pénombre, je ne pouvais pas distinguer leurs gestes, mais il était facile de voir que Jess était appuyée sur le bord du spa, les jambes relevées sur les épaules de son partenaire qui avait le visage enfoui entre ses cuisses. Elle gémissait doucement, s'agrippant au rebord de vinyle, la tête renversée au point où sa longue chevelure formait un petit éventail dans l'eau.

L'homme s'est redressé et a plongé en elle avant de la soulever dans ses bras musclés. Il la tenait contre lui sans fournir d'effort apparent ; il l'a ensuite appuyée contre le mur de sa maison tout en la pénétrant avec force. Je l'entendais grogner ; il devait lui faire mal, mais elle ne protestait pas le moins du monde, au contraire. Jessica l'encourageait avec de petits soupirs qu'elle voulait discrets, mais qui résonnaient, trop distinctement à mon goût, dans la nuit. Au bout de longues minutes, ils sont entrés dans la maison où, je n'en doutais pas, leur séance acrobatique s'est poursuivie. Et pourquoi pas ? Que Jess en profite tant qu'elle le pouvait. Elle était si jolie, jeune, pleine de vie, alors que moi je me sentais vieille, usée, sans substance. Que pouvais-je bien avoir à offrir à un homme, contrairement à elle ?

Évidemment, les hommes qui se présentaient chez elle étaient tout à fait assortis à leur compagne d'un ou de quelques soirs. Ils étaient beaux, *sexy,* semblaient vigoureux, pleins de séduction et d'une virilité qu'il ne m'était plus permis de désirer. Ce n'était pas grave. Mes attirances étaient, de toute manière, bien différentes. Je n'aurais pas voulu de ces bellâtres sans doute égocentriques et narcissiques ; je rêvais d'un homme mûr, sûr de lui, arborant ses propres cicatrices, son vécu ayant forgé un caractère noble et des valeurs compatibles avec les miennes. Je le souhaitais grand, viril, bien sûr, mais avec des imperfections assez importantes pour me faire sentir à l'aise avec les miennes. Un homme qui me fasse sentir adéquate, désirable... je n'avais pas vécu ça depuis des lustres.

Hey, wô, là. D'abord, as-tu vraiment envie d'un
homme en ce moment ?
Non ! Quoique... pour certaines choses, oui.
T'es pas en train de devenir comme Julie ?

Non ! Mais je dirais pas non à des bras chauds ni à cette impression de me sentir spéciale pour quelqu'un, t'sais ?

Oui, je sais et ça se peut.

Déjà ?

Pourquoi pas ? Paie-toi la traite, tu le mérites en masse.

Facile à dire…

À faire aussi. Daniel serait bien content…

Était-ce aussi facile et même encore possible ? Je ne voulais pas croire qu'il était trop tard pour ce genre de choses. Oui, Daniel me fournirait peut-être la réponse.

Il a admirablement bien répondu à l'appel.

Daniel m'a accueillie chez lui avec un baiser. Il n'était pas tout à fait certain de mes intentions, ou plutôt de ma position dans mon cheminement. Il ne voulait rien brusquer, et je lui en ai été reconnaissante. J'étais déchirée entre l'envie de passer à l'acte sans attendre, question de briser la glace et d'en finir… mais je voulais aussi savourer, me laisser entraîner doucement dans cette aventure dont l'issue était pourtant bien prévisible et espérée. Je lui ai rendu son baiser avec une ardeur tout à fait sincère.

Je m'extasiais devant la douceur de ses lèvres, surtout de ce goût et de cette texture si différente de ce que ma bouche avait connu pendant tant d'années. Daniel m'avait préparé un repas succulent auquel j'ai difficilement pu faire honneur. J'étais nerveuse, excitée, impatiente, terrorisée. Il faisait pourtant tout ce qu'il fallait pour me détendre, mais il était dans le même état que moi, c'était apparent. Nous avons parlé, trop bu, sans doute ; le vin m'apaisait de manière si efficace que je n'ai pas résisté. Nous avons même dansé... pendant quelques instants jusqu'à ce que nos lèvres se soudent pour ne plus se lâcher. J'étais tout à coup insatiable, incapable de m'arrêter de l'embrasser. Il était parfait, ne brusquait rien, me laissait le temps, trop de temps, d'apprivoiser la situation. J'ai plongé.

Lorsqu'il m'a pris la main pour m'entraîner vers sa chambre, je n'ai pas offert la moindre opposition. Je l'ai suivi docilement, à la fois appréhensive et confiante. Debout dans sa chambre, je l'ai laissé m'embrasser alors que les bougies éclairaient magnifiquement son beau visage. Il m'a déshabillée lentement, posant chaque fois ses lèvres sur une nouvelle parcelle de peau exposée. Je frissonnais, mais je ne ressentais pas la moindre gêne. C'était curieux. Il me tardait de frotter mon corps nu contre le sien, et cette pensée m'a donné le courage de le dévêtir à mon tour, me réjouissant de le toucher, l'embrasser, goûter cette peau, m'enivrer de sa saveur. Quand enfin nos peaux se sont rencontrées, je suis devenue entièrement confiante. La façon dont il me touchait et me regardait me procurait une joie indescriptible. Ses yeux brillaient, ses lèvres me complimentaient, me disaient belle, douce, attirante, et il ne m'en fallait pas davantage pour que je m'envole dans un confort d'une exaltante douceur.

Daniel m'a étendue sur son lit et m'a couverte encore une fois de délicieux baisers. Chaque pore de mon être s'ouvrait à son bienfaisant toucher, comme pour mieux le faire pénétrer ma chair. Il s'est allongé sur moi, puis nous nous sommes enroulés, nos jambes s'emmêlant, sa cuisse se faufilant entre les miennes pour faire surgir une coulée de désir tandis que son membre bien dressé manifestait son ardeur contre mon ventre. Aucune urgence, que de l'attente, du désir, de la dégustation. Il m'a enfin caressée plus fermement, ses mains dessinant de savoureuses arabesques sur mon ventre et mes hanches avant de se faufiler jusqu'à ma moiteur, écartant mes cuisses pour mieux explorer ce territoire qui, en cet instant mémorable, lui appartenait tout entier. Il était subtil, écartait mes lèvres gonflées en évitant un toucher trop direct, ses pouces ne faisant qu'effleurer de plus en plus près la chair la plus sensible de mon corps. Je sursautais chaque fois qu'il s'en approchait, anticipant une attaque qui ne venait pas et qui me rendait folle. Puis sa langue s'y est posée, avec douceur, répandant une chaleur incroyable dans tout mon corps.

My God. C'est comme si je recommençais à respirer.
J'ai l'impression de fondre. Moi qui pensais que ce
serait bizarre de me retrouver avec un autre, après
autant de temps…
C'est comme faire du vélo, on dirait bien !

Sa bouche a embrassé, léché, ses doigts ont caressé, palpé ; mon corps entier se repaissait de ces attentions incroyables. Je n'avais pas la force de lui rendre les hommages et je me suis laissé faire. Ses lèvres se sont posées sur ma bouche et j'ai goûté mon intimité. J'étais étonnée, curieuse et surtout impatiente. Daniel s'est coulé sur mon corps et je l'ai enfin senti s'introduire au plus profond de moi. Toujours sans la moindre précipitation, il jaugeait mon plaisir, s'enfonçant de plus en plus loin, poussant son désir avec une lenteur à la fois délibérée et laborieuse. Je le sentais s'impatienter et j'ai été touchée par sa maîtrise. C'est alors que je me suis laissé aller à un bienheureux égocentrisme. Je voulais en profiter sans me poser de questions, sans m'inquiéter des conséquences. Je souhaitais voir si, avec lui, l'incroyable flot de jouissance que j'avais appris à apprécier pourrait se manifester et, surtout, sans la moindre pensée pour l'homme qui avait partagé mon lit la majeure partie de ma vie. Les yeux fermés, et j'ai laissé le corps de Daniel me bercer langoureusement.

Pas de douleur, pas d'appréhension… il a des proportions normales, lui.

Enfin. Je peux le prendre en entier sans risquer d'avoir mal, sans aucune crainte. Comme c'est bon ! Comme c'est simple, surtout…

Wow ! Tiens, Jess, moi aussi je peux !

Il me murmurait de tendres paroles, me disait son bonheur, son bien-être, son appréciation de mon abandon et de la douceur de mon corps. Je me régalais de chaque syllabe et les enregistrais dans mon esprit, pour me les remémorer plus tard, lorsque le besoin se ferait sentir.

Nous avons vogué ainsi de longs instants, étonnés tous les deux de l'aisance avec laquelle nos corps se mouvaient, en parfaite harmonie, sans la moindre trace de maladresse ou de malaise. Mais bientôt nos ébats se sont faits plus fiévreux et lorsque Daniel m'a demandé la permission de jouir, je lui ai simplement souri en l'aspirant tout au fond de mon ventre.

Puis est venu le moment béni où j'ai pu m'octroyer le droit de m'abandonner d'une tout autre manière, mes membres alanguis et mon ventre palpitant bien calés contre la chaleur de cette peau d'homme. Je n'avais pas joui, pas cette fois-ci, et je ne m'en suis pas formalisée. Ça viendrait. Si, j'avais joui, mais de manière cérébrale, ce qui était tout aussi satisfaisant. Rien ne pourrait jamais m'enlever ces longs instants de grâce, ils m'appartenaient pour le reste de mes jours et je les chérirais. Des pensées décousues se sont manifestées : qu'adviendrait-il, maintenant ? Était-ce le début d'une belle aventure ou la fin d'une étape ? Je n'en savais rien et refusais de m'y attarder. Comme une chatte, je me prélassais dans ce confort incroyable sans en demander davantage. Bien, tellement bien. Au point où je me suis assoupie dans les bras de Daniel pour ne me réveiller que le lendemain, lorsque ses mains se sont glissées de mon ventre à mes seins, puis entre mes cuisses déjà moites.

C'est quand la dernière fois que t'as dormi aussi longtemps et aussi profondément ?
Aucune idée.
C'est plus efficace que la mélatonine, en tout cas !
Que demander de plus ?

21

Je n'ai jamais parlé de cette nuit à Julie, encore moins à Valérie. Une forme de pudeur et la gêne qui m'avait empêchée de leur confier mon malheur lorsque j'avais appris les infidélités de Gilles avaient refait surface en force. Je tenais trop à leur appréciation de ma prétendue sagesse pour risquer de subir leur jugement. J'avais l'impression d'avoir succombé à quelque chose de puéril, même si ce n'était pas du tout le cas. C'était même tout le contraire. Ce besoin de valider mon statut de femme était tout à fait légitime et plus que nécessaire. À ce chapitre, Daniel excellait.

Avec Jessica, par contre, je n'avais rien à prouver. C'était facile de lui parler, à elle qui ne portait aucun jugement. Lors de ses visites, plus régulières depuis le décès de Gilles, je lui avais raconté comment j'avais connu Daniel et je lui avais même tout déballé sur mon défunt mari et ses aventures. Elle avait été outrée, fâchée, mais surtout j'avais senti sa solidarité. Ça m'avait tellement soulagée ! J'avais l'impression qu'un poids énorme venait de m'être enlevé : non seulement elle compatissait, mais je savais qu'elle comprenait l'ampleur de ma colère. Avec elle, je ne me sentais pas obligée d'être la douce Maryse, la maman parfaite et prête à tout pardonner. Je pouvais enfin montrer mon côté méchant, revendicateur et… hostile.

— On a toutes un côté bitch, Maryse. Comme dirait une de mes chums : *embrace your inner bitch*. C'est elle qui va te faire avancer, qui va te rendre fière de toi et solide. Crois-moi, la mienne est *full* activée et c'est génial !

— C'est tellement pas moi !

— Ben tout le monde change…

C'était vrai. J'étais en train de changer, j'en étais parfaitement consciente. C'était si libérateur de discuter avec Jess ! Elle me faisait voir qu'il ne tenait qu'à moi de devenir celle que je voulais être. Je ne savais pas encore qui était cette femme, mais j'étais cependant certaine de ne plus la vouloir aussi naïve, soumise et indulgente que je l'avais été.

L'épaisse, là. Celle qui faisait toujours confiance.

Oh, elle est partie, elle. Confiance ? J'me ferai plus

prendre, en tout cas, pas pour un bout !

Attagirl !

Jessica était heureuse que je me sois accordé le droit de voir Daniel. Elle m'en félicitait, même. J'avais donc encore plus de facilité à lui en parler.

— J'aurais jamais pensé que ça se ferait aussi naturellement…

— Quoi, donc ? Faire l'amour à un autre homme ?

— Oui, et me sentir aussi à l'aise, me laisser aller aussi facilement et surtout après si peu de temps !

— C'est parce que c'était le temps et que c'était le bon gars avec qui ça devait arriver. T'as trouvé ça agréable, au moins ?

— Agréable ? Le mot est faible. J'ai l'impression que tout est possible. J'ai juste envie de recommencer. J'te jure, c'est comme s'il m'avait poussé une paire d'ailes !

— Ouep, c'est ça que ça fait, du bon sexe !

Elle avait dit ça avec un clin d'œil, mais c'était tout à fait vrai. Je me sentais invincible, capable de tout accomplir, jeune et presque belle. Je trouvais ridicule de reconnaître comment une seule nuit avec un homme qui nous plaît avait la capacité de transformer notre regard sur la vie ; c'était magique et j'adorais.

— Tu te rends compte que c'est pas mal ton *rebound,* hein ?

— Oui, sûrement, mais c'est aussi comme une vengeance. Comme si je faisais un *finger* à Gilles en lui disant : « Je m'en suis empêchée, la première fois, mais là, j'me reprends ! » Je suis méchante, hein ?

— Méchante, toi ? Ben oui, tellement ! Je pense, ma belle Maryse, qu'il est temps que tu le sois, même si je vois vraiment rien de méchant là-dedans. T'as été trop fine trop longtemps, à toujours penser aux autres. Là, il est temps que tu penses à toi.

— Le pire, c'est que j'ai l'impression que j'vais m'habituer pas mal vite à faire ça…

C'est ce jour-là que j'ai débouché la première bouteille de bulles de ma nouvelle vie. On a trinqué. Ma cachette de vin n'avait plus lieu d'être et l'idée de remplacer le vin rouge par du champagne me faisait sourire. Veuve Clicquot rosé, une boisson divine et hors de prix. C'était symbolique, bien sûr, d'une veuve à une autre, autant faire les choses en grand d'autant plus que je n'avais plus besoin d'attendre qu'on m'en offre. Le délicieux nectar me chatouillait agréablement la bouche et la gorge. Ce ne serait pas ma dernière bouteille, loin de là.

J'ai revu Daniel plusieurs fois au cours de l'été et j'étais comblée. J'adorais me sentir aussi repue et rayonnante. Mon corps entier s'épanouissait au contact du sien, il était ébahi de la manifestation aussi évidente de mon plaisir. J'apprenais à me connaître et à me repaître de cette nouvelle forme de jouissance, sentant désormais, chaque fois que nous faisions l'amour, le barrage céder et le flot de mon orgasme nous asperger. Daniel était aussi fasciné que moi. Et je continuais de changer, de me transformer… et de constater combien je n'étais plus la même. En tant que maîtresse, et en tant que femme. Pour le blogue, je trouvais mes réponses aux différents messages plus franches, plus assumées. Les nouvelles fiches, surtout celles de la section « Karma », me semblaient plus directes, moins enrobées de commentaires qui avaient pour but, autrefois, d'atténuer certains faits peu reluisants. J'étais moi aussi plus ferme, moins encline à m'inquiéter des conséquences de mes décisions.

Par exemple, j'avais loué quelques chambres dans une luxueuse auberge des Laurentides pour mon cinquante et unième anniversaire. Je n'ai presque pas hésité avant de renoncer à y inviter Daniel. Il était beaucoup trop tôt, surtout pour les enfants. De toute manière, je me rendais compte déjà que malgré les étincelles que je ressentais en sa présence, les fameux papillons, ceux que mon amie Julie avait pourchassés et qu'elle jugeait indispensables, n'étaient pas au rendez-vous. Était-ce si important ? J'appréciais véritablement Daniel ; je l'admirais, le respectais, et surtout je me délectais de la façon dont je me sentais avec lui. Il était attentionné et sa gentillesse ne connaissait pas de limites. Il me gâtait, pas tant avec des cadeaux ou des gâteries que par sa façon de me montrer à quel point j'étais attirante.

Avec lui, j'avais envie de sortir le meilleur de moi-même, de laisser exploser ma féminité et ma sensualité. Pour nos sorties – souper croisière, soirée au théâtre ou escapade en auberge-spa –, je m'offrais de nouveaux vêtements dans lesquels je me sentais séduisante et qui me permettaient de laisser libre cours à mes fantaisies. Daniel m'encourageait, à coups de regards admiratifs et de compliments plus flatteurs les uns que les autres. C'était une thérapie extraordinaire. Je me transformais de femme invisible et trop sainement « simple » en courtisane élégante, raffinée et même audacieuse. Plus de sel dans ma chevelure, mais une belle teinte auburn qui me seyait parfaitement. Plus de joggings difformes, mais de jolies robes qui m'avantageaient.

On est loin du Walmart, là mon Gilles ! Me trouves-tu cute, là ?

Dans ta face !

Tout ça me plaisait beaucoup, d'autant que je pouvais dépenser sans compter... À moi, enfin, le *makeover* tant attendu ! Et avec lui, une assurance phénoménale.

Ça aussi ça s'achète, hein ?

Oui, Madame.

Pour tout le reste, il y a Visa, qu'ils disent. Ben voilà.

Je ne me privais de rien. Julie et Val me félicitaient chaque fois qu'elles me voyaient tant ma métamorphose leur semblait spectaculaire. Elles aussi ont pris goût aux bulles rosées qui accompagnaient nos soupers ou mes séances de travail avec Julie à la maison et je n'hésitais pas à les faire couler à flots et sans me cacher. Je ne me rendais plus à l'état d'ébriété avancé qui avait ponctué mes soirées d'angoisse de jadis, mais je partageais avec mes amies une agréable détente. Avec Daniel, je ne lésinais pas non plus, même s'il avait parfois du mal à accepter de me voir dépenser de façon aussi extravagante en sa compagnie ; ça me procurait tant de plaisir d'en faire profiter mon amant ! Ce n'était qu'un juste retour du balancier qu'un autre homme que Gilles soit le premier à profiter de mes largesses.

Les semaines passaient et, sous des apparences de gaieté et d'insouciance, je n'avais toujours rien digéré, rien ravalé, je ne faisais que laisser macérer un besoin de vengeance qui, bien que d'une laideur repoussante, était irrésistible. Le volcan menaçait toujours et je le calmais à coups de conseils de plus en plus directs sur Karma sutra, de folles nuits d'amour avec Daniel, de mets raffinés et d'une quantité phénoménale de champagne. Je savais bien, quelque part au fond de ma conscience, que ce fiel finirait par me consumer, que ce n'était qu'une question de temps. En attendant, Daniel me préservait des explosions sans même s'en douter et j'en profitais. Ça ne pourrait pas durer.

Il a très mal pris que je ne l'invite pas à mon anniversaire. Il était blessé sans toutefois avoir le courage de me l'avouer. Dès lors, les choses ont changé entre nous ; au même moment, une froideur est apparue dans mes entrailles, comme si cette contrariété me laissait de glace. Alors qu'il avait toujours respecté mon indépendance et mon besoin de garder une certaine distance, Daniel s'est mis à formuler des remarques pleines de sous-entendus. Il se montrait de plus en plus impatient de me revoir, m'envoyait des messages presque chaque jour, me proposait des sorties ou des activités dès le lendemain d'une nuit passée ensemble. Ça devenait lourd et je n'arrivais pas à en comprendre la cause. Jessica m'a éclairée sur ce qui lui semblait une évidence :

— Croyais-tu vraiment que ça pourrait rester aussi simple éternellement ? Ma belle, y'a pas beaucoup d'hommes qui sont capables ou qui ont envie de rester au second plan. Ton Daniel a beau être un célibataire endurci et autonome, il s'attache et c'est normal. Il a trouvé en toi quelqu'un qui représente sans doute ce qu'il cherche depuis longtemps et il veut officialiser tout ça, prendre sa place dans ta vie. Tu peux pas le blâmer...

— Non, je le blâme pas, mais pourquoi changer quelque chose de parfait ?

— Parfait pour toi, peut-être, apparemment pas pour lui... Est-ce qu'il y a des chances qu'il soit après ton argent ?

— Non ! Impossible. Il ne sait pas vraiment ce qu'il en est. Il sait que je suis à l'aise, sans plus. C'est toujours la bataille quand je veux lui offrir un séjour quelque part ou un souper particulièrement *fancy*. C'est pas son genre. Je pense que t'as raison, il a envie de quelque chose de plus officiel. Il a pas digéré que je l'invite pas à mon anniversaire, il aurait voulu rencontrer les enfants, mes amies. Mais moi, je suis vraiment pas prête.

— Évidemment que t'es pas prête ! Tu sors de presque trente ans avec un homme qui t'a blessée jusqu'au fond de l'âme. Ça se règle pas en quelques mois, ça ! Et tes enfants sont certainement pas prêts à accueillir un autre homme dans ta vie. À l'âge qu'ils ont, tu fais ce que tu veux, mais ça aurait été assez inconfortable de leur présenter un nouveau chum à peine quelques mois après la mort de leur père !

— Mathieu, lui, a bien présenté sa nouvelle blonde à tes enfants !

— Oui, et c'est un con. Et mes enfants sont plus jeunes...

— Justement, les miens sont adultes, ils finiraient par comprendre, c'est juste que j'avais pas envie de *dealer* avec ça. Ça voudrait dire que Daniel est mon chum ou quelque chose dans le genre, et j'en suis pas là. Je voulais avoir une belle journée tranquille et paisible avec ceux que j'aime, c'est tout. Me semble que c'est pas trop demander ?

— Non, c'est pas trop demander certain. Et vraiment, je te félicite. Autrefois, t'aurais tellement pas voulu faire de peine à Daniel que t'aurais cherché toutes sortes de façons pour que ça se passe bien avec les enfants et tout le reste. Là, t'as décidé de ce que tu voulais et t'as réglé le problème drette là. C'est peut-être juste parce que t'es pas amoureuse de Daniel…

— Amoureuse ? Non. J'adore la façon dont je me sens avec lui, j'aime ça passer de bons moments, mais je suis pas amoureuse, non. Et je pense que lui est en train de le devenir.

— Ah bon ? Et tu te sens comment, par rapport à ça ?

— Plus embêtée qu'autre chose… J'ai peur que ça gâche tout.

— Et que tu en profites pas autant, *right* ?

— …

— Je suis pas en train de dire que tu profites de lui, là. C'est juste que c'est plus facile de penser que tout est beau… Me semble que t'as déjà fait ça !

— Merde ! Oui, je suis encore en train de me mettre la tête dans le sable. Pas pour les mêmes raisons qu'avant. J'ai pas envie de le flusher, mais je veux pas me sentir coupable de pas avoir envie de le laisser entrer pour vrai dans ma vie. Pas là !

— C'est assez clair, d'abord. Si vous voulez pas la même chose, sois honnête avec lui, Maryse, sans oublier ce que toi tu veux, ou veux pas. En attendant, d'après moi, faudrait que tu voies d'autres gars. Que tu vives un peu, que tu découvres ce qui te tente réellement. Embarque-toi pas tout de suite avec le premier gars gentil qui croise ton chemin, sinon tu vas te rendre compte que t'es avec lui depuis des années sans avoir pris le recul pour savoir ce que tu veux. Et ça, ça prend du temps, du *guts,* de la solitude et un gros miroir.

— Un gros miroir ?

— Oui, pour te regarder avec objectivité et comprendre ce que t'espères de la vie. Il te reste des dizaines de belles années. Qu'est-ce que tu veux en faire ? Tu veux les passer avec lui ? Si t'hésites, c'est une preuve que t'es pas encore rendue là. T'es pas obligée de le rayer de ta vie, mais t'es certainement pas obligée de l'inclure dans ton quotidien non plus. Trouve un équilibre…

— Le problème, c'est que lui veut plus que l'équilibre. Il m'a avoué hier soir qu'il aimerait qu'on se voie plus souvent, la semaine. Qu'on dorme ensemble, qu'on se réveille ensemble, qu'on se construise un quotidien…

— Ouf ! Intense ! À ta place, je lui dirais gentiment de se calmer. Mais je suis pas à ta place, alors…

— OK, comment tu fais, toi, pour que ça arrive pas, ce genre de choses, avec les gars que tu rencontres ?

— Ah, bien…

Elle avait rougi, comme si elle était embarrassée, ce qui lui ressemblait bien peu.

— Crache, Jess ! Comment tu fais, c'est quoi ton secret ?

— J'ai pas de secret. C'est juste que… bien… les gars que je fréquente sont soit mariés, soit en couple depuis longtemps.

Hein ? Ben voyons DONC !

Ayoye. C'est pas fort ! Pis elle qui traite son ex de salaud à tour de bras !

J'étais choquée. Déçue ? Peut-être, mais surtout étonnée. Comment une femme qui avait été trompée pouvait-elle faire une telle chose ? N'avait-elle pas assez souffert pour au moins ne pas infliger la même douleur à d'autres comme elle ? Elle a deviné assez facilement mes pensées.

— Je sais, tu dois me trouver dégueulasse. Comment je peux faire à d'autres ce que je me suis fait faire, c'est ça ? T'as raison, et au début moi aussi je me trouvais *bitch*. Mais j'ai pas envie de gérer un gars qui veut être mon chum, qui a envie de se « bâtir un quotidien » avec moi. J'ai pas envie de me faire une p'tite famille reconstituée comme l'a fait mon ex. Rien savoir. Je veux quelqu'un qui va triper solide sur moi, qui va me gâter comme l'autre épais a pas su faire ; j'ai besoin de me faire traiter comme une reine, une déesse, savoir que pendant qu'il vit son quotidien plate et qu'il fait l'amour à sa femme, c'est à moi qu'il pense. Parce que Mathieu doit faire la même chose pendant qu'il est au lit avec sa pétasse. C'est con, je sais, mais ça fait du bien, t'as pas idée ! Je serai plus jamais celle qui se fait niaiser, je le jure sur la tête de mes enfants. Jamais. Au contraire, je vais être celle sur qui les gars bandent en cachette, celle qu'ils ont dans la peau. Et comme ils sont mariés, ils peuvent pas devenir fatigants, au risque de mettre leur mariage en péril. Et crois-moi, la plupart sont bien trop peureux pour courir ce risque-là. Pas assez peureux pour mentir, mais trop pour risquer de tout perdre et devoir payer une pension à leur femme pour les vingt prochaines années. Et quand j'en ai assez, je les flushe… et là je peux voir combien ça les blesse, ça leur fait mal, ils se demandent comment ils vont réussir à m'oublier, à retourner à leur vie plate. Et ça me fait autant de bien que le reste. Parce qu'ils savent, là, ce que ça fait de se faire flusher. Ils ont mal de moi, ils s'ennuient de moi, et je me fais accroire que c'est Mathieu qui ressent ça. C'est presque parfait. À une chose près.

— Laquelle ? La culpabilité, peut-être ?

J'avais été sarcastique. Trop, sans doute.

— Non. Pas la culpabilité. L'absence de *closure*. J'aimerais ça que ces hommes souffrent encore plus, qu'ils paient pour ce qu'ils font à leur femme. J'ai l'air froide, de même, mais je peux quand même pas m'empêcher de me mettre à leur place. C'est encore beaucoup trop frais. Tu vas me dire que j'ai une drôle de manière de montrer ma solidarité féminine, mais j'en ai quand même. Je sais juste pas comment les faire payer assez pour me sentir guérie. Je veux les utiliser et, après, leur faire comprendre qu'ils sont cons, méchants et irresponsables. Tout ça juste parce qu'ils sont pas capables de contrôler leur queue. C'est elle qui les contrôle.

— Comme la plupart des hommes, non ?

Jessica avait-elle toujours été aussi vindicative ? Je la connaissais très peu, et j'avais fait beaucoup trop de parallèles erronés entre Julie et elle. Celle que j'avais devant moi était beaucoup plus dure que mon amie, plus méchante sans aucun doute. Elle n'avait pas le pardon aussi facile que ma Julie, loin de là. Par contre, j'aimais bien la direction que prenait cette conversation, même si elle ne faisait que raviver ma propre soif de vengeance. Mon mari avait succombé aux attraits d'une autre femme simplement parce que sa queue n'avait pas pu résister. Et c'est quand je pensais à ça que le volcan se réveillait. Gilles s'était laissé séduire trop facilement et s'était abandonné aux plaisirs charnels sans tenter de les combattre. En les accueillant à bras ouverts, même, sans aucun doute. Une fois la décision prise – ou l'abdication, peut-être –, la cause n'avait plus d'importance, pas plus que la manière. Je le voyais trop bien se laisser aller dans les bras d'une femme qui l'aurait désiré comme Daniel me désirait. C'était irrésistible, j'en savais quelque chose. La seule différence entre lui et moi était la loyauté dont j'avais fait preuve envers lui. Cette loyauté que je maudissais désormais de toutes les fibres de mon corps et que je transposais maintenant sur les autres femmes dans ma situation, ce qui m'avait amenée à juger Jessica beaucoup trop vite. Moi, madame sans jugement, je comprenais, trop bien sans doute, le besoin de Jessica de voir ces hommes souffrir. Ce qu'elle faisait était bien une forme de vengeance ; elle châtiait toutes ses conquêtes à défaut de pouvoir châtier celui qui l'avait fait souffrir. Elle les utilisait pour se sentir désirable, puis elle s'en débarrassait comme de vieux mouchoirs.

Son point de vue me procurait beaucoup de matière à réflexion… et jetait de l'huile sur le feu de ma colère envers les semblables de mon défunt mari.

Jess couche avec eux en sachant qu'ils sont mariés.
Ouain, pis ? Si c'est pas elle, ça va être une autre. Et au fond, elle se venge, elle fait à d'autres ce que la blonde de Mathieu lui a fait…
Wow, c'est fucké, là.
Elle joue le rôle de la femme interdite, plus bandante parce que c'est une autre, justement.
Tu peux la blâmer de vouloir lui mettre le nez dedans ?
De les faire payer parce qu'elle les flushe et qu'ils continuent de bander sur elle ?
Ouain, vu de même…

22

« Dans la vengeance et en amour,
la femme est plus barbare que l'homme. »
FRIEDRICH NIETZSCHE

Les confidences de Jessica m'ont donné l'idée de la recruter pour Karma sutra. Elle était enchantée. Avec elle et Julie, que j'avais l'intention d'impliquer davantage, je me sentais outillée pour avancer. Il me fallait passer à une autre étape ; simplement répondre aux messages et inclure de nouvelles fiches n'était plus suffisant. Honnêtement, je commençais à en avoir assez de m'occuper moi-même de toutes ces missives. Ça me plaisait mais ne me procurait pas de réelle satisfaction. Sauf lorsque des hommes nous écrivaient pour nous accuser d'être des « féministes frustrées, sans doute lesbiennes, qui s'amusaient à lyncher tous les hommes juste pour le plaisir ». Ce type de messages, plus fréquents, me mettaient plutôt de bonne humeur, car j'avais l'impression de déranger, de toucher ma cible.

D'autres hommes voyaient toutefois dans notre initiative une façon d'apprendre de bons trucs ou de rétablir l'ordre entre les imbéciles et les honnêtes, et je les appréciais tout autant. Depuis que le blogue était devenu un site en bonne et due forme, j'avais envie d'aller plus loin de crainte que l'engouement s'estompe. Julie était enfin heureuse, amoureuse, et je souhaitais la laisser savourer tout ça. Mais j'avais besoin d'elle, ne serait-ce que sporadiquement, et d'un point de vue personnel autant que professionnel. Ces deux femmes que j'admirais m'aideraient à trouver les idées pour poursuivre la belle lancée de Karma sutra. Nous avons fait des séances de brassage d'idées, certaines farfelues, d'autres géniales; Jessica m'a déniché des programmeurs pour ajouter des moteurs de recherche plus précis, faire des croisements intéressants et accumuler des données. C'était exaltant, car tout ça augmentait considérablement la visibilité de Karma sutra sur le Web.

De plus, Julie et Jessica m'aidaient, sans trop le savoir, à continuer ma transformation. Valérie aussi aurait pu y contribuer, mais elle n'était pas de la même trempe que les deux autres, elle n'était pas un modèle auquel je voulais ressembler. Sa relation avec Robert devenait de plus en plus solide, et Val recommençait à s'effacer. Revenait-elle à ses anciennes habitudes de caméléon? Pouvait-elle s'épanouir autrement que dans l'ombre de son compagnon? J'avais peur qu'elle me contamine, avec ses soupirs rêveurs quand il était absent et sa disponibilité absolue lorsqu'il était en ville. Robert n'allait plus en Europe, il avait été affecté dans l'Ouest canadien; c'était du pareil au même pour elle, mais moi je trouvais qu'elle avait raté une belle occasion de voyager. Entre Paris ou Londres, Winnipeg ou Calgary, l'attrait n'était pas le même! Bref. Ça la regardait, mais en ce qui me concernait, je ne voulais que de la force, de l'audace et de l'impétuosité autour de moi, comme Julie et Jessica m'en fournissaient. J'avais été une victime beaucoup trop longtemps et ma renaissance devait être complète.

Je n'étais plus la femme légèrement grano, saine mais fade que j'avais été dans mon autre vie. Je rejetais certaines de mes anciennes faiblesses d'esprit et je me laissais maintenant guider par mon côté rationnel. Physiquement, j'avais adopté un style plus jeune, plus branché, sans pour autant devenir flamboyante, ce qui ne m'intéressait pas. Je ressemblais, en fait, à la femme de carrière que j'avais voulu devenir avant les enfants, celle que Gilles m'avait reproché de ne pas être. Je m'avantageais et, par le fait même, j'en ressentais une grande assurance. Mentalement, j'avais envie d'accomplir des gestes audacieux ; je ne voulais plus avoir peur. J'ai troqué le yoga pour le karaté ; la vitesse à laquelle j'ai évolué est étonnante. De plus, ça me procurait un indescriptible sentiment de puissance et un défoulement hors pair. J'ai délaissé la peinture pour le chant. Mon professeur était épaté par l'entrain que j'y mettais et l'incroyable impression de libérer cette énergie par ma voix était grisante. Je grandissais, dans tous les sens. La colère était toujours bien présente, mais j'avais la sensation de la maîtriser, ou de la contenir. Pour le moment du moins.

Karma sutra était en voie de devenir une véritable entreprise et j'entendais me comporter en vraie chef. Le site était devenu le symbole de ce que je voulais incarner : une femme de tête, de convictions, d'actions et de solutions. En cela, je m'inspirais beaucoup de Julie. Souvent, dans le doute, je me demandais ce qu'elle ferait dans telle ou telle situation et je choisissais cette voie. Le risque et l'inconnu, plutôt que la sécurité et le confort. Cette assurance n'était pas toujours aussi manifeste, mais ce n'était qu'une question d'entraînement. Multiplier les gestes intrépides ferait qu'ils deviendraient naturels. J'acceptais de faire des erreurs, d'apprendre d'elles ; tous les gens qui se considéraient comme chevronnés passaient par là. Rome ne s'était pas bâtie en un jour... De femme au foyer semi-retraitée, un peu casanière et discrète, je suis devenue la femme d'affaires courant les soirées, sortant à chaque occasion, dépensant une petite fortune – sans que ça fasse la moindre petite brèche dans mon imposante réserve – en achats, en soins du visage et des mains, en coiffure, en massages et autres cures autrefois jugés futiles. Le papillon que j'avais choisi d'être sortait enfin de son cocon et ça me comblait. C'est fou comme on s'habitue vite au plaisir...

Je recevais des compliments de la part de mes amies et d'étrangers. D'ailleurs, la réaction de François, l'ancien ami de Gilles rencontré par hasard, a été instantanée :

— Wow ! Maryse, t'as toujours été belle, mais là, t'es resplendissante ! Je sais pas si c'est le veuvage qui te va aussi bien ou quoi...

— Entre autres ! J'avoue que ça fait du bien de devenir qui on veut être après tant d'années à végéter...

Il avait dû trouver ma remarque bizarre. Après tout, nous n'étions pas des amis proches, même si je me sentais une certaine affinité avec cet homme, malgré les non-dits et tout ce que j'ignorais de sa véritable relation avec mon défunt mari.

Nous avons bavardé quelques minutes durant lesquelles il a renouvelé son offre de discuter autour d'un café, d'un verre ou d'un repas. Ce n'était pas le moment. Puis, je ne savais trop que penser de sa situation. Était-il toujours marié ? Trompait-il sa femme ? C'était toujours tromperie, selon moi, même s'ils étaient séparés... ou pas. Bref, c'était trop compliqué pour que je m'y attarde même si j'avais trouvé son intérêt et son commentaire sur ma transformation des plus flatteurs.

Daniel a eu une dure pilule à avaler. Ce n'est pas de gaieté de cœur que j'ai rompu avec lui au bout de trois mois de fréquentation. Je n'avais pas le choix. Il m'aurait emprisonnée dans une jolie cage, dorée soit, mais une cage tout de même, et je n'aurais jamais pu déployer mes ailes. Or, je ne pouvais plus garder ces ailes pliées sagement le long de mon corps. Mon amant avait été blessé, pourtant il savait que cette issue était inévitable. Je ressentais une gratitude immense envers lui, toutefois ce n'était pas suffisant. Je commençais à peine à définir le quotidien que je voulais, celui auquel j'aspirais, je n'allais pas le modeler à celui d'un homme aussi rapidement. Vivre seule me plaisait de plus en plus, ça faisait presque peur. Daniel avait été merveilleux et j'ai presque eu envie de laisser aller les choses pour profiter encore un peu de ses bienfaits, mais il était trop gentil, je ne pouvais pas me résigner à l'utiliser ainsi. C'était terminé. Dommage.

Ouf. T'es froide...

Non, juste honnête.

Il aurait été un bon compagnon pour toi, t'aurais pu lui faire confiance, à lui.

Ah oui ? T'es bien certaine ? Qui me dit qu'il aurait pas voulu un peu de nouveauté ou de chair fraîche, lui aussi ? Ça serait sûrement arrivé.

Ishhh. T'es cynique, là.

Non, juste prudente. Et réaliste.

Bullshit.

J'étais pourtant persuadée que je prenais la bonne décision. Pourquoi courir le risque de souffrir alors que tant d'autres possibilités s'offraient à moi ? Au pire, je n'avais qu'à faire revivre le matelot de mon fantasme ! Par contre, je n'hésitais pas une seconde à accorder toute ma foi en mes

amies. Avec elles, je ne risquais rien et je les gâtais. En plus de
Jessica, je traînais Julie et Valérie, lorsqu'elles étaient libres,
dans les restos à la mode, les bars à vin du moment ou dans
les événements mondains. Nous nous offrions alors des
virées dignes des plus superficielles starlettes. Champagne
à profusion, cinq à sept sur les terrasses en vogue, séances
de magasinage intensif dans les boutiques exclusives, celles
dont nous nous moquions autrefois. C'était assez ironique,
moi qui avais toujours couru les soldes et m'étais contentée
de fouiller chez Winners, je ne fréquentais plus que les
échoppes de designers. Julie adorait me le faire remarquer :

— Dire qu'on avait tant ri en parlant des gougounes à
quarante dollars que la nouvelle blonde de mon Danny se
payait sur la rue Laurier. Tu fais pareil, mais pire, t'achètes
la sacoche qui va avec ! On se penserait dans *Sex and the
city* !

— Le sexe en moins pour moi, mais pas grave. Et t'as
rien vu, ma belle. Attends qu'on arrive à l'automne et que
les bottes sortent… *Watch out !*

Nous en avions traversé des épisodes, ensemble… Mon
amitié avec Julie et Val se transformait, mais elle m'était de
plus en plus précieuse. Je leur avais caché tant de choses !
Elles le savaient et ne m'en tenaient pas rigueur, puisqu'elles
l'avaient fait aussi. Autant j'avais tenu à conserver mon aura
de « maman » avec elles, autant elles m'avaient caché des
pans de leur vie qui les auraient fait paraître fragiles, vulné-
rables, ou qui, selon elles, m'auraient déçue. Notre amitié
était inconditionnelle, mais… chacune d'entre nous avait
ses zones d'ombre, et j'imagine que c'était normal.

Je m'étais attendue à ce qu'elles accueillent Jessica parmi
nous assez chaleureusement et qu'une belle complicité
s'installe, mais l'intégration s'est avérée plus délicate que je

l'avais cru, et pas aussi automatique. En observant chacune, j'ai détecté certaines réactions ou certains commentaires qui m'ont éclairée, étonnée et fait sourire à la fois. D'abord Valérie semblait prendre ombrage de ma relation avec Jessica, désormais notre plus jeune.

C'était subtil, mais j'ai vite perçu un malaise lorsque j'ai maladroitement fait allusion au fait qu'elle était devenue notre « bébé » :

— Jessica est notre « bébé », Julie ? Ah ben, enfin ! Je suis bien contente de te laisser ma place, Jess. Au début, elles vont te gâter; après tu vas voir, elles vont jouer à la mère avec toi. C'est tellement fatigant !

Ses yeux démentaient son soulagement et il était évident qu'elle se sentait menacée. Pour Julie, la menace que représentait Jessica se situait à un tout autre niveau. Habituée à être celle qui attirait les regards masculins, peu importe où nous allions, elle devait maintenant partager les feux de la rampe avec une jolie brunette, plus jeune et plus *sexy* qu'elle, d'après sa perception, à tout le moins. Je discernais le soulagement dans l'attitude de Julie lorsque Jessica devait partir chercher ses enfants ou quitter le bar dans lequel nous terminions notre bouteille de champagne. Elle ne l'aurait jamais dit ouvertement, mais ses remarques étaient toutefois éloquentes :

— Hey, Jessica, les gars de la table là-bas ont de la bave au coin de la bouche. Tu pourrais en laisser aux autres, des admirateurs, t'sais !

Rien dans les mots ne traduisait sa jalousie, tout était dans le ton. C'était ridicule, mais divertissant, et je n'en ai pas fait grand cas. Quoi qu'il en soit, Valérie et Julie étaient fascinées de constater à quel point tout en moi avait changé en si peu de temps. Elles avaient été difficiles à convaincre, au début, de profiter de cette manne inattendue, mais devant mon plaisir évident et mon insistance à les gâter, elles n'ont pas pu refuser. Je sentais cependant qu'elles me gardaient à l'œil, peu convaincues que tout ça était sincère et bienvenu. En fait, elles trouvaient étrange que j'aie si peu pleuré, que je n'aie pas « craqué », surtout Valérie. Elle s'inquiétait à coups d'allusions plus ou moins subtiles, prédisant que j'allais inévitablement m'effondrer, que je n'étais peut-être pas encore consciente de la « vraie réalité ». Oh, j'en étais tout à fait consciente. Et je l'adorais. Elle ne pouvait pas comprendre.

Ou peut-être qu'elle avait raison de s'inquiéter ?
Peut-être.

Comme Julie l'avait fait lors de sa séparation, j'ai entrepris de modifier mon intérieur pour l'adapter à la nouvelle moi. Il était temps ! J'avais attendu beaucoup trop longtemps, toutefois je me sentais enfin apte à le faire et j'y mettrais le paquet. Un autre avantage de l'aisance financière ! Dès le début de l'automne, j'ai embauché une designer qui a transformé mon décor pour le rendre conforme à mes goûts, mes attentes et mon confort. Un style à la fois moderne mais un peu bohème a remplacé le style plus conventionnel qu'affectionnait Gilles. Des toiles colorées sont apparues sur les murs, les plantes se sont multipliées, et je m'en suis occupée avec amour. C'était magique. Je n'ai pas touché aux chambres des enfants, je voulais qu'ils se sentent chez eux chaque fois qu'ils viendraient en visite, cependant c'était désormais mon chez-moi, à moi toute seule. Toute seule… oui. Le serais-je indéfiniment ? Daniel me manquait. En fait non, ce n'était pas son absence à lui qui était lourde, mais plutôt le sentiment qu'il m'avait si généreusement procuré d'être importante pour lui, intéressante. J'avais parfois envie de lui téléphoner juste pour lui décrire la façon dont je voudrais qu'il me prenne dans ses bras, ou lui parler de tout et de rien. Puis, je me ressaisissais et me souvenais de la douleur, de la déception et de la colère, et je savais que d'avoir un homme dans ma vie était la dernière chose que je souhaitais.

Je comprenais de mieux en mieux le cheminement de Julie peu après sa rupture avec Danny, même si le mien était radicalement différent. Je ressentais comme elle le besoin de me redéfinir. Mais le reste ? Elle ne vivait que pour être amoureuse. Pourtant, elle aussi avait été trompée. Elle aussi s'était retrouvée célibataire après de nombreuses années, et n'avait pu que constater les effets du temps sur sa séduction, sur ses aspirations. Non, je n'avais pas les mêmes buts, loin de là. La séduction ? Selon moi, c'était une arme pour contrôler les hommes afin d'éviter d'être contrôlée. Julie aurait dû se concentrer là-dessus. Non, elle préférait ramper, attendre et espérer, tout pour ses foutus papillons. Je n'avais aucune envie de redevenir attachée à un homme, de me contraindre à faire tous les compromis nécessaires à une vie de couple harmonieuse.

D'ailleurs, Jessica partageait davantage mon point de vue que Julie à ce sujet, même si elle était plus jeune et encore plus impétueuse. J'avais été à la fois perturbée et étonnée par ses dernières confidences :

— T'sais, y'a une autre raison pour laquelle je veux me payer la traite avec tous ces hommes. J'ai un peu honte de te dire ça, mais je capote de vieillir...

— Tu me niaises ? T'as trente-quatre ans, Jess. Si tu veux me faire sentir comme une vieille sacoche, t'es bien partie...

— Ben non, c'est pas ce que je veux dire, et tu le sais. Oui, j'ai juste trente-quatre ans. Déjà trente-quatre ans ! Je m'en vais vers le quarante, ça recule pas, cette affaire-là ! C'est pas vieux, je sais, mais je commence à me faire appeler madame. Je vois plein de femmes plus jeunes tourner autour des gars qui m'intéressent ; des filles fraîches, au corps parfait, qui ont pas eu d'enfants et qui peuvent encore se permettre de porter tout ce qu'elles veulent...

— Comme si c'était pas ton cas ! Merde, y'a plein de filles de vingt-cinq ans qui tueraient pour avoir ton corps et tout le reste !

— Je sais... mais en même temps, j'ai toujours été le pétard, celle qui se faisait envier. J'ai toujours pu choisir, parmi tous les gars intéressants, celui qui me méritait le plus ou avec qui j'avais envie de m'amuser pour un temps. Mat a été le seul à pouvoir me retenir parce qu'on avait un rêve, et parce qu'il était aussi « tout » que moi. J'ai l'air prétentieuse, mais on était un match parfait. Il est beau, jeune, intelligent, gagne très bien sa vie, est excellent dans ce qu'il fait, a les mêmes goûts de luxe que moi, un luxe qu'il peut s'offrir parce qu'il a fait les bons choix. Quand on sortait, on était admirés, jalousés, on était une espèce de modèle auquel tout le monde aspire. Le *power couple*. Là, j'ai peur, Maryse. Peur de devenir « ordinaire », celle qui doit entrer en compétition avec d'autres belles filles pour avoir celui qu'elle veut, alors que j'ai jamais eu à lever le p'tit doigt. Je commence à avoir des rides, mon corps change, j'ai moins d'énergie et de patience avec les enfants, je manque de temps pour m'entraîner, je fais dur le matin alors que j'ai jamais eu besoin de me maquiller pour être *cute*. Là, j'ai des poches sous les yeux et des cheveux gris, t'imagines ! Je veux pas devenir « matante ! » Je dis que j'ai peur, mais en fait, je suis pas loin de la panique, là ! Bientôt, je vais être celle de qui on va dire : « Ah, elle était tellement belle, elle, avant ! » ou « Elle paraît bien, pour son âge… » « Elle devait être belle quand elle était jeune… » Je veux pas ! ! !

Elle s'était mise à pleurer et je ne savais pas quoi dire ou faire pour la consoler. Je n'avais pas pitié, elle exagérait de manière presque ridicule et je la trouvais superficielle. Mais en même temps, je la comprenais tellement. J'en voulais à notre société, à notre vie de fous de nous imposer des frayeurs de ce genre. Quand on est plutôt effacée, comme je l'avais si longtemps été, ça n'était pas aussi problématique. Ou en fait oui, ça l'était, car alors on devenait la victime qui se fait jeter aux ordures pour une autre. La même chose était pourtant arrivée à Jess… Je pouvais tout de même concevoir que dans son cas – elle qui avait été mannequin et comédienne dans sa vie d'enfant et de jeune adulte, qui avait toujours été abreuvée de compliments et avait suscité l'admiration pour son apparence – la transition de la mi-trentaine soit un choc. Car c'en était véritablement un. Selon moi, elle devenait plus belle chaque jour au point où c'en était presque chiant. Des rides ? Seigneur, quelle blague ! Des cheveux gris ? Franchement ! Deux ou trois ici et là, qu'elle camouflait avec soin chaque mois chez la coiffeuse : elle n'allait tout de même pas me faire verser une larme.

Par contre, je savais ce qu'elle voulait dire. Elle arrivait à cet âge, à cette transition où s'habiller comme une adolescente ne fonctionnait plus tout à fait ; elle n'avait certainement pas encore l'air ridicule de celle qui s'obstine à tout faire pour garder une allure cool en s'habillant dans les boutiques de jeunes. Elle l'était toujours et avait le corps pour porter ce qui lui plaisait, mais elle n'était plus tout à fait celle à qui s'adressaient les publicités de fêtes branchées des gens dans la vingtaine, de looks de starlette ingénue ou de jeune première sculpturale, et ça la plongeait dans une détresse réelle.

— C'est pour ça, aussi, que je m'accroche à jouer les maîtresses irrésistibles. Ça me fait croire que c'est pas fini, que ma vie tourne pas juste autour de la garderie et des devoirs, que je fais autre chose que regarder *Dora* et *Star Wars*. Je veux encore avoir une vie excitante, sortir, danser, cruiser et me faire cruiser, surtout. Je veux rendre les hommes fous de moi, sentir que je l'ai encore… et quand je l'aurai pus, ben coudon, je prendrai les moyens qu'il faut. C'est pas pour rien que les esthéticiennes et les plasticiens font autant d'argent.

Elle n'était pas en mode recherche de l'âme sœur. Elle ne voulait pas se caser, au contraire, mais plutôt consommer les hommes tant qu'elle le pouvait, tant que sa jeunesse le lui permettait, quitte à tricher, éventuellement. Cet objectif était bien différent de celui qu'avait eu Julie, cependant la motivation était la même. La peur de perdre, de ne plus ressentir l'excitation de la chasse, de la conquête, le sentiment d'être irremplaçable aux yeux de quelqu'un, à tout prix ou presque. Mais Jessica, elle, en profitait pour consommer les hommes autant que ces derniers utilisaient les femmes de manière générale. Du moins, jusqu'à ce qu'elles ne soient plus assez désirables à leurs yeux. C'était déjà ça.

Et moi, dans tout ça ? Je n'avais que faire d'un homme. Si la solitude venait à peser trop lourd, j'avais encore mes vibrateurs et autres jouets. Au pire, je trouverais bien un corps masculin prêt à me faire du bien sans rien demander en retour. Un jour, peut-être, mais pas maintenant. La vie de veuve joyeuse me convenait tout à fait.

Vraiment ?

Vas-tu arrêter de t'en faire accroire ? Tu vas éclater, Maryse.

Je sais, mais ça n'a rien à voir avec les hommes.

Ah non ? Rien à voir ? T'as flushé Daniel parce que t'avais peur de lui faire confiance.

Rapport ? Ça cliquait juste pas, et c'était trop tôt.

Peut-être. Mais penses-tu être capable de refaire confiance à un homme avant de mourir ?

Non. Pis après ? Y mériteraient tous de se faire castrer.

Tu y vas un peu fort…

C'est rien, ça.

Pas si joyeuse, la veuve, finalement…

23

Au fil des mois et du succès grandissant de Karma sutra, je suis devenue une femme en demande. Les médias féminins me consultaient pour obtenir mon opinion sur certains faits de société, comme si j'étais devenue une espèce de « spécialiste ». C'était stupide, je n'étais spécialiste de rien, sinon que d'avoir su garder ma tête dans le sable pendant si longtemps. On me consultait sur les relations de couple, la recherche de l'âme sœur de nos jours, les différentes approches selon les générations, ma perception de l'amour dans la jeune cinquantaine. N'importe quoi. Je me sentais comme un imposteur et j'aurais tout aussi bien pu les renseigner sur la politique intérieure du gouvernement libanais ou le dossier du gaz de schiste. On appréciait mon esprit, ma candeur et ma gaieté, on me citait en exemple lorsqu'il était question de femmes « mûres » qui se prenaient en main. Ça me valait souvent ces moqueries de Julie qui me connaissait si bien :

— T'es un exemple, Maryse, un mélange de Martha Stewart et de Janette Bertrand ! C'est fou, t'es une vraie vedette ! Je veux absolument avoir ton autographe.

Elle ne savait pas à quel point elle m'irritait et me faisait rire à la fois.

Quoi qu'il en soit, le site se faisait remarquer, j'avais désormais des collaborateurs compétents qui s'affairaient à le faire rayonner, le rendre indispensable, pratique et ludique. J'avais même eu des demandes pour le franchiser en France et en Belgique. Qui aurait cru ? C'était une belle réussite.

Cependant, devant cette notoriété grandissante et mes fréquentes apparitions dans les médias, j'ai dû expliquer à Oli et Fanny ainsi qu'à ma mère de quoi il s'agissait. Je leur ai servi une version édulcorée et inoffensive de Karma sutra en précisant que c'était l'idée de Julie. Comme j'étais plus disponible qu'elle, et surtout plus en moyens financièrement, j'avais fait du site ma nouvelle entreprise. Ils étaient heureux et fiers de moi, même s'ils ne voyaient pas d'un œil nécessairement bienveillant mon soudain intérêt pour les sites de rencontre et les spécimens douteux qu'on y trouvait. Je préférais entretenir la confusion plutôt que de m'empêtrer dans mes mensonges et ça m'a bien servie. Mais au bout d'un certain temps, j'ai commencé à trouver qu'il manquait quelque chose à ma vie. Ou plutôt que j'étais en train de passer à côté de l'essentiel, la raison même pour laquelle ce blogue avait vu le jour. C'était bien beau de répondre aux nombreux messages qui, en fin de compte, se ressemblaient tous, mais j'en avais assez et j'avais l'impression de tourner en rond.

Le spectre de la vengeance, qui n'était pas caché bien loin, s'est alors pointé le bout du nez. Discrètement, mais avec insistance.

Jessica aussi me parlait sans cesse de son besoin de prendre sa revanche; elle en rêvait. Elle voulait se venger de Mat, mais aussi de chaque homme qui méprisait sa femme, qui la délaissait pour une autre. Elle voulait châtier la Terre entière. Pour ma part, chaque souvenir de Gilles qui refaisait surface, et ils étaient encore nombreux, ravivait la colère si mal enfouie. Quand j'ai enfin « nettoyé » l'ordinateur de Gilles avant de le donner à Olivier, elle a éclaté au grand jour.

Je savais que mon époux affectionnait la porno, mais après avoir découvert les trois sites payants auxquels il était abonné, des sites de webcam, pour la plupart, j'ai vécu à nouveau toute l'incroyable fureur et la frustration qui en découlaient. J'ai même songé longuement à chercher des façons de nuire à ces sites, voire de les faire fermer. Avec ma fortune, j'aurais sans doute pu trouver un moyen détourné, mais à quoi bon? D'autres les auraient immédiatement remplacés. Ces sites étaient comme une épidémie qu'on ne parvenait pas à éradiquer, et mon mari, un client parmi des millions à en profiter et à les faire fructifier. Qu'avait-il tiré, au juste, de ces séances qui lui coûtaient des dizaines de dollars la minute? Avait-il l'impression d'être avec ces filles, dont les publicités sur la page principale vantaient les charmes, la sensualité et tout le reste? Pensait-il vraiment qu'elles étaient aussi attisées que lui, qu'elles s'offraient à ses yeux gourmands avec la moindre parcelle de sincérité? Je ne pouvais pas le croire, mais en même temps, c'était possible. Ces filles étaient sans doute douées pour faire avaler n'importe quoi à leurs clients émoustillés. Je décortiquais les photos promotionnelles du site, et c'était comme si je pouvais les voir, ces filles, faire tout ce qu'il fallait pour plaire au client et le faire dépenser jusqu'à ce que sa carte de crédit bloque. Des femmes jeunes, certaines probablement mineures, qui vendaient du rêve. Elles se trémoussaient devant la caméra, la fixaient avec une moue boudeuse que les hommes trouvaient *sexy*, et se déshabillaient avec des déhanchements lascifs de petites putes. Jusqu'où allaient-elles? Ça devait dépendre du montant dépensé. Les clients plus timorés ou pauvres ne se permettraient qu'un effeuillage plus ou moins expéditif;

les plus fortunés pourraient sans doute admirer, de leurs yeux ébahis, la belle se caresser la poitrine, faisant jaillir la pointe de ses seins et les triturant du bout des doigts. Peut-être écarterait-elle les jambes pour toucher avec douceur, à travers un *string* bas de gamme, sa vulve bien épilée ou se retournerait-elle pour chatouiller la caméra de ses fesses bombées. Les gros joueurs, enfin, auraient droit au grand déploiement ; les doigts aux ongles manucurés de la fille glisseraient dans son sexe et caresseraient les replis bien lubrifiés, le tout agrémenté de soupirs, de halètements et, bien sûr, d'encouragements. Elle dirait à son client de se mettre à l'aise, lui affirmerait qu'elle rêve de se faire défoncer par son gros engin, l'inviterait à la toucher, à sentir l'odeur de son plaisir. Peut-être même qu'un accessoire l'aiderait à la tâche et qu'elle l'insérerait en elle, en se broyant les seins et en murmurant des paroles vulgaires pour le plus grand plaisir de l'abruti-payeur. Elle adopterait plusieurs positions, enfonçant toujours le godemiché en elle avec vigueur, de l'avant, de l'arrière, demandant à son « partenaire » ce qu'il préfère, l'assurant qu'elle le voudrait en elle, là maintenant, plutôt que son jouet. Et lui, béat, la croirait, se masturberait en prétendant qu'elle était là, avec lui, la bouche ouverte, les orifices prêts à être envahis pour leur plus grand plaisir à tous les deux. Oui, Gilles devait y croire, car il était pour le moins assidu. Il n'était pas le premier à s'être laissé prendre au jeu, à se croire « spécial », et ne serait sans doute pas le dernier.

Dégueu. Pathétique.
Franchement ! Un adolescent aux couilles poilues et molles qui se pensait irrésistible. Beurk.

J'ai arrêté de fouiller après ça et j'ai tout effacé. S'il fallait qu'Oli tombe là-dessus, je ne pourrais plus rien faire pour préserver le peu de respect qu'il éprouvait encore pour son père. D'où il était, j'espérais que Gilles me voyait, une fois de plus, et qu'il me remerciait. Moi, j'ai regardé au ciel et je lui ai juste dit : *và chier!*

Des dizaines de membres de Karma sutra me racontaient, chaque mois, des histoires semblables à celle que j'avais vécue. Elles enduraient ces conneries, souffraient en silence devant un homme qui, lui, était toujours vivant et continuait à leur empoisonner l'existence en toute impunité. Il était temps que ça cesse.

Comment m'y prendre ?

Julie et Val m'écoutaient sans rien dire. J'échafaudais des plans, je retenais les idées de quelques membres qui avaient tout simplement envie de joindre les épouses des hommes qui leur avaient menti, ou comme je m'étais imaginé le faire, commettre un acte de vandalisme quelconque. Ça ne me suffisait pas. Je ne voulais pourtant pas que ce soit aussi simple. Ça ne l'était pas, j'imaginais très bien que ce genre de choses pourrait déclencher des bombes dans les foyers des tricheurs concernés, mais je n'obtiendrais pas la satisfaction que je recherchais de cette façon.

Quand j'en discutais avec Jess, elle s'emportait ; elle était sur la même longueur d'onde que moi sans toutefois avoir d'idée précise. Julie, elle, n'osait pas trop se prononcer. Elle qui filait le parfait bonheur ne ressentait pour ces hommes fourbes que du dégoût, pas de véritable colère ; elle ne m'était donc pas d'un grand secours. Quant à Valérie, elle tentait de me dissuader. Follement amoureuse, elle était toujours aussi douce et naïve. Encore plus, même. Elle qui n'aurait pas fait de mal à une mouche voyait mes idées d'un mauvais œil.

— Je sais un peu par quoi t'es passée, Maryse, même si t'as mis un temps fou avant de me le dire. Mais tu penses pas que ce serait juste cultiver la colère que de manigancer pour punir tous ces épais ?

— Cultiver la colère ? Non, je pense que ça la calmerait une fois pour toutes, au contraire.

— Mais tu vois tout en noir et blanc, t'es tellement pas objective…

— Objective ? Quelle objectivité veux-tu que j'aie ? Voyons, Val, c'est super clair. Ces gars-là font leur affaire en blessant des femmes qui se doutent de rien. Y'a pas de nuances, là. C'est des crottés, un point c'est tout.

— D'abord, tu les mets tous dans le même panier. Ensuite, tu penses sérieusement que juste des hommes font ça ?

— Non, sûrement pas, mais les femmes qui agissent de même ont peut-être de meilleures raisons. Si leur chum ou leur mari les fait sentir inadéquates, pas attirantes, invisibles, d'après moi c'est suffisant comme raison. Je regrette moi-même de pas l'avoir fait quand j'en avais la chance.

— Tu me fais peur, Maryse, je te reconnais plus…

— Je comprends que tu sois pas d'accord, mais je te demande pas de participer. C'est vrai que j'ai changé, mais c'est pour le mieux. J'ai été tellement niaiseuse ! Je te demande juste de pas me juger.

— Genre, comme toi tu juges tous ces gars ?

— Ils le cherchent, Val ! C'est pas pareil !

Ces discussions stériles ne faisaient que me ralentir. J'en suis venue à m'éloigner quelque peu de Val qui, de toute façon, ne pouvait pas comprendre. Au moins, son Robert était potable, lui. Le premier homme décent, intéressant et séduisant qui partageait sa vie depuis que je la connaissais et je lui souhaitais tout le bonheur du monde. Mais elle était devenue quasiment énervante de bonheur. Elle resplendissait, en fait, et semblait rajeunir chaque fois que je la voyais. Même sa fille Sabrina était passée de princesse capricieuse à jeune femme sensible et posée ; c'était presque louche. Je savais qu'elles avaient passé de sales moments toutes les deux et je me réjouissais de cette récente trêve, mais est-ce que ça allait durer ? Je l'espérais sincèrement, sans pouvoir m'empêcher de constater que Valérie était de nouveau en train de se modeler aux souhaits et aux préférences de son amoureux et ça m'agaçait. Elle avait toujours fait ça ; elle se transformait, sans égard pour ses propres goûts et convictions, pour plaire à son copain du moment, changeait ses habitudes et ses activités pour les rendre conformes à celles de son amoureux. C'était un peu pathétique, mais au moins Robert avait une influence positive, d'après ce que je pouvais en juger. Cependant, quelque chose clochait et je me suis promis d'essayer de mettre le doigt dessus. Robert travaillait à l'extérieur deux semaines chaque mois ; lorsqu'il était en ville, Valérie disparaissait pour se consacrer à lui. Lorsqu'il repartait, elle réapparaissait, les yeux brillants et un sourire idiot au visage. Elle m'avait confié que cette dynamique convenait très bien à sa relation avec sa fille, également, puisqu'elles profitaient de son absence pour faire des activités ensemble, toutes les deux. Ça semblait porter des fruits.

— Y'a juste une chose qui m'achale, par exemple, m'avait-elle confié un soir, alors que Julie venait de nous quitter après le repas.

— Quoi donc ?

— Pour la première fois de ma vie, j'me sens… jalouse, possessive.

— C'est quand même un peu normal, t'as jamais été aussi amoureuse non plus, me semble !

— Oui, c'est vrai, mais ça devient gossant… Chaque fois qu'il part, je capote. J'ai peur qu'il me remplace par quelqu'un là-bas, même s'il me dit que c'est certainement pas à Calgary qu'il trouverait une femme plus à son goût que moi. Mais on sait jamais ! Sérieux, c'est rendu que je voudrais qu'il m'appelle tous les soirs, mais il peut pas, il travaille comme un fou.

— T'es irremplaçable, Val. T'es douce, adorable, t'es une femme exceptionnelle, et il le sait. En plus de tout ça, t'es belle comme un cœur ! J'ai l'impression que t'as rajeuni de dix ans depuis que t'es avec lui, c'est fou !

— Ah, ça… j'voulais pas t'en parler, mais c'est parce que j'me fais faire des p'tits traitements pour les rides, t'sais…

— Ah ouain ? Eh ben, ça marche ! C'est une crème, ou un genre de microdermabrasion-patente ?

— Non, en fait…

Elle avait l'air gênée, comme une petite fille prise la main dans le sac. Je l'ai interrogée du regard.

— Ben, c'est un genre de Botox, mais pas tout à fait, là…

— Quoi ??? Es-tu folle ? T'es tombée sur la tête, ma parole ! Ben voyons donc, t'es ben trop jeune pour du Botox ! Tu vas faire quoi, à mon âge ? Tu vas passer au bistouri ? Es-tu malade ?

— C'est parce que je savais que t'allais réagir de même que je t'en ai pas parlé. Ben tu sauras que moi, je suis contente. Ça durera le temps que ça durera, je verrai si je continue ou pas. J'irai pas me faire opérer, quand même, viens pas folle. C'est juste un essai.

Ferme ta gueule, Maryse.

Elle va pas se faire refaire le visage à la Michael Jackson, quand même. Pis ça te regarde pas.

Oui, ça me regarde ! Je vais pas laisser mon amie se faire changer la face pour son chum ! C'est ridicule, franchement !

T'as raison, mais… ta gueule.

J'vais essayer.

Après une profonde inspiration, j'ai regardé Val. Dans ses yeux, je ne voyais que colère et confusion.

— Je m'excuse, Val. C'est pas de mes affaires. Mais j'ai juste peur que tu te transformes encore pour quelqu'un qui est pas capable de voir à quel point t'es extraordinaire, c'est tout.

— Il le sait et me le dit chaque jour. Mais y'a pas de mal à vouloir s'améliorer, me semble ?

— Si tu le vois de même…

— Oui, j'le vois de même. Et Robert est la meilleure chose qui m'est arrivée depuis ben, ben longtemps, c'est pas grand-chose pour continuer à lui plaire…

— Continuer à lui plaire ? S'il te fait sentir que t'as besoin de faire ça pour lui plaire, Val, y'a un méchant problème !

— Un méchant problème ? Pis si c'est moi qui en ai envie, parce que j'ai peur qu'il me flushe pour une pitoune ? J'ai passé ma vie à espérer un gars comme lui, le genre d'homme qui m'aurait jamais regardée, avant. J'ai pas envie de me mettre la tête dans le sable comme tu l'as fait pendant des années, en voulant pas voir que mon chum me trouve pus de son goût.

— …

La bitch. Elle a vraiment dit ça ?

Ayoye.

— Je m'excuse, Maryse, mais tout est blanc ou noir pour toi. T'as toujours la réponse à tout et ton opinion est la seule qui devrait compter. J'en ai plein le casque ! Pis si même toi, si parfaite, t'as pas été capable de garder ton Gilles dans ton lit, qu'est-ce que tu penses qu'il va m'arriver à moi, hein ? Je suis pas comme toi, moi, ça me fait peur de penser que je vais finir ma vie toute seule, que j'aurai personne pour m'aimer le reste de mes jours. Et je suis pas la femme d'affaires *full* de *cash* capable de vivre en buvant du champagne tous les soirs non plus ! Faque si je veux prendre des moyens pour garder mon homme, c'est pas de tes affaires. T'aurais peut-être dû faire pareil, finalement, Gilles t'aurait peut-être pas trompée !

Salope.

T'as dit salope ? Wô, là, du calme.

Du calme ??? Sérieux ?

Elle mérite une claque dans la face.

Non, pis tu le sais.

J'ai respiré le plus calmement possible et je l'ai regardée. Je n'en revenais pas de ce qu'elle venait de me lancer à la figure.

— D'abord, Gilles m'aurait trompée même si j'avais eu l'air de Scarlett Johansson. Ça, je l'ai compris depuis longtemps. Si Robert a à te tromper, il va le faire, que tu sois botoxée ou pas. Ensuite, entre avoir peur de vieillir seule et passer ma vie avec n'importe qui, j'aime cent fois mieux être seule, oui. Toi, t'as jamais compris ça. T'aimes mieux changer à l'infini pour fitter avec quelqu'un que d'avoir le courage de te regarder dans le miroir et savoir t'es qui, au juste, et ce que tu veux. Je pensais que t'avais évolué, un peu, mais faut croire que non. Si t'es assez épaisse pour te mettre plein de cochonneries dans la face « pour lui plaire », à ton homme qui va sûrement sauter la clôture à un moment donné, *no matter what,* ben coudon. T'auras rien appris et t'es aussi insignifiante que tu l'étais quand je t'ai connue.

Oupsie. Tu l'as traitée d'épaisse et d'insignifiante, là.

C'est ce qu'elle est.

Vraiment ? T'es sûre de ça ?

Ben là !

Y'a peut-être quelque chose que tu sais pas, Maryse.

Ouain, pis ? Avec ce qu'elle m'a dit, elle le mérite !

Ah, pis, d'la marde !

Des clients des tables voisines nous regardaient.

Elle m'a dévisagée, et j'ai vu ses traits se figer.

Ça doit être le Botox !

Puis, se durcir. J'étais allée trop loin, mais je l'avais pensé. Elle aussi était allée trop loin, mais c'était sans doute le fond de sa pensée qui sortait enfin au grand jour. Je ne reculerais pas, par contre. Pas cette fois, au nom de tous ces autres moments où je l'avais regardée devenir une copie conforme des imbéciles qu'elle fréquentait.

Valérie n'a pas terminé son verre de vin. Elle s'est levée, a payé son addition et est sortie du restaurant.

Oupelaille !

T'as été odieuse.

Odieuse ? Non, j'ai juste dit la vérité. Pis elle, elle a pas été odieuse, je suppose ?

Oui, mais t'as attaqué en premier, sans chercher à comprendre toutes ses raisons.

Ben là, si elle me les dit pas, je peux pas deviner. Et c'est pas mon problème.

Grrr.

J'étais désolée, mais en même temps, je n'en pouvais plus de son apathie, et elle m'avait blessée bien plus que je l'avais laissé paraître. Donc, j'avais été incapable de retenir Gilles dans mon lit... Était-ce vrai ? Non. Trop de souvenirs me prouvant le contraire ont afflué en même temps pour que j'aie envie de les analyser. Mais elle... Allait-elle enfin se tenir droite et se respecter un peu ? J'avais tenté de l'aider pendant toute sa vie adulte ; maintenant, j'avais autre chose à faire. Elle voulait s'empoisonner et se transformer en Barbie ? C'était son choix.

Tu charries, là. On est loin de Barbie avec un peu de Botox...

Oui, mais ça commence de même, pis après...

On verra bien, hein ?

Moi, j'avais des plans à faire, des représailles à préparer. Elle ne voulait pas s'en mêler et préférait se ridiculiser avec des conneries esthétiques ? C'était son choix, mais je n'allais pas l'encourager dans sa façon de gérer ses stupides insécurités. Ça, c'était mon choix à moi.

Je n'étais pas perturbée outre mesure par ma dispute avec Valérie, même si j'aurais préféré l'éviter. J'étais persuadée que tout allait s'arranger ; je lui demanderais de m'excuser d'avoir exagéré, elle voudrait que je l'excuse de tout ce qu'elle m'avait dit, et nous nous sauterions dans les bras en

Marie Gray

portant un toast à notre amitié. Nous comptions d'autres accrochages au fil des ans, et ça s'était toujours réglé, je ne voyais pas pourquoi il en serait autrement.

Euh… c'était autre chose, là, et tu le sais…

Oui, c'est vrai. On est un ti-peu dans marde, là, hein ?

J'pense que oui.

Noël arrivait et l'histoire avec Valérie me taraudait. Je repoussais toutefois l'envie de communiquer avec elle du mieux que je le pouvais, me disant qu'il valait mieux laisser un peu de temps passer avant de tenter quoi que ce soit. En attendant, je ne savais pas trop comment aborder les Fêtes. Il était hors de question d'inviter la belle-famille. J'avais clairement expliqué que je préférais passer ce premier Noël sans Gilles avec les enfants, en toute intimité. J'ai bien senti la réprobation, mais je n'en avais que faire. Ce rituel m'avait été imposé assez longtemps pour dissiper toute culpabilité et je doutais trop des motivations de cette famille pour m'imposer ce supplice.

J'ai donc passé un Noël calme avec Fanny, Félix, Oli, Josiane, Henry et ma mère. C'était autant de travail qu'avant, ou presque, mais au moins c'était pour des gens que j'aimais. J'aurais pu tout commander chez un traiteur, mais je sentais qu'il me fallait m'acquitter des préparatifs moi-même. J'ai même concocté un plat végétarien-entièrement-bio-sansgluten pour ma bru. L'atmosphère, nettement plus intime que les années précédentes, était empreinte de tristesse. Les enfants ont versé quelques larmes en pensant à Gilles ; ça ne m'étonnait pas. Eux, par contre, semblaient surpris de ma gaieté et de ma légèreté, presque blessés que je ne fasse pas plus de cas du grand absent. Ils en étaient même suspicieux, mais ils n'ont pas posé de questions ni abordé le sujet ouvertement.

325

J'aurais aimé inviter mes amies à ce repas de Noël duquel elles avaient toujours été exclues malgré moi, mais Julie passait les Fêtes dans les Laurentides et Valérie était avec son chéri... ce qui me donnait l'excuse parfaite pour retarder mon intention de faire le premier pas afin de dissiper le malaise entre nous. Puis, peu après le Nouvel An, les enfants sont repartis, ma mère s'est envolée pour la Floride avec son amoureux, et je me suis replongée dans mes projets.

Julie m'avait tout de même proposé une collaboration ponctuelle de laquelle j'entendais profiter. Je comptais sur elle pour répondre aux messages qui s'accumulaient. Karma sutra avait atteint un seuil critique ; il me fallait développer et grossir, ou stagner. J'ai choisi de passer à la phase suivante qui impliquait d'embaucher du personnel et de tisser des liens avec de nouveaux partenaires. C'était grisant, surtout lorsque je constatais l'accueil très chaleureux que me réservaient les commanditaires et annonceurs potentiels. Les portes me semblaient grandes ouvertes et je les franchissais, sourire aux lèvres.

Jet set ?
Quasiment ! M'as-tu vu l'allure dans ce tailleur-là ?
Assez impressionnante, fille.
Et ta présentation au responsable des hôtels Horizon ?
Hot. Il était pas laid, en plus...
M'en fous. Horizon... juste la plus grosse chaîne d'hôtels en Amérique du Nord. Des concours avec eux vont juste attirer encore plus de membres.
Ma-la-de.

À travers tout ça, Julie s'inquiétait plus que moi de la situation avec Valérie, mais elle ne savait pas trop comment aborder le sujet. Tant mieux. Moi, je savais bien que je laissais notre froid plus ou moins consciemment détériorer notre relation, mais les derniers chiffres de Google Analytics me préoccupaient davantage. Il me fallait maintenir l'avantage, si bien que Valérie était reléguée au second plan. En attendant, Julie continuait de répondre aux messages, récoltait et analysait des témoignages dans le but, m'avait-elle promis, d'essayer de trouver des idées originales pour « payer la traite » aux idiots. Non, je ne perdais toujours pas cet objectif de vue. Il avait été convenu que les cas seraient traités en fonction de l'attitude du fautif. Les plus arrogants, mesquins, menteurs paieraient plus cher et en premier.

Mais comment ?

C'est là que Jessica est entrée en scène : elle deviendrait mon arme de destruction massive. Elle voulait séduire, devenir l'objet de fantasmes et de convoitise d'un nombre incalculable d'hommes ? Elle serait servie. J'utiliserais ma lucidité, mes moyens et ma soif de vengeance pour fomenter les sanctions, et elle, avec son charme irrésistible et son savoir-faire, les exécuterait. Nous allions bien nous amuser. Il fallait juste trouver des formules gagnantes.

La section « Karma » du site était de plus en plus garnie. Là étaient réunis les pires salauds qu'il nous a été donné de démasquer avec l'aide de nos fidèles membres. S'y côtoyaient les menteurs, les arrogants, les polygames, ceux qui menaient une double vie (ils étaient incroyablement nombreux), les éternels magasineux, les cruels, les méchants, ceux qui avaient eu un comportement odieux avec une ou l'autre de nos membres ou collaboratrices. On y trouvait également un nombre hallucinant d'hommes qui excellaient à rabaisser les femmes, à leur cacher leur identité, à les faire marcher, dépenser pour eux, attendre leur tour en faisant la queue, qui les faisaient languir, en faisaient l'objet d'un tirage au sort ou d'une compétition parmi un tas d'autres femmes. Ils étaient ridicules, pourtant, et aucun d'eux n'aurait remporté de concours de beauté ni d'entregent, mais les hommes intéressants étaient si peu nombreux, sur les sites et ailleurs, qu'ils avaient le beau jeu. Et je devais avouer que trop de femmes, désespérées de trouver la fameuse âme sœur, étaient prêtes à beaucoup de bassesses pour ne serait-ce qu'un minimum d'attention de leur part. J'avais d'ailleurs eu l'idée d'offrir des ateliers d'estime de soi et de respect pour les femmes esseulées. J'étais convaincue que ça remporterait un immense succès. Des conférences, des outils d'affirmation et surtout de détection des beaux parleurs... je voyais déjà l'engouement ! J'avais une liste de personnes à rencontrer, autant des conférenciers chevronnés que des spécialistes en *coaching,* et il me tardait de les recruter. Ces activités me passionnaient.

J'avais d'ailleurs l'impression que tout ce que je touchais se transformait en or et c'était très excitant. Les membres à elles seules avaient tant d'idées géniales et m'offraient tant de possibilités que je me devais de les explorer, ne serait-ce que pour leur fournir une tribune. Mon agenda regorgeait de rendez-vous, de pistes d'affaires à explorer, et je ne voulais rien négliger.

En attendant, l'heure de la vengeance était venue. Ce serait ma contribution au sort des femmes, un nouveau ministère féministe et revendicateur qui transformerait la vie de milliers sinon de millions de femmes dans la province. Le plus beau était qu'ainsi j'atteindrais toutes mes consœurs, pas seulement les célibataires... Combien de femmes mariées, des Maryse comme j'étais autrefois, gagneraient à s'affranchir, à s'imposer et à établir leurs propres règles au sein de leur couple ? C'est changeant, un couple, il allait de soi que des adaptations constantes s'imposaient. Cependant, elles étaient trop souvent confiées au partenaire masculin qui en profitait pour faire tourner ces mutations à son avantage. Il utilisait alors le prétexte de la sexualité vacillante du couple pour imposer ses fantasmes dans le but non avoué de repousser des limites avec le consentement presque tacite de sa douce et aimante épouse. J'en avais assez de tout ce sexe gratuit, à toutes les sauces, qui contrôlait et détruisait tout. C'était en train de devenir un fléau, une plaie.

Assez.

24

« Les hommes donnent un nom à leur pénis parce qu'ils détestent
qu'un inconnu prenne 99 % des décisions à leur place. »
ALLAN PEASE

B logue de janvier
Les tricheurs (et les tricheuses)

Salut les filles,

Bonne année et joyeux anniversaire à nous!

Je tiens à vous remercier, au nom de toute l'équipe, d'avoir
contribué à faire de Karma sutra ce succès. C'est grâce à
vous si notre ascension a été aussi fulgurante et nous vous
en sommes reconnaissantes du fond du cœur. Pour
souligner cet anniversaire, nous avons choisi de passer à la
prochaine phase de notre belle aventure.

Comme vous êtes de fidèles adeptes de ce blogue et que
vous savez que Karma sutra a comme mission de donner un
petit coup de pouce – gentil ou méchant – au destin, vous
comprendrez que le sujet de cette semaine risque d'en
perturber plus d'une. Je ne m'adresse pas, cette fois, qu'à
mes consœurs sans attaches, mais bien à toutes les femmes.
Parlez du site à vos copines mariées ou en couple, invitez-les
à venir nous voir. Mon but n'est pas de faire douter celles qui
vivent un bonheur conjugal sans ombrage ni de crucifier les

couples qui, d'un commun accord, choisissent d'élargir le cadre de leur union pour découvrir de nouveaux plaisirs entre adultes consentants. Non, ce n'est pas mon genre. Je souhaite plutôt condamner ceux qui n'utilisent pas leurs couilles à bon escient. Ceux qui prétendent que leurs gestes sont sans conséquence, qu'ils «n'enlèvent rien» à leur tendre épouse ni à leur relation avec elle. Il y a quelque temps, alors qu'une amie m'avait appris qu'un tel fléau faisait rage sur les sites de rencontre, j'avais été choquée. Aujourd'hui, après avoir mené ma propre enquête, je suis sidérée, outrée, dégoûtée. Vous le savez, je ne suis pas une sainte nitouche et je n'ai rien contre le fait de profiter de la vie au maximum. Mais suis-je la seule à trouver que la notion de couple devient inquiétante? Je sais très bien à quel point il peut être pénible d'être prisonnier d'une relation insatisfaisante ou carrément toxique. Je sais aussi qu'il peut être difficile, voire impossible de trouver le courage de réagir plus tôt. Il est souvent plus aisé de trouver des excuses du genre «il va finir par changer», «on a trop de souvenirs ensemble pour jeter ça aux poubelles», ou encore, tout bêtement, la peur de vieillir seule. L'une de vous m'a confié récemment que, pendant qu'elle se morfondait avec tous ces questionnements, son mari, lui, multipliait les aventures, fréquentant des femmes rencontrées sur les sites, auprès desquelles il trouvait un «réconfort» évident. Pour ne pas se faire critiquer, il prétendait que sa femme — si compréhensive devant ses incartades extraconjugales — souffrait d'une maladie dégénérative incurable. Si elle avait su, aurait-elle trouvé la force d'agir? Sans doute. Ou pas. Il en faut du courage pour demander le divorce après de nombreuses années de vie commune, sans s'inquiéter de ce qui nous attend après. Il est tellement plus sécurisant de se mettre bien creux la tête dans le sable que de tout chambouler, risquer de s'appauvrir financièrement, vaincre la solitude et la peur.

Cette femme a fait le saut et elle se prétend enfin heureuse. À cause de son témoignage et de bien d'autres semblables, je m'indigne devant de telles absurdités. Voici des exemples, pris récemment sur un seul site qui comportait plus de sept cent quarante profils de ce genre. Veuillez noter que j'ai conservé l'orthographe défectueuse par souci d'authenticité :

Homme marié fin quarantaine a toujours été fidèle, mais cherche de la nouveauté. Aimerais connaitre dame qui voudrait explorer d'autres avenues et connaitre du plaisir sexuel. J'en suis à mes premières tentatives donc un peu mal à l'aise, mais je me sens prêt à faire le grand pas. Cherche relation amical pour commencé, si ca clic on verra ou ca nous mène, j'ai un bon sens de l'humour, aime bien prendre un verre a l'occasion, P.S. en couple présentement, si vous n'etes pas a l'aise avec cette situation, passé a une autre fiche

Au moins, c'est clair. Mais Karma-Mamma se demande : ta femme, elle, est-elle à l'aise avec cette situation ?

Vu mon engagement les filles, je doit rester DANS L'ANONYMAT, j'espere que vous comprendrez Mesdames, ce n'est pas une question d'apparence, Mais plutôt une question de sécurité national...

Oui, en apprenant l'infidélité de son mari, il n'est pas étonnant qu'une femme puisse avoir des idées de guerre nucléaire. Mais si ce n'est pas une question d'apparence, ô champion, ça doit être OK? Vraiment?

Allo!!! je suis pas très grand, pas très gros. recherche aventure sans landemain. je n'en demande pas plus. juste pour briser la routinne qui s'est installer dans notre couple et pour de nouvelle exp… PS. je suis ouvert a tout, mais pas aux HOMO. ci tu te sent a laise la dedans et bien fait le moi savoir. A++++++ xxx

Ouvert à tout, sauf à te confier à ta conjointe, suis-je en droit de me demander? Ah, elle doit être HOMO.

Bonjour,
je suis à la recherche d'une aventure pour pimenter un peu mon quotidien. aucun attachement. La raison pour laquelle je n'ai pas de photo est assez évidente, je crois. Dans le cas où il y aurait «connection» je pourrai facilement en fournir une. Mes temps libres sont limités. Je travaille au centre-ville et je pourrais me libérer certains après-midi.

Oui, la raison est assez évidente. Les temps libres de monsieur sont limités, il est aisé de le comprendre, pauvre chou. Pas drôle. Il est facile d'imaginer que cet homme joue au bon père de famille le soir, est peut-être même l'entraîneur de l'équipe de hockey de son plus vieux pendant que son épouse s'occupe du karaté de leur fille, du souper, des courses et du ménage. Très triste.

Je recherche une femme entre 40 et 55 ans, pour des rencontres occasionnel, dans le respect et la discrétion.

Une femme non-fumeuse et bien dans sa peau. De bon massage et de bonne caresse son au rendez-vous. Je suis un homme doux et très sensuel.

Il est vrai que sa copine doit détester les bons massages et les bonnes caresses, les femmes aiment rarement ce genre d'attention, de même qu'un homme doux et très sensuel. Pas le choix de chercher la perle rare qui saura l'apprécier, n'est-ce pas?

Je suis à la recherche d'une amie sur une base occasionnelle et discrète. Je ne veux pas embêter personne, je ne veux pas rendre personne malheureux. Je veux juste ouvrir de nouvelles fenêtres pour apprécier encore plus la vie.
Je suis en couple et je n'ai pas l'intention de modifier ma vie. Si tu es dans la même situation ou qu'une relation discrète t'intéresse, dans le respect de chacun et que tu as une certaine liberté la semaine, alors fais-moi signe. J'aimerais bien faire ta connaissance.
En toute amitié...

Assurément, personne ne souhaite rendre quiconque malheureux. Avouer à sa femme qu'il n'est plus heureux avec elle lui ferait beaucoup plus mal que d'apprendre qu'il la trompe à tour de bras. Au moins, lui, il prend les moyens d'apprécier la vie...

J aime les bonnes bouffes a deux, je suis très créatif et j aime rigoler aussi. Je suis un charmeur et fidele. je m'inscrit pour la première fois a ce genre de site, afin de rencontrer quelqu'un qui comme moi a besoin de moment de tendresse, d'une façon spontané et qui pourrait devenir régulière, qui sais?!? mais tout cela dans le secret...

Karma-Mamma dit: «Euh... comment? Bouffes à deux, charmeur et fidèle, mais dans le secret. Alors, ce que tu veux, c'est une copine régulière pour être fidèlement infidèle, c'est ça, chef?»

Ces fiches me rendent folle. J'entends déjà toutes sortes de commentaires de votre part, chères lectrices. Vous êtes sans doute indignées, affolées ou fâchées. D'autres me diront que certaines femmes ne valent pas mieux et c'est tout à fait vrai. Car dans mes recherches, j'ai trouvé plusieurs de nos consœurs, aussi, dans le rôle de la vilaine, quoique dans une proportion nettement inférieure, du sept contre un, je dirais. En voici quelques exemples:

Bonjour,
Belle femme professionnelle indépendante financièrement, recherche homme engagé pour amitié et plus... Mariée, en fin de relation, je recherche un homme qui aime dialoguer et s'amuser. La tendresse, la sensualité et la passion me manquent.
Je cherche donc à combler ces manques.
J'aimerais avoir un homme de la Rive-Sud de Montréal car j'évite les ponts surtout en cette saison. Si tu es prêt à venir sur la Rive-Sud, c'est parfait, j'irai te rejoindre avec ma voiture.

Au moins, celle-ci prend la peine de mentionner qu'elle est en «fin de relation». C'est déjà ça...

Bonjour,

Je recherche un homme célibataire pour une relation occasionnelle, mais suivie à long terme car je suis en couple et desire combler un besoin affectif manquant dans ma relation actuelle. Je suis dans la cinquantaine, grande, mince, très féminine, de belle apparence, douce, affectueuse, attentionnée, cultivée, d'allure et de cœur jeune.

Je recherche un ami/complice de façon occasionnelle, en toute discretion et en privé. Rien de compliqué, mais un homme de qualité. J'apprécie un bon repas, un verre de vin, la musique, la danse, le cinema, la lecture, les belles discussions, les fous rire, bref le bonheur tout simple.

Je ne veux rien changer dans ta vie… un plus tout simplement.

Les hommes en couple qui désirent des rencontres occasionnels dans motel/hotel… s'abstenir… Ce n'est pas ce que je recherche.

Je suis une femme qui aime avoir du plaisir et j aime les hommes franc je suis marier mais j aime rencontrer sans bus precis et soyer discret xxx

Bonjour j'aime les belles choses de la vie, comme le vin, les bon restos et les gens interessants. Pour me charmer, quelques fleurs, un repas de sushi et un bon vin bien choisi sera le prélude a une soirée torride. Si vous etes proche de vos sous et que je ne vaut pas une belle sortie, *veuillez vous abstenir. Pas de photos... pas de réponse...désolée... :))) s.v.p. respectez les limites d'ages merci.*

Les limites, dans ce cas précis, stipulaient qu'elle recherchait un homme beaucoup plus jeune qu'elle... Ainsi, ce ne sont pas seulement les hommes qui rêvent de chair fraîche... mais ça, on s'en doutait, non?

J'ai une tendance naturelle à trouver des justifications à ces dames. Les mauvais baiseurs sont légion, les femmes qui se retrouvent seules ont souvent moins de ressources financières ou doivent se battre pour obtenir une aide. C'est injuste, je sais. Les hommes mentionnés plus haut sont peut-être aux prises avec des germaines ou avec des femmes qui n'ont aucun intérêt pour le sexe (oui, ça existe). Ce n'est pas ce qui me heurte. Ce qui m'atteint aussi profondément, c'est l'abus de confiance: que l'un des conjoints se croit complice, ait la conviction de partager tous ses secrets, ses rêves et ses aspirations avec une personne qui vit dans la duplicité et qui n'a aucun respect pour l'autre. Cette autre personne, la moitié du couple qui, bien souvent, a sacrifié une partie de sa vie pour une famille, un nid, une présence aimante de tous les instants, est victime de mensonges dévastateurs. Alors voilà. De nos jours, à tout âge, qu'est-ce qu'un couple ? Jusqu'où peut-on espérer partager une intimité avec quelqu'un? À quel moment les règles changent-elles? Je sais. Ça peut mener à un débat sans fin... mais en attendant, vous êtes nombreuses à avoir manifesté un souhait de vengeance. Je ne suis pas une femme méchante, mais je pense que beaucoup de ces hommes — et leurs conjointes — méritent qu'on fasse la lumière sur leurs agissements. Vous, si vous étiez leur femme, vous voudriez savoir, non? Et si vous saviez, qu'aimeriez-vous voir se produire? J'ai déjà quelques idées, mais je suis extrêmement curieuse de vous lire, chères lectrices!

Je me dois d'utiliser ce site pour exercer un certain pouvoir sur quelques destinées, celles d'entre nous qui ne méritent pas d'être traitées de la sorte. Nous, chez Karma sutra, pouvons vous offrir une finalité, une satisfaction qui vous aidera peut-être à tourner la page et à trouver une vie meilleure. Peut-être même à trouver le bonheur que vous méritez. Alors, n'hésitez plus! Partagez avec nous vos réactions, vos idées, vos pensées, en privé. Celles qui souhaitent les rendre publiques doivent le préciser, sinon leurs messages demeureront entre nous.

À très bientôt, je l'espère...

Karma-Mamma

J'aurais bien aimé utiliser mon propre cas comme exemple, mais il n'en était pas question. Je tenais toujours à ce que les enfants ou les membres de la famille de Gilles restent en dehors de cette aventure qui ne regardait que moi. Ce n'était pas pour le protéger que je m'abstenais, mais plutôt pour protéger Oli et Fanny. Je n'avais pas besoin de traîner la mémoire de Gilles dans la boue pour obtenir mon contentement.

Chicken!

Pantoute. T'imagines comment Oli réagirait s'il me lisait sur le blogue en train de blaster son père? Ou Fanny? Non, je les aime trop pour ça.

C'est donc beau...

Ce texte a suscité des réactions aussi nombreuses que passionnées. Je n'avais jamais reçu autant de messages. Des femmes fâchées, blessées, amères, qui dénonçaient un nombre incalculable de mésaventures avec des hommes mariés et qui rêvaient de les voir payer pour leurs crimes. Beaucoup confirmaient ce que j'avais deviné : en cas d'infidélité de leur époux, elles préféreraient savoir plutôt que d'être tenues dans l'ignorance. Oui, elles aimeraient mieux l'apprendre, soit d'une amie ou d'une autre source confidentielle, mais pas par hasard ni publiquement. Elles étaient déchaînées ; les dépêches affluaient, remplies de venin, d'accusations, de frustration extrême, la plupart au sujet d'hommes infidèles, mais également d'une foule d'idiots de tout acabit. J'ai pris conscience un peu tard de l'effet pervers de ma sortie et je me suis sentie obligée de faire une mise au point dès la semaine suivante, même si Karma-Mamma ne prenait d'ordinaire la plume qu'une fois par mois.

Mesdames,

Ceci est un appel au calme. Bien que les comportements décrits dans mon billet précédent soient très répréhensibles, il ne faudrait tout de même pas s'imaginer que tous les hommes sont des adultères potentiels ou des salauds de la pire espèce. Quoique le nombre de réactions soit impressionnant, et la quantité de témoignages à cet effet carrément hallucinante, la majorité des hommes ne sont pas aussi détestables ! Vous avez été blessées et trahies, mais je ne me lancerai toutefois pas dans une campagne de lynchage aveugle. Soyez assurées que je ferai ma petite enquête avant d'intervenir, mais promettez-moi, en échange, de ne pas accuser trop vite tout nouvel amour potentiel, d'accord ?

Allez visiter la section «Des hommes de qualité» pour vous réconcilier avec le genre d'hommes qui constitue encore la majorité… et pour les autres, *watch out!*
Karma-Mamma

Il nous fallait passer à l'action. Le but ultime du site allait enfin être atteint et Jessica était tout aussi impatiente que moi. Le lendemain de la Saint-Valentin, elle avait mis fin à sa plus récente relation pour mieux se consacrer à notre «mission» et elle avait bien l'intention de s'amuser, tant que son horaire avec ses petits le lui permettrait.

— C'est un peu chien, lui faire ça un quinze février…

— Ouain, j'avoue, mais je savais qu'il m'avait déjà acheté un cadeau. Alors, t'sais, le jour où je vais laisser passer des bijoux, moi…

— Profiteuse !

— Un peu. Mais c'est pas comme s'il en avait pas profité lui aussi, je l'ai quand même sucé avant de le flusher !

Ce genre de remarque me confirmait à quel point elle serait douée. Elle ne m'a pas déçue. Toujours partante, elle me laissait la propulser dans des situations variées sans se démonter, considérant chacune comme un défi. C'est ainsi que nous avons entrepris notre «échauffement». Avant de passer aux attaques sérieuses, il fallait nous faire la main avec des cas moins lourds et faciles à gérer, offrant un potentiel de résultat intéressant. Ils étaient trop nombreux pour que nous puissions tous les entreprendre; nous les avons donc choisis en fonction de l'intérêt de Jess ou de notre courroux commun. C'était une formule gagnante : plus Jessica était outrée ou dégoûtée par le comportement de notre « victime », plus elle mettait le paquet et plus les résultats étaient réjouissants.

Le premier à subir notre soif de représailles a été Jerry. Ce gars, geronimo667, nous avait été montré du doigt par trois femmes victimes de son attitude de séducteur incontrôlable. Julie en avait connu un, elle aussi, et j'ai souri au souvenir de ce spécimen qui, à l'instar de notre Jerry, n'avait pu s'empêcher de courtiser toutes les femmes de l'endroit où il rencontrait mon amie pour la première fois. Les membres qui l'avaient dénoncé avaient signalé des serveuses de restaurant, des clientes de bar, des femmes accompagnées, même, qui recevaient plus d'attention qu'elles lors d'une première rencontre.

Jessica est donc entrée en contact avec Jerry et a joué le grand jeu. Elle lui a envoyé plusieurs photos d'elle, certaines en maillot de bain ou en jolie robe. Il a mordu à l'hameçon presque immédiatement, comme n'importe quel homme sensé l'aurait fait. Elle se montrait enjouée, envoûtante, et manifestait à Jerry un intérêt auquel il ne pouvait pas rester insensible. Elle l'interrogeait sur ses occupations et ses loisirs, sur ses opinions, et le complimentait sans cesse. Le faisant languir, elle l'a gardé en haleine presque deux semaines avant de lui accorder un rendez-vous ; pour le faire patienter, elle lui dévoilait des détails intimes et lui envoyait des photos avantageuses en lui faisant des avances plus ou moins voilées. Rendu là, le pauvre bougre n'en pouvait plus.

Il a été ébloui en voyant Jessica arriver au restaurant. Après l'avoir salué d'un sourire fracassant, tout en conservant son but en tête, elle s'est mise à faire de l'œil subtilement au serveur. Puis, ses regards se sont faits de plus en plus insistants tandis qu'elle prenait Jerry à témoin de la beauté des yeux du jeune homme en question. Le séducteur était déstabilisé. Enfin, Jessica a lancé des œillades à un homme assis à la table voisine et a flirté avec le jeune *busboy*. « Sont tellement mignons, à cet âge ! » a-t-elle confié à son compagnon en ricanant. Sa conversation était sans réel intérêt, mais son décolleté plongeant retenait toute l'attention de son vis-à-vis. Jerry était subjugué, mais pas au point d'ignorer que le barman avait repéré Jessica et lui souriait de toutes ses dents. Elle a fait durer le manège au cours du repas, s'amusant comme une petite folle devant la mine de plus en plus dépitée de Jerry.

Lorsque le serveur a apporté l'addition, elle n'a fait aucun geste pour payer sa part, mais elle a remercié le serveur avec un sourire à faire fondre les banquises. Jerry a payé ; ils se sont levés et Jessica a sorti deux bouts de papier de son sac à main. Elle a inscrit son nom et son numéro de téléphone sur chacun avant de les remettre, très peu subtilement, au barman et au serveur en soufflant à chacun un baiser coquin. En sortant du restaurant, Jerry n'a pu retenir la remarque qui lui brûlait les lèvres :

— Coudon, t'as l'air pas mal plus intéressée par eux que par moi, c'est pas tellement cool, ton affaire !

Elle lui a souri avec insolence et lui a répondu :

— Ben non, mon Jerry. Je suis pas intéressée, mais je voulais te montrer ce que ça fait, de se faire traiter de même. C'est Lucie, Marielle et Josée qui nous ont parlé de toi, en nous expliquant comment, chaque fois, elles avaient eu l'impression de t'empêcher de cruiser tout ce qui bouge. C'est juste ton karma qui te rattrape. Karma sutra. Tu googleras ça ! Merci quand même pour le souper ; avec un peu de chance, je vais revenir pour une *date* avec le barman ou le serveur. Ciao !

Et là, elle a pris une photo de lui avec son téléphone.

— C'était trop drôle de lui voir la face. Regarde ça !

Le gars avait l'air confus, mortifié et fâché. C'était beau à voir. J'ai pris un grand plaisir à envoyer la photo aux trois filles qui nous avaient fait état de son cas ; leurs remerciements m'ont réchauffé le cœur.

Next !

25

Deux femmes nous avaient parlé de Princeparfait. Cet homme était d'une arrogance incroyable. Il était très beau, en forme, la jeune quarantaine resplendissante. Mais il avait été carrément infâme avec deux de nos membres et sans doute plusieurs autres. Chacune d'elles avait échangé plusieurs messages, photos et anecdotes avec lui avant de le rencontrer. Ces femmes jolies, intelligentes et équilibrées croyaient avoir déniché la perle rare. Toutefois, au bout d'un verre en sa compagnie, chacune avait subi le même traitement. Après les avoir écoutées parler sans rien dire ou presque, se contentant de les regarder de la tête aux pieds avec un air indéchiffrable, Princeparfait avait d'abord lancé à la première :

— Désolé, mais ça marchera pas. T'es gentille, relativement jolie, en tout cas tu pourrais l'être si ton nez était moins long, mais vraiment, tes seins sont beaucoup trop petits. J'aime ça en avoir plein les mains et là, franchement, ça me fait pas bander. Et puis des talons hauts, ça t'aurait pas tenté ? Ça aurait au moins compensé ! T'sais quand t'as pas des belles jambes, t'essaies de les avantager. J'te dis ça de même, ça pourrait t'aider à pogner, à l'avenir…

Maudit colon ! T'as jamais appris à te fermer la gueule ?

Puis, à la seconde :

— T'as l'air vraiment plus jeune sur tes photos. M'as-tu vu ? Penses-tu vraiment que je me promènerais avec toi alors que je pourrais pogner n'importe quelle belle fille de vingt-cinq ans que je croise sur la rue ? Ouais, j'pense que j'vais changer mes critères, trente-six ans, ça commence à être passé date… Eh, j'voudrais pas te voir en bikini, toi, au secours ! Ça paraît que t'as eu des enfants, ton *body* a l'air assez *scrap* merci !

Jessica et moi avions été furieuses. Qui peut être aussi mal élevé pour dire de telles choses ? Mais c'est le « passé date » et le « *body* assez *scrap* » qui ont vraiment fait sortir Jessica de ses gonds. Elle voyait rouge, donc celui-là ne s'en sortirait pas facilement.

Il a été simple pour elle de prendre contact avec lui. J'ai incité Jessica à changer son âge sur sa fiche, juste pour rendre l'imbécile encore plus intéressé. Elle a accepté d'inscrire trente et un ans, ce qui était tout à fait plausible. Jess, un peu craintive, se demandait comment elle réagirait s'il lui balançait de telles horreurs au visage. Elle s'est donc préparé quelques répliques caustiques, mais elle n'a pas eu besoin d'y recourir.

En la rencontrant pour la première fois après une semaine d'échanges fréquents, le superbe et horrible Patrick a souri comme un enfant. Jessica l'avait ébloui, de toute évidence, ce qui n'était pas étonnant, puisqu'elle avait profité des premières douceurs de mars pour aiguiser ses armes printanières : robe courte et décolletée, bottes à talons hauts, cheveux ondulés cascadant jusqu'au milieu du dos, elle s'était pomponnée à fond. Patrick et elle s'étaient entendus sur un verre, mais, conquis, il l'a invitée à souper dans un restaurant prestigieux tout à côté. Il a même ajouté, avec toute la subtilité d'une benne à ordures, qu'il habitait tout près.

Jessica a commandé ce qui était le plus cher au menu et a joué la carte de la séductrice à la perfection. Patrick se faisait de plus en plus transparent sur son appréciation à mesure que le vin coulait et que le repas avançait. Il était enchanté qu'elle ait pris contact avec lui, lui disait qu'il avait enfin l'impression d'avoir trouvé une femme à sa hauteur. Au moment où elle se demandait justement s'il était aussi exécrable que l'avaient décrit les membres de Karma sutra, il s'est mis à lui raconter ses récentes rencontres. Il n'avait aucune conscience de sa bêtise. Jess l'a laissé parler.

— Les filles pensent toutes qu'elles peuvent se pogner un gars comme moi, mais franchement ! J'ai quand même des exigences, j'accorde pas le privilège d'être avec moi à n'importe qui. J'ai une réputation à protéger et c'est pas le choix qui manque. Mais toi... tu me rends déjà fou ! T'es parfaite ! Qu'est-ce que tu manges pour être belle de même ?

Seigneur. Y'a encore des innocents qui disent des affaires de même et qui se trouvent smattes ? My God !

Quelle phrase stupide ! J'avais cru qu'on l'avait éradiquée dans les années 1970, mais ce n'était apparemment pas le cas. Jessica s'est retenue de lui répondre une imbécillité du même acabit. Elle lui a plutôt demandé, l'air faussement angélique :

— Et ça te dérange pas que ces femmes aient été blessées, qu'elles aient eu l'impression d'avoir perdu leur temps ? T'avais pas vu leurs photos avant de les rencontrer ?

— Tu me demanderais pas ça si tu les avais vues ! Pis des photos, ça montre ce qu'on veut montrer et elles avaient vraiment l'air pas pire. Non, non. Je leur ai rendu service. Faut quand même s'en rendre compte quand on a pas ce qui faut. Elles vont peut-être viser moins haut, la prochaine fois. J'imagine que j'aurais de la misère à l'accepter, moi aussi si je faisais dur, mais y'a pas juste eux autres qui ont perdu du temps. Moi avec, j'ai gaspillé des soirées ! En tout cas, c'est pas important. L'important, c'est toi et moi. On vient juste de manquer la Saint-Valentin, me semble qu'on aurait dû la passer ensemble, si on s'était connus avant. On va aller prendre un verre chez moi pour se reprendre et continuer à jaser.

Jessica n'a pas répondu tout de suite, puisque le serveur s'était amené et que Patrick était occupé à régler l'addition. Quand ils ont été de nouveau seuls, elle lui a lancé :

— Euh, non, Patrick.

— Non ? Comment ça, non ?

— Parce que tu me plais pas.

— Hein ? De quoi tu parles ? Ha ! ha ! t'es drôle ! Je t'ai presque crue, là, même si c'est assez dur à croire !

— C'est pas une blague. T'es arrogant, fendant, tu te prends pour le nombril du monde, mais t'es loin de ça. T'es artificiel, superficiel, t'as l'air beaucoup plus vieux que sur tes photos. En plus, je suis certaine que ta queue est trop petite pour moi, surtout que j'ai eu des enfants et mon vagin doit être assez *scrap,* comme le reste. Tu bandes probablement mou *anyway.* Je regarde tes mains, là, et c'est pas super tentant. T'es égocentrique et tellement pas intéressant qu'il a fallu que je me force pendant deux heures pour t'écouter parler de toi, toi et toujours toi. T'es con, Patrick, et tu devrais chercher des filles aussi connes que toi, sinon, elles vont se tanner vite, t'sais ? C'est pour te rendre service que je te dis ça, là, tu vas peut-être viser un peu moins haut, la prochaine fois, hein ? Ah, en passant, les filles que tu as flushées te disent salut. Elles ont trouvé des gars super, ben différents de toi. Des gars comme toi, y'en a des tonnes ; la seule chose qui te rend spécial, c'est que t'es tellement frais chié que c'est *turn-off.*

Elle a sorti son téléphone et pris une photo. Il avait l'air d'un gars qui vient de recevoir une claque en plein visage. C'était jouissif.

Encore ! C'est trop amusant !

Notre troisième victime s'appelait Vincent. Une de nos collaboratrices nous avait expliqué qu'elle avait connu plusieurs hommes, des vrais « magasineux » dont la technique l'avait révoltée. Ils écrivaient à des dizaines, parfois des centaines de filles et prenaient rendez-vous avec dix ou douze, selon le nombre de réponses qu'ils recevaient. Certains, plus efficaces que d'autres, s'organisaient pour caser toutes leurs premières rencontres en plus ou moins une semaine. Julie avait aussi rencontré un débile dans ce genre, c'était assez commun. Mais le dernier que cette femme avait côtoyé avait poussé le jeu un peu loin. Il l'avait rencontrée une première fois et l'intérêt semblait aussi solide d'un côté comme de l'autre. Puis, un second rendez-vous avait eu lieu, à la fin duquel ils s'étaient embrassés avec passion. C'était très prometteur et la fille en question, Nancy, avait coupé le contact avec d'autres hommes avec qui elle correspondait.

Elle n'avait pas l'intention de courir plus d'un lièvre à la fois et celui-là l'intéressait vraiment. Ils s'étaient revus une autre fois et avaient passé une magnifique journée de randonnée en montagne. Vincent s'ouvrait à elle peu à peu, lui faisait part de son désir de mieux la connaître tout en prenant le temps qu'il fallait pour qu'ils s'apprivoisent. Le jeune homme n'était pas très disponible, mais ça ne représentait pas une entrave pour Nancy. Il ne cherchait pas à l'entraîner au lit trop vite non plus, ce qui l'étonnait et la charmait à la fois, même s'il était clair que le désir devenait de plus en plus palpable.

Au bout de trois semaines, « ça » s'était enfin produit et Nancy avait été enchantée. Elle avait même passé la nuit avec lui, ce qui était exceptionnel dans son cas ; elle baissait sa garde peu à peu. Vincent prétendait ne vouloir rien précipiter, souhaitait établir quelque chose de vrai et de durable entre eux, alors il n'y avait pas d'urgence, n'est-ce pas ?

Ils se sont revus la semaine suivante, et l'autre d'après. Au lit, une belle complicité s'établissait, et ailleurs, ils s'amusaient comme des fous, discutaient agréablement de toutes sortes de choses, partageaient une foule de champs d'intérêt. Mais un beau jour, il lui a dit que, malheureusement, les choses n'iraient pas plus loin. Elle était déconcertée et le lui a fait savoir. Avait-elle fait quelque chose pour lui déplaire ? Il lui a juré que non, au contraire. Après plusieurs tentatives et une insistance toute légitime de la part de Nancy, il avait fini par lui avouer :

— Écoute, c'est pas toi, c'est juste qu'avant de me décider, il fallait que j'apprenne à bien connaître chaque fille qui m'intéressait. C'est juste normal, je voulais pas me tromper !

Il s'était avéré que le gars en question fréquentait quatre filles en même temps, pour mieux « connaître » chacune d'elles avant d'arrêter son choix. Pensant flatter Nancy, il lui a attesté que l'une d'entre elles avait été « éliminée » le lendemain de leur première nuit ensemble parce qu'elle avait été d'un ennui mortel au lit. Une deuxième fille s'était fait remercier une semaine plus tard. Il ne côtoyait donc que deux filles depuis trois ou quatre semaines. Hélas, c'est l'autre qui a remporté la partie. Meilleure chance la prochaine fois !

Nancy était fâchée. Pas tant parce qu'il avait fréquenté deux filles à la fois, c'était méprisable, mais tellement banal... Non, ce qui l'enrageait, c'était qu'il lui avait caché tout ça, préférant lui laisser croire qu'ils étaient en train de « construire » quelque chose, alors qu'elle n'était encore qu'à « l'essai ». Ça, et le fait qu'il lui avait affirmé ne souffrir d'aucune infection transmissible sexuellement, résultats de tests récents à l'appui, pour la convaincre de délaisser le condom. Comme Nancy avait été abstinente depuis ses propres derniers tests, elle s'était crue en sécurité avec lui. Or, voilà qu'il avait joyeusement trempé son pinceau dans au moins quatre filles depuis qu'il la connaissait qui, elles, avaient peut-être des relations fréquentes et non protégées depuis des années. Quel imbécile ! Nancy était hors d'elle.

J'te comprends, ma belle ! Quel con !

Il apparaissait que sa relation avec l'heureuse élue n'avait pas fonctionné, puisque le génie était de retour sur les sites de rencontre avec l'intention de recommencer son manège. Nancy n'avait pas pu résister à la tentation de le dénoncer et l'occasion était trop belle de porter notre petit jeu à un niveau supérieur.

Jessica a d'abord consulté sa fiche et demandé à Nancy de lui donner tous les renseignements qui lui permettraient de l'appâter. Elle a appris qu'il était fou de rock alternatif, adorait jouer au billard et affectionnait le cinéma québécois. Jess jouait au billard comme une championne ; elle a trouvé facilement la page Facebook de Vincent, sur laquelle il commentait ses groupes de musique préférés. Elle a donc pris des notes, loué plusieurs films québécois incontournables ainsi que d'autres, plus obscurs, afin d'être à la hauteur des attentes de sa proie avant d'intégrer ses nouveaux champs d'intérêt à sa propre fausse page Facebook. Elle serait ainsi fin prête lorsque Vincent la consulterait, ce que sa curiosité pousserait certainement à faire d'ici peu.

Après avoir choisi son moment en fonction de la garde des enfants, Jessica a sauté dans l'arène. Il n'a fallu au mélomane que quelques heures pour réagir, en constatant que Jessica avait consulté sa fiche sur le site. Il lui a adressé un assez long message, se disant flatté et enchanté de sa visite, mentionnant qu'il espérait avoir piqué sa curiosité et qu'il souhaiterait faire plus ample connaissance. Elle a répondu presque aussitôt et ils se sont mis à s'écrire.

Vincent était impressionné par le nombre de champs d'intérêt communs. Il se disait renversé et excité qu'une aussi belle fille qu'elle semble aimer les mêmes choses que lui, c'était incroyable. Quel hasard ! Ce devait être le destin qui l'avait mise sur sa route !

— Non, c'est le karma ! a-t-elle répondu laconiquement.

— Destin, karma, même chose, non ?

— Pas tout à fait, mais pas grave, tu vas comprendre bientôt !

Elle a minaudé, lui a laissé croire qu'elle pensait la même chose, et l'a doucement entraîné, sans lui laisser la moindre chance, dans sa toile d'araignée.

Il lui a proposé un premier rendez-vous qu'elle a refusé, prétextant un empêchement au travail. Au deuxième, elle a accepté d'aller seulement prendre un verre. « Comme ça, si ça clique pas de mon côté ou du tien, on perdra pas une soirée complète ! » Il s'était dit charmé par sa franchise et son côté direct. Quand il l'a vue, en ce soir de mars anormalement doux, son regard s'est allumé d'un seul coup. Coup de foudre, sans doute. Elle s'est montrée aimable, joyeuse, mais sans grande chaleur. « On se connaît à peine, je veux pas aller trop vite ! » Il a approuvé et ils se sont laissés après deux verres, puisqu'elle avait un autre « engagement ». Battement de cils et balancement des hanches. Il n'y a vu que du feu.

La fois suivante, ils ont mangé ensemble. Jessica s'est montrée plus ouverte, plus chaleureuse, et Vincent était sous le charme. Il avait eu beaucoup de mal à attendre une semaine complète avant de la revoir, mais les enfants demeuraient la priorité de Jess même si sa « victime » n'avait pas à le savoir. Avait-elle ressenti la même chose ? « Oui, mais tu sais, je cherche quelque chose de durable, pas un *one night,* alors j'aime mieux être patiente ! » Il avait souri béatement, comme un adolescent devant la page centrale de *Playboy.* Le jeune couple en devenir avait joué au billard dans une brasserie rock ; Jessica connaissait ses chansons préférées, les fredonnait en dodelinant de la tête. Elle était parfaite pour lui, la femme de ses rêves, et il ne se gênait pas pour le lui faire savoir. Ils ont discuté de cinéma, de voyages, pendant qu'elle le battait à plate couture au billard. Il ne s'en offusquait pas, au contraire.

Ce soir-là, ils se sont embrassés ; elle lui a permis de la caresser, de laisser augmenter l'intensité, parce qu'il lui plaisait assez et qu'elle avait trop envie de le voir saliver devant elle comme un chiot aux abois. Il la désirait avec une ardeur toute charmante, comme en témoignait l'érection qui lui broyait le bassin lorsqu'il la pressait tout contre lui en caressant ses seins, le souffle court et la bouche sèche. C'était assez, pour une première fois. Elle l'a quitté après avoir touché d'une main ferme et inquisitrice cette bosse avenante, laissant Vincent dans un état d'excitation douloureux.

La semaine suivante, elle ne pouvait malheureusement pas le voir. La semaine d'après, elle était soi-disant à l'extérieur pour un congrès même si en réalité c'était l'anniversaire de sa fillette qu'elle célébrait à la cabane à sucre. Vincent lui a dit qu'il patienterait, mais qu'il avait très hâte de la revoir. Il sentait vraiment quelque chose de spécial se produire avec elle. Ils se sont enfin revus, et Jessica, qui n'avait pas eu d'amant depuis des semaines, a profité de l'occasion pour soulager un manque qui devenait criant. Je ne lui aurais jamais demandé d'aller aussi loin, mais elle en avait envie. Elle le trouvait mignon et manquait de divertissement. J'ai cru déceler une lueur de méchanceté dans ses yeux, mais je ne m'y suis pas attardée. Tant pis pour lui.

À l'appartement de Vincent, après une soirée bien arrosée et un délicieux repas empreint de séduction, elle a insisté pour qu'il porte un condom ; il a refusé, lui a dit qu'il venait de se faire tester et que tout était parfait, mais elle lui a répondu que ce n'était pas négociable, qu'elle avait connu sa part de menteurs et qu'elle n'allait pas risquer sa santé, même sa vie, pour un moment de plaisir avec quelqu'un qu'elle connaissait somme toute bien peu. « Vu de même, tu me donnes pas tellement le choix ! » a-t-il maugréé. Ils ont donc passé une nuit torride durant laquelle Jessica a usé et abusé de tous les trucs qu'elle connaissait pour rendre un homme amoureux fou. Elle l'a dominé, s'est laissé dominer à son tour ; elle s'est montrée gourmande, passionnée, enfiévrée. Une chatte langoureuse et sensuelle. Elle a profité de chaque minute, livrant une performance remarquable, allant même jusqu'à lui confier qu'elle ne s'était pas sentie aussi bien depuis un très long moment. Il avalait chacune de ses paroles avidement.

Jessica a accepté de le revoir deux autres fois au cours du mois de mars, quand son horaire de garde partagée le permettait. Ce serait assez, il commençait à l'ennuyer. Mais lui, au contraire, s'entichait de plus en plus. Au matin du dernier jour, il lui a demandé de passer la journée avec lui. Au menu : un festin comme petit déjeuner, ensuite une journée au spa et finalement un souper délicieux préparé par ses soins avant d'aller au cinéma. Elle l'a regardé, a mis une main sur sa joue et lui a dit :

— Je suis désolée, ça sera pas possible.

— Pourquoi ? T'as quelque chose d'autre, c'est ça ?

— Ben oui, puisque t'en parles, j'imagine qu'il faudrait bien que je te dise. J'ai un chum, c'est tout récent. En fait, je viens juste de me décider. C'était pas facile, tu comprends, j'attendais de bien vous connaître avant de choisir... je voulais pas me tromper !

Il est resté sans mot. Puis, il s'est fâché :

— Quoi ? Tout ce temps-là qu'on passait ensemble, tu voyais quelqu'un d'autre en même temps ? Quand t'étais pas disponible, c'est parce que t'étais avec lui ? C'est dégueulasse, t'es un méchant numéro, toi !

— Ah bon ? C'est fou, moi je connais plein de gars qui font ça. Y'en a même un qui a fait ça avec quatre filles en même temps, spécial, hein ? La première a pas duré longtemps, paraît qu'elle était plate au lit, mais les autres… Je pensais que c'était la chose à faire, c'est tellement une grosse décision !

Sur ce, elle s'est levée, l'a embrassé sur la joue avant de prendre rapidement la photo traditionnelle. Puis, elle s'est habillée, le laissant là, nu et interloqué.

Merveilleux. Mais là, il était temps de passer aux choses sérieuses.

Mouhahahahaha ! Hi ! hi ! ça me va quand même bien,
le rire diabolique !
Franchement, Maryse. Grow up…
Ta gueule !

26

Stéphane était chef cuisinier et propriétaire d'un restaurant bien coté de Montréal. Julie l'avait même rencontré environ un an plus tôt sur un autre site.

C'est même là que t'as commencé à te réveiller à propos de Gilles, hein ?

Ouep.

C'est lui, le premier qui t'a fait rêver de te venger, non ?

En plein ça !

Ça y est, le moment que j'attendais est enfin arrivé. Il va passer au *cash*.

Julie avait bien aimé sa sortie avec lui et s'était même permis de s'emballer. Jusqu'à ce qu'il lui avoue qu'il était « comme marié ».

Il a vraiment dit ça. Ouf.

Cet épisode avait marqué le début des doutes et des affreux soupçons et avait irrémédiablement changé ma perception de mon mariage. Beurk. Je me souvenais de la façon dont j'avais été choquée de l'entendre me raconter ça. Quoi qu'il en soit, il était clair que le fameux Stéphane était toujours actif sur les sites et résolu à faire de son épouse une femme trompée, ce qu'il avait sans doute déjà fait plusieurs fois par le passé.

Julie avait voulu se venger, et moi aussi, mais l'odieux personnage nous était sorti de l'esprit. Cependant, Jessica l'a repéré, un bon soir de recherches à la maison, et j'ai su que le moment était venu de sévir. Jessica le trouvait alléchant à plusieurs points de vue, et je lui ai confirmé que Julie avait eu la même impression. Je me suis souvenue qu'une autre femme avait déjà communiqué avec moi, quelques mois plus tôt, pour me signaler son comportement. Cette dernière avait eu le temps de tomber follement amoureuse avant de connaître, beaucoup plus tard, sa situation. Elle était entrée dans une colère épouvantable, s'était sentie trahie, utilisée, et je lui donnais raison sur tous les plans. Sa fulmination l'avait menée à vouloir trouver l'épouse de Stéphane pour la prévenir, mais elle m'avait plutôt demandé d'imaginer une autre sanction encore plus virulente. Elle souhaitait qu'il soit humilié autant qu'elle l'avait été. Il l'avait menée en bateau pendant presque trois mois avant qu'elle apprenne, tout à fait par hasard, qu'il partageait sa vie avec une femme depuis plusieurs années, la mère de ses enfants, de surcroît. Il lui avait affirmé qu'il était séparé depuis un an. Avait-il changé sa tactique après sa rencontre avec Julie ? Avec elle, il avait été honnête en ce sens qu'il lui avait avoué son état matrimonial avant de passer aux choses sérieuses. Ça ne l'avait pas servi… Peut-être s'était-il dit qu'on ne l'y reprendrait plus ? Bref, Louise, sa dernière victime, était tombée sous son charme sans qu'il fasse quoi que ce soit pour l'en empêcher. De fil en aiguille, elle s'était laissé amadouer, lui avait fait confiance quand il prétendait que c'était la guerre avec son ex et qu'il ne souhaitait pas, par crainte de représailles, exposer leur relation au grand jour. Louise était patiente, mais il lui tardait de le présenter à ses amies et à sa famille ; elle avait hâte d'emménager avec lui et de crier son bonheur sur les toits. Elle avait espéré ce moment depuis si longtemps ! D'une déception à l'autre, elle voyait enfin se dessiner la fin d'un trop long célibat, et ça la rendait euphorique.

Elle avait découvert le pot aux roses un soir où elle avait décidé de lui faire une surprise et d'aller souper dans son restaurant avec trois de ses amies. Louise les avait entraînées là en leur confiant qu'elle allait enfin pouvoir leur « montrer » son amoureux, à défaut d'avoir la possibilité de le présenter officiellement. Les quatre amies avaient bien mangé, bien bu et Louise s'apprêtait à demander à la serveuse si elles pouvaient féliciter le chef, sachant qu'il prenait plaisir à rencontrer les clients en salle à la fin de la soirée. Sans qu'elle ait à le demander, il était apparu et s'était dirigé vers une table du fond, à l'autre extrémité de la pièce. Là, il avait embrassé une femme, trop familièrement pour qu'il s'agisse d'une simple amie. Les deux adolescentes qui prenaient place à leur table avec un autre couple lui avaient fait un câlin affectueux. Elle avait entendu l'homme s'adresser à Stéphane comme étant le « beau-frère ».

Louise le voyait leur parler en souriant, la main non-chalamment posée sur l'épaule de la femme qui semblait être la mère des deux filles ; celle-ci avait à son tour posé sa main sur la sienne, et Louise avait enfin compris. Cette inconnue était l'épouse de Stéphane et son attitude n'avait rien de celle d'une ex. En guerre ? Vraiment ? Restée muette, Louise s'était retournée pour s'assurer qu'il ne puisse la voir. Elle avait regardé ses amies sans devoir ajouter ou expliquer quoi que ce soit. Elle avait honte. Ses copines n'ont pas dit un mot, tout en lui manifestant leur soutien indéfectible, comme le font de véritables amies.

Le repas s'est terminé dans le silence le plus complet. Jamais Louise ne s'était sentie aussi humiliée de toute sa vie. Et moi, je compatissais de toutes les fibres de mon être. Avec elle, bien sûr, mais avec l'épouse, aussi. Un plan s'est dessiné tout doucement dans mon esprit. J'étais étonnée de la méchanceté qui s'en dégageait, mais je n'avais aucune envie de la combattre. Ce serait… délicieux.

Louise nous a donné tous les renseignements dont nous avions besoin, et même davantage. Elle avait noté l'adresse de Stéphane, trouvée dans son portefeuille un soir qu'il dormait après des ébats énergiques. Il aurait été aisé de trouver son numéro de téléphone et de communiquer avec sa femme lorsqu'il serait au travail, mais c'était trop simple. Je me suis donc transformée en petite détective privée.

J'ai épié cette femme dont j'avais pitié. C'était facile. Elle avait une routine rodée au quart de tour. Elle partait de la maison chaque matin à la même heure, laissait ses filles à l'école secondaire et se rendait non loin de là, dans un centre de jardinage et d'aménagement paysager où elle travaillait apparemment comme conseillère. La rencontrer a été un jeu d'enfant. Nous étions en plein jour, l'endroit était désert, et moi, comme les premiers signes d'un printemps hâtif se manifestaient, j'avais tout à coup envie de changer mon environnement extérieur.

En demandant à la voir, j'ai appris qu'elle était copropriétaire de l'entreprise. Je l'ai tout de suite trouvée sympathique : c'était une belle femme d'environ quarante-cinq ans, qui respirait la santé et la douceur. Le genre de femme que son ignoble mari ne méritait pas. Dans son bureau se trouvaient de nombreuses photos : deux magnifiques adolescentes, leur père, un chien. Le portrait de la famille parfaite. Je l'ai félicitée, sincèrement admirative :

— Vous avez une bien belle famille…

— Merci, c'est gentil ! Je suis bien consciente de ma chance. Vous avez des enfants ?

— Oui, tous les deux à l'université. Ils sont merveilleux ! Mon mari est décédé, l'an dernier. C'est pour ça que j'ai envie d'un nouveau décor. J'ai changé mon intérieur, maintenant c'est au tour de l'extérieur !

— Oh, je suis vraiment désolée.

Elle était mal à l'aise. Je me suis empressée de la rassurer :

— Ne vous en faites pas, il était malade depuis longtemps, c'était une libération autant pour lui que pour moi.

Oui, c'était un méchant malade, mon mari.

T'sais le genre de malade que t'as envie de pendre par les couilles ?

Ben c'est ça. Un vrai king.

Ce demi-mensonge m'a fait du bien. La maladie dont il avait souffert n'avait en aucun cas été fatale ; on ne meurt pas d'être un salopard menteur, manipulateur et trompeur. Mais comme il s'était amusé à dire à ses maîtresses que je souffrais d'une maladie grave nous empêchant d'avoir une vie de couple satisfaisante, cet euphémisme constituait un petit baume. Et le sentiment de libération, lui, était bien réel.

J'ai continué :

— Alors, vous pouvez m'aider ?

Nous avons discuté plus longuement. Je lui ai expliqué ce qui me plaisait, ce dont j'avais envie, en particulier la petite serre dont je rêvais depuis des années, en lui précisant que mon budget n'était pas limité. Ce détail l'a fait sourire de plaisir et d'anticipation.

— C'est tellement rare qu'on n'ait pas à faire le maximum avec le moins d'argent possible ! Les clients sont exigeants et s'attendent à des miracles… mais je ne me plains pas, je vois ça comme un nouveau défi, chaque fois ! Je ne vous ferai pas dépenser inutilement, ne vous inquiétez pas.

Je n'étais pas inquiète, cette femme m'inspirait confiance. Et j'espérais lui inspirer la même chose parce qu'avec ce que j'avais en tête, il me fallait en apprendre bien davantage. De plus, comme elle me semblait tout à fait charmante, je ne souhaitais pas lui faire exploser son univers de manière brutale. En fait, je ne souhaitais pas le lui faire exploser du tout, mais je n'avais pas le choix. Je savais ce que c'était, j'étais passée par là et j'avais fait le serment d'ouvrir les yeux à toutes celles à qui on refusait la vérité.

J'ai tout à coup pensé à Julie. Pour la première fois, j'ai compris quel avait dû être son dilemme. Elle avait su avant moi que Gilles me trompait, et ce secret avait dû être d'une lourdeur épouvantable. Qu'aurait-elle fait si le hasard n'avait pas décidé de faire mourir mon cher mari ? Aurait-elle trouvé une façon douce de m'annoncer une telle chose ? Au nom de notre amitié, elle n'aurait certainement pas pu se taire. Mais moi, comment aurais-je accueilli cette révélation ? Certainement mieux que si une étrangère m'avait révélé les faits. Mais bon, je ne saurais jamais ; je ne pouvais qu'imaginer. Et Sylvie, cette femme qui se tenait devant moi, encore vierge de toute la douleur à venir, je la respectais déjà beaucoup trop pour reculer.

Sylvie est venue chez moi trois fois au cours de la semaine suivante, et je me suis arrangée pour être libre à chacune de ses visites. Elle a d'abord pris des mesures et des photos, avant de faire quelques croquis. Ensuite, elle m'a montré des échantillons et des modèles de pierre, de plantes, d'arbres et de divers matériaux d'ornement en me donnant des détails dont j'avais besoin pour faire construire la serre que je convoitais. Enfin, comme je souhaitais avoir un bassin de plantes aquatiques, elle m'a présenté quelques esquisses. C'était époustouflant. D'une compétence extraordinaire, elle avait parfaitement compris ce que je voulais. Je trouvais triste qu'elle ait un tel instinct pour déceler les goûts de ses clients, mais aucune antenne valable pour démasquer son époux...

Plus je la côtoyais, plus je l'appréciais. Ça a cliqué entre nous, comme il arrive, quelquefois, avec des étrangers. Simplement et naturellement. Elle était plus jeune que moi et nous étions très différentes l'une de l'autre, mais ça n'altérait pas mon plaisir de discuter avec elle comme si nous étions de vieilles copines. Elle se serait bien entendue avec Val et Julie. Jess ? Peut-être pas, d'autant plus que les relations n'étaient pas aussi fluides entre mes amies que je l'aurais espéré. Comme chaque fois que je songeais à Val depuis notre dispute – plus de trois mois s'étaient déjà écoulés, c'était affreux ! –, ma culpabilité faisait surface. Je l'avais invitée à la maison, mais elle avait décliné, puisque Robert était en ville. J'avais été piquée. Il était plus important pour elle de passer tout son temps avec Robert que de consacrer une heure à son amie de toujours pour tenter une réconciliation ? Tant pis. Je me renfrognais malgré les commentaires de plus en plus fréquents de Julie et je me rabattais sur la mission en cours.

Sylvie, donc. Elle était intelligente, vive, généreuse et d'une gentillesse peu commune. Pourquoi était-ce toujours les meilleures personnes qui se faisaient faire les pires vacheries ? Parce qu'elles sont trop bonnes, justement. Elle me rappelait comment j'étais, si peu de temps auparavant. J'aimais croire en l'honnêteté des gens, je faisais spontanément confiance et je n'avais pas une seule once de malice. Les circonstances m'avaient bien changée…

Quand même, ça t'arrivait à toi aussi d'être un peu bitch, même avec tes amies…

Oui, c'est vrai, mais affectueusement bitch, c'est pas pareil.

Mettons…

Sylvie me parlait de ses filles, dont elle était extrêmement fière, de toute évidence. Ses yeux brillaient lorsqu'elle partageait avec moi le talent en danse de l'une et les succès scolaires de l'autre. Lorsqu'elle évoquait Stéphane, son mari, c'était autre chose et ça m'a brisé le cœur. Ils étaient mariés depuis plus de dix-neuf ans et il crevait les yeux qu'elle était toujours aussi amoureuse. Chaque fois qu'elle prononçait son nom, un doux sourire illuminait son visage :

— J'ai vraiment de la chance. Stéphane est un homme fantastique. Il a travaillé fort pour arriver où il est ! On en a fait des sacrifices. J'ai attendu qu'il soit installé pour démarrer mon commerce et ça a valu la peine. On est heureux, un beau bonheur tranquille, sans histoire, je me pince des fois pour être sûre que je rêve pas…

Je ne le connaissais même pas que je le détestais avec fougue. J'avais hâte de lui faire payer ses aventures, mais j'étais en même temps vraiment triste du chagrin que cela causerait à Sylvie et à ses filles. Je me suis même demandé s'il ne valait pas mieux me contenter de donner une espèce d'avertissement à l'infidèle, le faire chanter, en quelque sorte : ou il mettait fin à ses stupides pulsions, ou bien nous le dénoncions. Au fond de moi, je savais que ça ne donnerait rien à long terme. Il serait peut-être secoué au point de prendre une pause, mais à mon avis, tricheur un jour, tricheur toujours. S'il s'était contenté d'avoir eu un « accident de parcours », j'aurais sans doute pu être plus conciliante. Mais le fait qu'il était inscrit sur un site et y demeurait aussi fidèle – plus qu'à sa femme, en tout cas ! – indiquait clairement la préméditation. Comme pour un meurtrier, ça changeait tout pour le choix de la sentence. Et comme il était un récidiviste, je ne voyais pas de salut. Il était temps de mettre Jessica à l'œuvre.

Ma jolie voisine représentait une véritable énigme. En surface, elle paraissait sûre d'elle, maîtresse de ses humeurs et toujours aussi téméraire. La femme fatale dans toute sa splendeur. Entre nos « interventions » de justicières, en plus de s'occuper brillamment de ses enfants lorsqu'elle en avait la charge, elle continuait de multiplier les rendez-vous, choisissant avec soin certains candidats avec lesquels elle passait des nuits torrides. Ils n'étaient pas si nombreux, mais elle se lassait vite. Stéphane lui plaisait ; elle n'aurait aucun mal à jouer son petit jeu de séduction avec lui, ce serait même un plaisir. Et surtout, aucun homme n'avait la moindre chance de lui résister, même lorsqu'elle ne faisait pas d'effort. Je savais bien que ce trait agaçait Julie bien plus qu'elle ne me l'avouerait jamais, mais moi je comptais m'en servir, puisqu'elle était volontaire. Et avec lui, elle voulait jouer le grand jeu. Le faire tomber de très, très haut. Je le plaignais d'avance.

Jessica s'est mise à tourner autour de Stéphane sur le site qu'il fréquentait et il ne fallut qu'une brève approche pour qu'il lui écrive un message des plus enthousiastes. Ils ont commencé leur correspondance. Jessica faisait tout ce qu'il fallait : elle manifestait un intérêt marqué pour son métier, le complimentait sur son apparence, son esprit, lui disait combien il était agréable d'être en contact avec un homme tel que lui. Elle était à son naturel, ne jouait pas la comédie ; simplement, l'art de la séduction était inné chez elle.

Ils ont fini par se rencontrer le jeudi précédant le long congé de Pâques. Jessica lui avait laissé entendre qu'il l'intéressait tant qu'elle n'en pouvait plus d'attendre de le voir en chair et en os. Elle prétendait avoir un bon feeling et lui, devant autant de charme, de beauté et de panache, n'a pas cherché à la contredire ni même à tempérer son ardeur. Il était cuit.

Stéphane avait expliqué à Jessica qu'il n'était pas libre en soirée. Quand il ne travaillait pas, il passait du temps avec ses filles qui souffraient encore, les pauvres, de sa relation houleuse avec son ex-femme. Jessica s'est montrée compréhensive et compatissante, ce qu'il a apprécié d'emblée. Ils sont donc allés dîner, un samedi, dans un bistro assez tranquille. Ils ont passé un très agréable moment. Jessica a senti aussitôt que la partie était gagnée, elle flairait bien ces choses.

Pas que les hommes soient prévisibles, mais…
Ha ! ha ! Non, pas pantoute ! On sait JAMAIS
comment ils vont réagir devant une belle femme, hein ?

Stéphane, béat d'admiration, la dévorait des yeux. Elle l'a écouté lui confier à quel point il rêvait d'une relation passionnée avec une femme, d'une amitié sincère teintée d'honnêteté. Mais il semblait triste et piteux en lui disant à quel point son travail était accaparant et combien il souhaitait solidifier sa relation avec ses filles. C'était si précieux ! Jessica lui a souri avec indulgence, lui expliquant que pour elle, la fréquence n'était pas importante ; elle adorait son indépendance et souhaitait à tout prix la préserver tout en recherchant, elle aussi, la passion et la connivence. Elle n'avait pas besoin de voir son compagnon tous les jours, ni même toutes les semaines, l'important était la qualité de leur relation. Il était enchanté. Elle en a rajouté, lui confiant combien elle souhaitait ne pas devoir toujours être en contact avec un homme pour qu'il meuble ses pensées, préférant même l'anticipation au partage d'un quotidien monotone avec quelqu'un. Stéphane était aux anges. Au fil des heures, des minutes, même, il s'est épris d'elle. Tout ce qu'elle lui dévoilait correspondait très exactement à ce qu'il recherchait, lui disait-il, et il était ravi de cette rencontre à laquelle il avait presque cessé de croire. Il prétendait même que c'était presque trop beau pour être vrai.

— Tu dois avoir quelque chose qui cloche ! Tu es trop parfaite…

Jessica a choisi ce moment pour asséner le coup ultime :

— Hum, peut-être. Alors tant qu'à être honnête, je vais te dire. En fait, ça me gêne un peu de t'avouer ça, on se connaît si peu, mais c'est que, vois-tu… j'ai très envie de te faire l'amour, là, maintenant. Ça fait longtemps que j'ai autant désiré quelqu'un, et là, tu me fais un de ces effets ! J'espère que je ne te fais pas peur ou que je ne te déçois pas… Tu vois, je ne suis pas parfaite, après tout !

— … Euh…

— Désolée ! Je m'étais promis de prendre mon temps, je voudrais pas te donner une impression de fille pressée ou facile, je suis pas comme ça d'habitude, mais avec toi, c'est vraiment différent…

— Écoute, c'est pas grave, au contraire. En fait, je me disais exactement la même chose, mais je voulais pas avoir l'air pressé non plus… :

— Tu vois à quel point on est sur la même longueur d'onde ?

Elle a appuyé sa réplique d'un sourire enjôleur avant d'ajouter :

— Tu sais, j'habite tout près…

Il n'en a pas fallu davantage pour que Stéphane la suive, déjà bien bandé, la bave au menton.

Un autre 'tit chien chien qui fonce, les couilles à l'air, la queue dans le vent et la conscience tranquille.

Wouf, wouf !

Quasiment trop facile…

27

— Écoute, il est vraiment très talentueux... si tu vois ce que je veux dire ! m'a confié Jessica, songeuse. C'est presque dommage qu'on doive le punir et le dénoncer à sa femme, parce que je me serais bien amusée avec lui encore un peu ! Je lui ai presque fait un poisson d'avril en lui disant que j'étais amoureuse. Ça aurait été drôle... Mais sérieux, il est vraiment quelque chose.

— Ah, à ce point-là ?

— Oui, vraiment ! T'sais un gars qui sait se servir de ses doigts autant que de sa langue et de sa queue, c'est assez rare ! Et puis il a tenu le coup à la perfection. Quand ils viennent trop vite, c'est plate parce qu'après ils savent pas toujours comment compenser ; quand c'est trop long, c'est pas mieux... y'en a tellement qui pensent te prouver quelque chose en te pompant pendant des heures ! C'est ben l'*fun,* mais après un bout de temps, ça devient moins agréable, hein ? Surtout quand ils veulent que tu les suces. J'ai rien contre, mais après quarante-cinq minutes, la mâchoire en peut plus, là ! Lui, c'était parfait. Il avait le tour de changer de position ou d'activité au bon moment, juste quand j'en avais envie, et chaque fois, c'était encore mieux. Oui, vraiment, c'est dommage...

Je n'avais aucun mal à les imaginer ensemble, Stéphane et Jessica. C'était un peu embarrassant, mais assez divertissant. Rare, un homme qui sait bien utiliser ses doigts et sa langue ? Oui, je m'en doutais, c'est pour cette raison que j'avais inventé mon matelot et que je me plaisais, le temps venu, à mettre ma propre main à contribution. Je ne visualisais que très peu la queue de mon amant imaginaire, je n'en avais pas besoin, puisqu'il savait me faire frémir bien autrement. La façon dont il s'emparait de mes seins, avec la main entière, avant d'emprisonner mes mamelons entre le pouce et l'index et les étirer doucement. La pression parfaite qu'il exerçait sur mon clitoris en le pinçant légèrement, tandis que deux ou trois de ses doigts dansaient en moi. Et sa langue… que dire de ces cercles humides qu'il dessinait en la glissant dans chaque pli, le long de chaque nervure, ou alors de son incursion à l'intérieur même de cette chair humide qui ne rêvait que de l'aspirer tout entière ? Bien plus qu'une queue, je préférais de loin le glissement d'une langue dans ce passage étroit. Étais-je normale ? Peu m'importait. Je ne pouvais pas juger du nombre d'hommes qui savaient en user d'aussi belle façon qu'un homme qui n'existait même pas dans la réalité, mais la parole de Jess au sujet de leur rareté me suffisait. Comment un homme pourrait-il être réellement sensible aux innombrables terminaisons nerveuses qui nous font vibrer ? Et toutes les femmes n'aiment certainement pas le même style de toucher… Comment s'y retrouvaient-ils ? Je les plaignais, au fond. Pauvres hommes !

— T'es pas en train de me dire que tu veux plus jouer, là, hein ?

— Non. Toute la nuit, quand ça devenait trop l'*fun,* je pensais à tout ce que tu m'as dit au sujet de sa femme et ça me remettait les idées à la bonne place. Et j'ai pas encore eu la chance de le cuisiner. Il m'a pas encore parlé d'elle. J'ai bien hâte de voir comment il va s'y prendre !

En effet, Stéphane patinait. Jessica m'a raconté une de leurs discussions sur l'oreiller après un épisode des plus jouissifs. Quelque chose le tracassait visiblement, mais il était habile. L'habitude, sans doute. Il contournait toujours les questions embarrassantes, évitait de trop s'étendre sur le sujet de son ex-femme, de peur de s'empêtrer dans ses mensonges. Cependant, Jessica était tout aussi rusée que lui.

— J'aimerais ça qu'on parte ensemble deux ou trois jours, toi et moi, avait-elle dit. On pourrait aller dans le Nord pendant les vacances, peut-être ? Quand tes filles seront chez ton ex et que tu seras en congé ?

— Ah, oui, bonne idée, mais c'est pas évident, tu sais. Elle me surveille, et si j'ai l'air de faire des dépenses, elle me revient toujours avec des achats qu'elle a faits pour les filles, tu sais ce que c'est…

— Oui, mais un ami me prêterait son chalet, ça nous coûterait rien. T'as le droit de sortir de la ville dans tes temps libres, quand même !

— Oui, bien sûr. On regardera ça. Mais tu sais, elle est vraiment quelque chose, c'est l'enfer !

— Pauvre chou, ça doit pas être facile…

— Non, vraiment pas. Il va falloir que ça se calme, un moment donné, hein ?

— C'est sûr, elle peut pas rester fâchée éternellement. En attendant, tu devrais m'inviter chez toi, j'aimerais bien voir où tu vis. Ça fait quand même un mois qu'on se voit et c'est toujours ici. As-tu honte, coudon ?

— Euh, non, j'ai pas honte, c'est juste que c'est tout petit, on est tellement mieux chez toi !

— OK ! Mais je connais ton adresse, je vais te faire une surprise un bon jour ! Je me déshabillerai, je te réveillerai et je te ferai de ces choses…

— NON ! Fais pas ça !

Il avait presque paniqué et Jessica s'était difficilement retenue de rire.

— T'aimerais pas ça que j'arrive chez toi et que je t'attaque un bon matin ?

Elle avait pris un ton espiègle, mais l'autre rougissait de plus belle et ne savait plus quoi dire.

— Non, vraiment, je suis pas un gars de matin. Et… et avec mes horaires, t'sais… des fois je pars très tôt ou j'arrive super tard, je sais pas toujours d'avance…

— C'est pas grave, j'te taquine. Mais, dans ce quartier-là, me semble qu'il y a pas d'appartements, juste des maisons, non ?

— Oui, mais je loue un sous-sol près d'où j'habitais avant, c'est plus pratique pour les filles quand elles viennent passer quelques jours chez moi.

— Elles vont chez toi ? Me semblait que c'était tout petit ? Ça doit être assez intense avec deux adolescentes !

— … euh, j'veux juste dire que c'est plus petit qu'ici… À part ça, comment ça se fait que tu connais mon adresse, toi ? T'as fouillé dans mes affaires ?

— Ben non, franchement ! Ton portefeuille était resté sur la table, l'autre soir, ouvert. Je voulais regarder ta photo de permis de conduire de plus près, c'est toujours un peu drôle, c'est tout. Panique pas…

— Je panique pas, c'est juste que…

— Juste que quoi ? T'as des secrets affreux ? Tu me caches des choses ? T'es un espion, c'est ça ?

Elle avait dit ça en riant, et l'avait chatouillé en l'embrassant. Ça s'était terminé en une deuxième ronde de jambes en l'air des plus agréables.

Moi, je pestais. Quel culot ! Je le détestais plus que jamais et je ne pouvais m'empêcher de revoir le doux visage de Sylvie, toute confiante et amoureuse. Quel con.

Pendant ce mois durant lequel Jessica préparait le terrain à notre première vengeance d'envergure, moi, je sondais Sylvie et j'apprenais à mieux la connaître. Les travaux sur mon terrain étaient amorcés, ce qui multipliait les occasions de nous voir ; tous les prétextes étaient bons pour qu'elle vienne boire un café, souper même. Les confidences devenaient plus aisées et je lui avais plus ou moins raconté ma vie. Il me fallait voir sa réaction aux agissements extra-conjugaux de Gilles ; ça m'en dirait long sur la meilleure façon de procéder. Comme je l'avais cru, mes révélations l'avaient bouleversée.

— Comment c'est possible de passer autant d'années auprès de quelqu'un qu'on croit connaître comme le fond de sa poche et se rendre compte de quelque chose d'aussi dégueulasse ?

— Je me suis posé la même question tant de fois que la seule conclusion possible, c'est qu'on se fait croire plein de choses, dans la vie. On tient les personnes et les situations pour acquises sans se poser de questions. Mais en fait, on veut pas vraiment tout savoir. C'est bien plus confortable et rassurant de penser que, justement, on connaît tellement la personne avec qui on passe notre vie, que c'est juste… intolérable d'imaginer que ça peut être différent. T'sais, moi, j'ai jamais eu de secrets pour Gilles, à part quand j'ai rencontré Daniel, et j'ai rien fait de mal. Mais c'était un secret quand même et s'il l'avait su, il aurait sûrement été blessé, lui aussi. Sauf que moi, j'ai respecté tout ce qu'on avait bâti ensemble pour que ça s'arrête au fantasme. Pas lui. C'est quoi la différence entre faire le saut ou pas ? Je pense que les hommes réfléchissent juste moins aux conséquences. C'est pas fin, dit de même, mais leur queue, ils la laissent décider trop souvent. Nous autres, ou bien on se met la tête dans le sable comme j'ai fait trop longtemps, ou alors, à l'inverse, on analyse tout et vraiment beaucoup trop. Je revois ma chum Julie, qui était capable de décortiquer un texto de quatre mots pendant des jours, qui essayait de décoder un sens caché ou un message qui n'était pas là. C'est con. Les gars codent rien, ils sont pas subtils dans leurs messages. Ils sont à prendre au premier degré, tout le temps, alors que nous, on s'entête à deviner leur deuxième ou même troisième degré. Ils en ont juste pas.

— Ils sont quand même pas tous si superficiels…

— Non, pas superficiels et pas tous, mais quand ils disent une chose, ils essaient pas d'en dire quatre en même temps, à part les manipulateurs et les menteurs. Je parle des gars ordinaires. Quand un homme dit quelque chose comme « j'ai faim », ça veut juste dire « j'ai faim ». Souvent, il va le dire en se dirigeant vers la cuisine pour fouiller dans le frigo. Nous, on va dire « j'ai faim » en espérant qu'il nous invite au resto, qu'il propose de sortir ou de nous préparer quelque chose ; après on va se dire : « Ça fait longtemps qu'on est pas sortis, peut-être que ça lui tente pas, mais qu'il se sent obligé ? Peut-être qu'il ose pas l'offrir parce qu'on aura pas envie de la même chose ? » Non, on peut pas juste dire qu'on a faim, mais eux, oui. Tu me suis ? Ils disent juste ce qui leur passe par la tête. Nous, on espère qu'ils vont deviner ce qu'on pense alors que souvent on le sait pas nous-mêmes ! C'est pour ça que ça marche jamais. En tout cas, je me revois quand j'ai trouvé le condom dans la poche de pantalon de Gilles ; je cherchais une explication différente de celle que j'avais pourtant en pleine face.

— Oui, mais souvent ils nous disent aussi ce qu'on veut bien entendre, sans le penser vraiment...

— Oui, ça c'est leur façon d'acheter la paix, j'pense. Ils se rendent pas compte que ça cause plus de tort que de bien, mais c'est ça pareil. Et encore là, s'ils nous disent ce qu'on veut entendre, on analyse quand même ! Est-ce qu'ils le pensent vraiment ? Est-ce qu'ils veulent quelque chose en retour ?

Sylvie a ri.

— C'est vrai, ce que tu dis. Stéphane, par exemple, je lui dis souvent qu'on va aller souper à son resto, les filles et moi. Et il me répond presque toujours quelque chose comme : « Venez si vous voulez, mais je pourrai peut-être pas vous voir. » Et moi je me demande tout le temps si ça veut dire que ça le dérange quand on y va, qu'il va se sentir obligé de venir nous voir même si le resto est plein, ou si y'a juste pas envie qu'on soit là. Ce que tu me dis, c'est qu'il veut juste dire qu'il pourra peut-être pas nous voir. Hmmm. De quoi réfléchir...

Ouais. Qu'en savais-je au juste ? M'étais-je trompée sur toute la ligne. Dans son cas, ça voulait peut-être effectivement dire qu'il ne voulait pas que sa femme et ses filles envahissent son lieu de travail. Peut-être était-ce aussi son territoire de chasse ? Je n'en savais rien.

J'ai posé la question à Jessica au téléphone plus tard ce soir-là, mais sa réponse n'a pas été concluante :

— Il m'a jamais suggéré d'y aller, en fait. Plutôt le contraire. J'imagine que tout le monde là-bas connaît sa femme et que c'est un endroit où il ne mêle pas le travail et le plaisir. Ce serait intelligent de sa part, mais mettons que c'est pas son intelligence qui le rend irrésistible… Je vais essayer d'en savoir plus.

Elle n'a pas tardé à s'attaquer à l'énigme. Lors de leur rendez-vous suivant, chez elle comme toujours, Jessica a choisi l'approche directe.

— J'ai un souper avec mes amies, on se demandait où aller. Je pensais à ton resto. C'est plein, le samedi ?

— Oh, c'est pas tellement une bonne idée. Le samedi, ça dérougit pas de cinq heures à dix heures, on arrête pas.

— J'ai juste à réserver, peut-être qu'en disant que je connais le chef…

— OK, mais dis-en pas trop ! Je voudrais pas que des rumeurs circulent, mon ex-femme connaît beaucoup de monde au resto, j'ai pas envie qu'elle débarque et qu'elle me fasse une crise.

— Ça commence à être ridicule, son affaire ! T'es un grand garçon, t'as le droit de fréquenter qui tu veux, non ?

— Oui, mais je te l'ai déjà expliqué. J'espère qu'on va pas commencer à avoir un problème avec ça ? C'est toujours la même chose, chaque fois que je rencontre quelqu'un qui me plaît, ça revire toujours à ça. Personne est capable de comprendre, on dirait. Elle est folle, OK ? Je suis pris avec ça, j'y peux rien, je te demande juste de le respecter. C'est trop compliqué ?

Jessica venait de voir son côté impatient et désagréable. Et moi, je venais de trouver la façon dont il allait payer.

Oui, ça va être encore meilleur que mon champagne préféré. Meilleur que tout le chocolat du monde.

On va se régaler, mon chum.

La préparation a duré encore à peu près deux semaines durant lesquelles Julie me sermonnait à propos de Valérie tandis que cette dernière continuait de m'éviter. Je commençais à trouver la situation ridicule. Quant à Sylvie, mon histoire avec Gilles avait fait son petit effet: sa confiance était ébranlée. Pour en rajouter, je lui avais raconté l'histoire de la séparation de Jessica, qu'elle avait brièvement rencontrée chez moi un après-midi, et ça l'a laissée soucieuse. Puis elle m'a confié:

— Seigneur... Je commence à me dire que ce genre de choses arrive beaucoup plus souvent que je le pensais. Et je me rends compte que j'avais des préjugés épouvantables. Je me disais, avant de vous rencontrer Jessica et toi, que les hommes qui faisaient ça étaient sûrement pris avec des femmes moches, pas attirantes, ou des frustrées qui se défoulaient constamment sur eux. On a eu une crise, Steph et moi, quand les filles étaient petites, au primaire. Je venais de passer des années à m'occuper d'elles, sans m'occuper de moi. J'avais pris du poids, je m'habillais plus pour sortir, même si, en fait, on sortait jamais. Stéphane disait que c'était parce que j'en avais plus envie, moi parce qu'il m'invitait plus à le faire. J'étais pas bien dans mon corps, je me trouvais grosse, laide, plate alors qu'il voyait plein de femmes au resto, des femmes belles, qui aiment encore séduire. Je me suis secouée et les choses sont redevenues comme avant, entre nous. Mais...

— Tu t'es secouée? T'es en train de dire que c'était ta faute s'il s'éloignait de toi alors que tu venais de consacrer des années à vos enfants? Alors que tu avais mis de côté tes rêves et tes ambitions pour que lui puisse vivre les siens ? T'es sérieuse ?

Elle est demeurée silencieuse et je m'en suis voulu de ma réponse aussi prompte. Mais j'en avais plus qu'assez de cette histoire classique de maman qui fait tout et qui devrait, en plus, rester *sexy,* disponible et cochonne pour plaire à son homme qui, lui, avait une vie en dehors des couches, de la garderie et de tout le reste. On n'était plus à l'époque de ma mère, mais au fond, les choses n'avaient pas tellement changé.

J'avais froissé Sylvie sans le vouloir. Je me suis radoucie.

— Excuse-moi, Sylvie, je voulais pas être aussi raide. C'est juste qu'on a beau dire que les hommes s'engagent plus dans le quotidien à la maison, j'y crois pas tant que ça. Oui, le père va aller chercher les enfants à la garderie ou à l'école ; il va faire le souper et l'épicerie, le ménage et souvent bien d'autres choses. Mais qui s'occupe des enfants quand ils sont malades ? Qui prend les rendez-vous et les accompagne chez le dentiste, le médecin ou s'assoit avec eux pour les consoler quand ils se sont fait mal ou qu'ils comprennent pas un devoir ? C'est nous. Qui va penser à leurs lunchs, leurs vêtements, s'organiser pour qu'ils aient tout ce dont ils ont besoin pour une sortie ou une fête d'amis ? Qui les organise, ces fameuses fêtes ? Nous. Papa, lui, a le temps d'aller au gym, de jouer au golf et de se détendre. Pauvre chou, il travaille fort toute la semaine, tellement fort ! Grrr. Ça m'enrage !

Oups, je me suis encore énervée. J'y peux rien, ça m'énerve !

Sylvie ne semblait pas fâchée, plutôt préoccupée. Puis, elle m'a regardée et m'a dit :

— C'est encore vrai, ce que tu dis, je l'avais jamais vu de même. Mais je me souviens de m'être sentie invisible devant lui, d'avoir essayé de le séduire, de lui plaire sans que ça fasse le moindre effet. Je me souviens surtout que ça m'avait fait sentir encore plus grosse et laide. Ouf. Pas un bon feeling.

— Non, je sais, je suis passée par là, moi aussi. Mais bon, l'important, c'est qu'aujourd'hui tout va bien entre vous deux, hein ?

— Oui… en tout cas, je pense bien. Mais je commence à me demander si j'ai le droit d'en être aussi certaine. Est-ce que j'ai la tête dans le sable, moi aussi ? Est-ce que je vois juste ce que je veux bien voir ? Mon Dieu. S'il fallait…

— S'il fallait, ma belle, tu serais tout aussi forte et capable de passer par-dessus que je l'ai été, que Jess l'a été, et que des centaines ou des milliers de femmes l'ont été et le seront. On sous-estime beaucoup trop de quoi on est capables !

— Oui, mais la peine, la trahison, ça doit être épouvantable…

— Certainement. C'est affreux. Mais regarde-moi, aujourd'hui. Jamais je n'ai été plus heureuse.

C'était vrai, malgré la boule qui ne quittait plus mon estomac. La tension, aussi, tellement familière que je ne la considérais plus comme un symptôme de quelque chose qui n'allait pas. Je la mettais sur le compte de mon abandon du yoga, c'était plus facile.

La tête dans le sable, encore. On dirait que t'es bien, comme ça, Maryse.

Ouain, peut-être, au fond…

Pour confirmer ce que j'avais déjà dit, j'analysais beaucoup trop ma propre définition du bonheur, ou plutôt, je la justifiais, la sachant au fond de moi assez inadéquate.

Jamais je n'ai été plus heureuse.

Enfin, presque.

28

Les choses se sont précipitées. Sylvie m'a fait part de certaines inquiétudes ; Stéphane lui avait récemment annoncé que le restaurant, malgré son excellente réputation et le nombre sans cesse croissant de clients, faisait à peine ses frais. La compétition était féroce et le jeune propriétaire souhaitait y injecter plus d'argent, notamment pour agrandir. Sylvie n'était pas certaine que ce soit une bonne idée. Stéphane insistait ; il avait même suggéré de piger dans les profits de son entreprise à elle plutôt que d'emprunter à la banque. Je l'avais implorée de refuser. Ce n'était pas le temps de fragiliser son propre commerce, surtout si celui de son mari était précaire. Elle ne savait plus où donner de la tête, mais il me fallait l'empêcher de faire un tel geste.

De plus, elle m'avait glissé que Stéphane lui avait suggéré de reprendre ses parts du restaurant « pour la protéger », disait-il, en cas de pépin. Moi, je voyais plutôt qu'il voulait lui soutirer ce qui lui revenait de droit. Je ne savais pas trop ce que la loi prévoyait en cas de séparation ou de divorce, mais je me méfiais. Valérie aurait peut-être été en mesure de me répondre ; en sa qualité de secrétaire juridique, elle avait bien dû voir des cas semblables, mais étant donné notre situation délicate, je n'ai pas osé lui demander.

La position de Sylvie m'inquiétait d'autant plus que Stéphane avait confié à Jessica que ses affaires iraient nettement mieux bientôt, quand il serait « libre » du partenariat de son ex-femme pour enfin gérer le restaurant à sa guise. Selon lui, les affaires explosaient, ce qui était tout le contraire de ce qu'il avait confié à Sylvie. Crétin. Tout ça sentait très, très mauvais.

Un soir qu'elle me questionnait sur mon emploi du temps, j'ai parlé à Sylvie de Karma sutra et de sa « mission ». L'officielle, celle de prémunir les femmes contre les menteurs et les fraudeurs, autant que la non officielle, celle qui obtenait une revanche sur les crétins de ce monde. Sylvie était bouleversée.

— Ça confirme donc ce que je commençais à croire, ce genre de choses arrive bien plus souvent que je le pensais, hein ? Dis-moi, en es-tu à voir que tous les couples du monde sont en danger de rupture à cause de tricheries et de mensonges ?

— Non. Je pense qu'il existe encore beaucoup de couples solides, des gens qui sont ensemble pour les bonnes raisons et qui ont su, avec les années, s'adapter à tous les changements. Je crois qu'il y a encore beaucoup de couples pour qui la complicité est véritable, constante. Mais j'ai pas le choix de constater que plusieurs autres vivent dans le déni, sont misérables ensemble plutôt que d'essayer d'être heureux séparément, juste parce qu'ils veulent pas faire face ou qu'ils ont peur de se retrouver seuls. Et ça, ça me dérange. Surtout ceux qui profitent de la peur de leur conjointe pour faire ce qu'ils veulent parce qu'ils savent qu'elle ne dira rien, ou qu'elle choisira de fermer les yeux plutôt que de risquer de tout perdre. J'ai vu trop de femmes endurer, j'en ai trop enduré moi-même pour rester là à rien faire.

— Et c'est si mal de vouloir préserver ce qu'on pense être l'amour de notre vie ? De vouloir que le père de nos enfants reste dans leur vie aussi longtemps que possible ?

— Non, c'est pas mal. Mais il faudrait au moins savoir dans quoi on est pris. Si c'est un choix conscient, mutuel, OK, pas de problème. Mais quand c'est juste d'un côté, sans le moindre respect, justement, pour la famille qu'on a construite et toutes les épreuves qu'on a traversées, là, ça marche pas. Pire : quand c'est prémédité, préparé, quand un des deux profite de l'autre et fait tout pour soutirer le maximum de ce que les deux ont bâti ensemble, là, je pogne les nerfs.

— Tu parles de toi ou de quelqu'un d'autre, là ?

— Quelqu'un d'autre. En fait, je parle d'une femme en particulier. Elle est belle, intelligente, dévouée, elle a élevé leurs enfants en mettant sa vie et sa carrière de côté et en aidant son conjoint à réaliser ses rêves. Lui ? Il couche avec plein de femmes sans qu'elle le sache. En plus, il est pas super *clean,* parce qu'il lui cache des choses sur la rentabilité de son entreprise et a l'air de préparer sa sortie en s'arrangeant pour se mettre un beau p'tit magot à l'abri.

— C'est ben dégueulasse !

— Oui, vraiment. Et sa femme l'aime, elle serait prête à lui pardonner, je pense. Elle se dirait sûrement que c'est une erreur et lui donnerait une deuxième chance.

— Tout le monde a droit à une deuxième chance, non ?

— Le problème, c'est qu'il fait ça depuis plus d'un an. À ma connaissance, il a eu au moins deux maîtresses. Pas des *one-night,* là, des femmes qu'il voyait régulièrement, en prétendant que son ex était folle, que la guerre était prise entre eux. Il raconte à ses blondes qu'elle le menace de tout lui prendre, de le laver, que c'est pour ça qu'il veut cacher les profits de sa business.

— Ben là, c'est de la fraude, ça !

— Oui, absolument. Et c'est pas des accidents, ces femmes-là. Il est inscrit sur un site de rencontre, c'est comme ça que je sais. Une des membres de Karma sutra m'a parlé de lui, mais Julie l'avait déjà rencontré l'an passé sans savoir. À elle, il a fini par avouer qu'il était « comme marié », mais depuis il a l'air d'avoir changé sa technique. Les deux dernières femmes qu'il a rencontrées l'ont jamais su. Il leur disait plutôt qu'il était séparé, en instance de divorce.

— C'est épouvantable. Un accident, comme tu dis, je pourrais comprendre. Mais se donner la peine de s'inscrire à un site, de rencontrer plein de femmes et de les voir régulièrement, c'est une autre histoire...

Elle s'était réfugiée dans un silence morose et je n'avais rien fait pour l'en sortir. J'espérais qu'elle me demande s'il s'agissait d'elle et de Stéphane, mais je doutais qu'elle en soit capable.

Pas encore. Ça viendrait.

Du côté de Jessica aussi les choses bougeaient vite. Stéphane se faisait plus distant, encore moins disponible qu'à l'habitude. Il prétextait avoir beaucoup de choses à régler avec son comptable, que ça lui prenait beaucoup de temps. Jessica lui trouvait un drôle de sourire, carnassier, presque, quand il abordait ce sujet. Il avait même dit, une des rares fois où ils s'étaient vus un soir et qu'ils avaient bu plus que leur part de vin :

— Elle est tellement naïve, mon ex, elle verra jamais rien. Je suis en train de m'arranger pour que sur papier j'aie presque rien. Je vais juste être un restaurateur qui arrive à peine à payer ses comptes. Sa business à elle va super bien, je vais même m'arranger pour prendre du *cash* de là, ni vu ni connu. Ha ! ha ! je vais l'avoir mon resto de rêve ! Ça va être grâce à elle, mais elle le saura jamais ! Tant pis si sa business finit par foirer, c'est juste un *trip* pour se désennuyer et me prouver qu'elle est capable de faire quelque chose de sa vie, elle aussi. Mais elle va avoir besoin de moi plus que jamais, et je vais avoir le gros bout du bâton. C'est comme ça que j'aime ça, moi.

Il ne se rendait même pas compte que Jessica, elle, comprenait tout et qu'il venait de précipiter les choses. Ainsi, il voulait mettre Sylvie dans une situation financière tellement fragile qu'elle n'oserait jamais le quitter. Et lui pourrait continuer de se la couler douce avec ses aventures, son restaurant et tout le reste. Jessica, dégoûtée, ne voulait plus le voir.

Elle croyait qu'il serait au moins quelque peu déçu qu'elle rompe avec lui, mais il n'avait rien dit d'autre que :

— Dommage, on avait ben du *fun,* mais vis ta vie, je vais vivre la mienne.

Le soir même, il avait réactivé sa fiche sur le site. Une semaine plus tard, Jessica l'avait croisé au bistro où ils avaient passé leur première soirée ensemble, en compagnie d'une femme qui semblait captivée par sa conversation. Elle a eu terriblement envie d'aller lui dire de s'enfuir, mais elle s'est contentée de les prendre en photo. Ça pourrait servir.

Sylvie est venue chez moi tôt, un mardi matin. Elle avait les traits tirés, les yeux bouffis.

— J'arrive plus à dormir. C'est fou, hein, mais depuis que tu m'as parlé du gars qui mentait à sa femme au sujet des profits de son entreprise, j'arrête pas de me demander si Stéphane est *clean* avec moi. Je lui ai posé des questions; il a essayé de me faire signer des papiers, mais je lui ai dit que je voulais que ma comptable les regarde d'abord. Il a eu l'air fâché, m'a demandé ce qui me prenait, pourquoi je n'avais pas l'air de lui faire confiance, tout à coup. Et surtout, je commence à me demander si je devrais douter de lui. T'sais, il est de moins en moins à la maison, il me dit qu'il est très préoccupé par le resto, qu'il a plein de choses à régler, mais j'ai de la misère à croire que ces affaires-là se règlent la fin de semaine. Avant, on faisait des choses ensemble, le samedi et le dimanche dans la journée, parce qu'il travaille le soir; mais là, il est tout le temps occupé. Il sort même durant ses soirs de congé. Il dit qu'il va au gym ou regarder la partie de hockey avec des amis, mais je le crois de moins en moins. Qu'est-ce que t'en penses?

— J'en pense que tu devrais écouter ton instinct… mais je suis pas très bien placée pour te dire quoi faire et je veux pas me mêler de ta vie.

— T'es pas tellement rassurante, là…

Non, je ne pouvais pas l'être. Il était temps qu'elle sache, mais ça me tuait.

Quelques jours plus tard, un dimanche matin gris qui tardait à faire fondre une neige lourde et mouillée de fin avril qui nous était tombée dessus comme une mauvaise blague, Sylvie est arrivée chez moi en pleurant comme un bébé.

— Voyons, vas-tu me dire ce qui se passe ?

Elle a sangloté encore un bon coup puis, après s'être calmée un peu, elle m'a avoué :

— J'ai suivi Stéphane, hier. Je trouvais qu'il se donnait beaucoup de mal pour se rendre chez son comptable. Il s'habillait comme s'il sortait quelque part, parfumé pis toute. Je voulais en avoir le cœur net.

Merde. Jessica avait vu juste, il voyait déjà quelqu'un d'autre... Elle a continué :

— Il s'est rendu dans un café, pas très loin de chez nous. Il a attendu dehors, et là... j'ai vu une femme le rejoindre. Il l'a embrassée, Maryse ! Devant mes yeux ! Pas un petit bec comme on en donne à une amie, oh non ! Il l'a embrassée avec la langue, en la serrant dans ses bras, en lui jouant dans les cheveux ! Un peu plus j'aurais pensé qu'ils allaient s'avaler ! Ça se peut pas, Maryse. Mon Dieu ! Qu'est-ce que j'vais faire ? Qu'est-ce que j'vais dire aux filles ?

Je ne trouvais rien à lui dire. J'aurais voulu tout lui déballer, mais j'en étais incapable et ce n'était pas le bon moment.

— Est-ce que tu lui as parlé ?

— Non, j'ai pas pu. Je suis partie chez ma mère hier après-midi, les filles étaient chez des amies. Je lui ai rien dit, à elle non plus, je voulais juste pas le voir avant qu'il parte pour le resto, j'aurais pas pu me retenir.

— De quoi ? De l'accuser, de pleurer, de le supplier de t'expliquer, ou de lui demander ce qui se passait ?

— Tout ça en même temps. Je sais plus rien, Maryse. C'est comme si tout ce que j'avais connu depuis qu'on est ensemble était faux. Je pourrai plus jamais le regarder en pleine face. Qu'est-ce que j'ai fait de mal ? Pourquoi il me fait ça ? Juste vendredi, il m'a dit qu'il m'aimait, qu'il me remerciait de lui avoir permis de vivre son rêve ! C'était quoi, ça ?

— La culpabilité, Sylvie. Les hommes qui trichent sont souvent super gentils avec leur femme. Ils font même l'amour plus souvent. C'est leur façon de vivre avec ce qu'ils font, j'imagine.

— T'en as vu d'autres, Maryse, est-ce que ça se peut que ce soit juste un accident de parcours, qu'il soit en train de glisser vers quelque chose sans s'en rendre compte, même s'il m'aime quand même ?

— Sylvie, tu l'aimes, ce gars-là. Est-ce que toi tu pourrais te retrouver dans une situation de même sans t'en rendre compte ? *Come on...*

Elle n'a pas répondu, elle s'est seulement mouchée de plus belle.

— Non. Jamais.

— Est-ce qu'il t'a déjà dit qu'il était malheureux ou laissé croire que quelque chose allait pas entre vous deux ?

— Non ! Au contraire !

— Ben d'abord, ma belle, j'pense juste que c'est un cas classique de chien sale qui s'assume pas.

Je l'ai prise dans mes bras et je l'ai laissé pleurer. Au bout d'un moment, elle m'a demandé, désemparée :

— Qu'est-ce que je fais, maintenant ? Je veux pas partir de la maison, je peux pas ! Mais je me sens pas capable de le voir. Je l'affronte ou j'attends qu'il me dise quelque chose ?

— Il te dira rien, ma belle. Mais toi non plus. Là, tu vas aller chez toi et si tu peux pas faire comme si tout était normal, tu vas jouer les malades. Tu files pas, t'as mal à la tête, t'es en train de combattre un virus, c'que tu veux. Moi, de mon côté, je vais enquêter. Ça va être plus facile, il me connaît pas. Je vais le suivre, je vais le surveiller, et on va voir ce qu'il en est exactement.

— Toi ? Mais pourquoi ?

— Parce que c'est ce que je fais. C'est pas le premier que je vais prendre la main dans le sac, et pas le dernier. J'ai vu des photos de lui, tu vas me dire où tu habites et me faire savoir quand il sort. Je m'occupe du reste.

Inspecteur Després, à votre service.

Ah, la joke !

Il me faudrait un imperméable beige et des lunettes fumées.

Nounoune ! C'est pas le temps de rire...

Je sais, Sylvie rit pas, elle. Y'a juste Stéphane-le-chien-sale qui rit.

Oui, mais lui, il rira pas longtemps.

Sylvie m'a téléphoné dès le lendemain, le seul soir où son mari ne travaillait pas, pour me dire qu'il s'apprêtait à sortir. Il y avait bien un match de hockey, ce soir-là, mais je savais tout autant qu'elle qu'il ne le regarderait pas. J'ai donc endossé mon rôle de détective avec délectation. Un peu d'action me ferait le plus grand bien.

Je me suis rendue chez elle et j'ai stationné ma voiture de manière à pouvoir observer leur demeure. Je me sentais comme une agente en filature, excitée et impatiente de prendre le fautif en flagrant délit. Il est sorti vers sept heures, s'est dirigé vers sa voiture. Il avait le pas assuré, presque guilleret, le salaud. Il était facile de le suivre. Il ignorait tout de ma présence et se faufilait dans la circulation sans se douter de quoi que ce soit. Je l'imaginais, sourire aux lèvres, sifflant, peut-être, et le visage de Gilles s'est superposé au sien. Était-il aussi joyeux et insouciant quand il partait rejoindre ses maîtresses ? N'avait-il pas le moindre remords ? Eh non, certainement pas.

Il est sans doute déjà bandé et en train de s'imaginer ce qu'il va faire d'une minute à l'autre.

Me semble que ça doit être plus facile à couper quand c'est dur que quand c'est mou, une queue, non ?

Faudrait vérifier.

Une quinzaine de minutes plus tard, il s'est engagé dans une rue résidentielle. Je n'avais même pas besoin d'être prudente ; s'il me repérait, je ne serais qu'une étrangère se rendant en un lieu inconnu. J'ai stationné ma voiture tout près de la sienne et j'ai fait semblant de fouiller dans mon sac à main. J'en ai sorti mon téléphone. Coup de chance, Stéphane se rendait à la maison directement en face de l'endroit où j'étais stationnée. Il s'est dirigé vers la porte et a attendu qu'une femme vienne lui ouvrir. Elle l'a embrassé. Elle ne portait qu'un léger déshabillé, mais n'a pas hésité à se donner en spectacle le temps d'un baiser enflammé. Puis, elle l'a entraîné à l'intérieur, mais bien après que j'aie eu le temps de prendre une photo. C'était la même femme que Jessica avait vue et prise en photo avec son téléphone la semaine précédente. Cette preuve était bien suffisante. Le plus merveilleux, dans tout ça ? Je n'avais même pas eu besoin de briser le cœur de Sylvie, l'idiot s'en était chargé lui-même.

Je n'ai rien dit à Sylvie ce soir-là. Le lendemain, je lui ai demandé de venir chez moi et je lui ai montré la photo.

— Oui, c'est la même femme.

Son attitude avait changé du tout au tout, j'étais fière d'elle. J'avais espéré que la nuit lui ferait voir les choses autrement, qu'elle cesserait de se demander ce qu'elle avait fait de mal, que la colère remplacerait, du moins momentanément, la douleur. Alors qu'elle regardait la photo, sa colère s'est transformée en rage.

— Le maudit. Je pense que ce qui m'enrage le plus est qu'il ait eu le culot de me mentir en pleine face, en m'embrassant, même. « Je vais regarder la *game* et je rentrerai pas tard. » Il m'a même dit : « T'es adorable de comprendre que je veuille profiter de ma soirée de congé pour me détendre avec les *boys*. Je l'apprécie, vraiment ! » Se détendre avec les *boys,* ben oui. On a plus les *boys* qu'on avait ! Quand il est rentré, j'étais couchée sur le divan. Je lui ai dit que je me sentais pas bien et il a eu l'air inquiet. Il est venu me voir, m'a demandé s'il pouvait faire quelque chose, m'a offert de m'emmener à la clinique le lendemain si j'allais pas mieux. C'est lui que j'enverrais à la clinique en état critique, j'te jure !

— Sylvie, je suis contente que tu réagisses de même. J'avoue qu'avant-hier, je me disais que si tout ça était vrai, il faudrait que je trouve un moyen de te faire comprendre que c'est pas ta faute, que t'as rien fait de mal. Au contraire.

— Penses-tu que ses patentes de comptabilité, c'est parce qu'il avait l'intention de me quitter ?

— Non, je pense que c'est le contraire. Il essaie de se protéger au cas où toi tu voudrais le laisser, s'il se faisait pogner. Je gagerais n'importe quoi qu'il a pas l'intention de s'en aller nulle part, il est dans le tort, pis il le sait…

— Dans le tort ? Non, il est pas dans le tort, il est dans marde. Jusqu'au cou. J'ai trop hâte de lui mettre cette photo-là sous le nez.

— Non. J'ai beaucoup, beaucoup mieux que ça.

— De quoi tu parles ?

— Tu veux vraiment le savoir ? T'es prête à le prendre ?

— J'aurais jamais pensé, mais je suis prête à prendre n'importe quoi. Vas-y.

Je lui ai raconté Julie, d'abord, et sa rencontre avec Stéphane. Puis, la femme qui l'avait dénoncé sur le site. Finalement, l'aventure de Jessica avec lui. Ne sachant pas comment elle allait réagir, j'ai quelque peu atténué le rôle de cette dernière et lui ai dit qu'elle s'était fait prendre, comme les deux autres, sans savoir qu'il était marié. J'ai ajouté qu'elle l'avait laissé parce qu'il s'apprêtait à être dégueulasse envers son ex-femme et que ça lui avait fait voir un côté de lui qu'elle n'appréciait vraiment pas.

— Ouain, je savais même pas qu'il pouvait avoir un mauvais côté, t'imagines ? Et c'est un méchant hasard, tout ça, je trouve. Je te connaissais pas, il y a à peine un mois et demi, et là, toutes ces coïncidences-là… C'est quand même bizarre…

Je la sentais fragile, méfiante, surtout, et avec raison. Je craignais sa réaction devant la vérité, toute la vérité, mais je la lui devais. Quitte à ce qu'elle m'en veuille, qu'elle soit tellement fâchée qu'elle me chasse de sa vie à tout jamais.

— C'est pas tout à fait un hasard, Sylvie.

Je lui ai révélé le reste, à savoir que je l'avais rencontrée pour la connaître, mais dans le cadre de la vengeance de Karma sutra en lien avec son mari. La seule chose que j'ai omise était le véritable rôle de Jess. Elle n'avait pas besoin de savoir qu'elle avait séduit son mari juste pour pouvoir le punir par la suite. Ce n'était pas nécessaire et n'ajoutait rien à ma mission. Je lui ai révélé comment Julie, d'abord, puis l'autre femme qui m'avait écrit sur Karma sutra, ensuite, m'avaient motivée à vouloir régler son cas. Et surtout que Jessica n'avait été qu'une victime de plus, mais qu'elle servait bien mon plan.

— Ton plan ?

— Oui. C'est cruel, méchant, mais je pense que c'est amplement mérité. C'est évidemment à toi d'accepter qu'on aille de l'avant ou non, et je vais respecter ton choix. Si tu veux *dealer* avec lui seule, c'est parfait, mon but est au moins atteint. Tu sais tout maintenant, et t'es plus une victime qui sait pas ce qui se passe derrière son dos. Tu peux réfléchir, bien sûr, mais je te dis quand même ce que j'avais en tête.

Je lui ai raconté mon « plan d'attaque ». Elle avait besoin de digérer tout ça, et c'était tout à fait normal. Elle passerait sans doute par plusieurs étapes : colère, peine, anxiété, douleur ; je tâcherais d'être là pour elle pendant chacune de ces phases. Et si elle le permettait, nous allions ensuite faire payer le fautif. Cher. Elle m'a trouvée machiavélique, géniale, méchante et perverse. J'étais assez d'accord.

On dirait que la douce et gentille Maryse has left the building pour vrai, hein ?

Oui. Fini madame généreuse et indulgente.

No more Miss Nice Girl.

29

Sylvie n'avait eu aucun mal à convaincre Stéphane de lui réserver sa meilleure table, pour elle et cinq de ses amies, le samedi suivant.

— Je suis content que tu te sentes mieux, t'as meilleure mine qu'au début de la semaine !

Elle lui avait souri et raconté que, comme c'était le quarantième anniversaire de l'une des femmes en question, elle voulait que la soirée soit spéciale.

— Qui, ça, ton assistante au travail ? Johanne, c'est ça ?

— Oui, mon amour, t'es bon de te souvenir d'elle ! Je voudrais quelque chose de vraiment spectaculaire, t'sais, un souper dont elle va se souvenir longtemps !

— Pas de problème, j'vais même vous faire ma spécialité, et comme les affaires vont enfin se régler, grâce à ton prêt, j'vais vous payer la traite. Laissez-moi vous régaler et vous servir nos meilleurs vins.

— Wow, t'es vraiment gentil ! Mais *on* va se payer la traite, tu veux dire. J'ai toujours mon nom sur les papiers du resto, pour l'instant, alors aussi bien en profiter !

Elle a ri de sa blague pour détendre l'atmosphère et dissiper tout doute éventuel dans l'esprit de Stéphane. Ce dernier lui a rendu un sourire satisfait. L'idiot croyait vraiment qu'elle lui céderait ses parts et lui concéderait le prêt qu'il lui avait demandé. Il s'en réjouissait d'avance. C'était un bel exemple de l'imbécile qui vend la fameuse peau de l'ours avant de l'avoir tué et Sylvie exultait. Il devenait de plus en plus facile pour elle de lui faire avaler n'importe quoi. Elle s'étonnait de ce qu'elle était soudainement capable… surtout qu'elle pouvait désormais parler à son traître de mari sans pleurer, crier, ou les deux. C'était facile, en fait. Elle trouvait l'idée de Maryse géniale et s'accrochait à son dénouement pour rester forte. Plus tard, si elle devait s'écrouler, elle s'écroulerait.

Johanne n'avait rien à voir avec ce repas, bien sûr. Le prêt ne se concrétiserait jamais, et elle ne lui céderait pas ses parts du resto non plus ; mais ça, ce serait le coup de grâce. Sylvie m'étonnait. Elle jouait son rôle avec brio, se montrait joyeuse et pimpante, même. Quand Stéphane l'avait questionnée à ce sujet, elle avait répondu : « Je suis dans une bonne passe, c'est tout. Y'a plein de belles choses qui se dessinent, des choses que je voyais pas venir. Au début, ça me faisait peur, mais maintenant, je vois juste du positif. Tu vas comprendre bientôt ! » Et elle l'avait embrassé, étirant un peu ce baiser qui serait probablement l'un de leurs derniers.

Le restaurant était bondé, comme Sylvie l'avait espéré, lorsque nous sommes arrivées. Ainsi, Stéphane serait trop occupé en cuisine pour venir la voir avant un bon moment. Nous aurions tout notre temps pour savourer le festin promis et échantillonner les meilleurs crus de la cave de son cher mari. L'air printanier était doux, et nous nous étions pomponnées comme jamais. Nous en avons fait tourner des têtes, Julie, Jessica, Louise, la femme qui nous avait écrit au sujet de Stéphane, Maude, la plus récente conquête du chef, Sylvie et moi ! Six femmes séduisantes, prêtes pour une soirée mémorable. Val aurait dû être là ; elle faisait partie de l'aventure, non ? Non. Par ma faute.

Déniaise-toi et appelle-la, ça commence à presser. Ça fait des mois que ça traîne !
Pas tant que ça, quand même. Oui ?
Oui, ça fait au moins quatre mois, c'était avant Noël !
C'est ridicule.
Oui, je sais. Mais si Robert est en ville…
Là, tu te cherches des excuses.
Ouain. Je sais.

Sylvie n'avait pas tergiversé bien longtemps après que je lui ai révélé mes intentions. Dès le lendemain, elle m'avait donné son accord plus qu'enthousiaste. Le soir même, je m'étais présentée chez Maude. Je n'avais eu aucun mal à retrouver son logis depuis que j'avais pris Stéphane en filature. Elle avait hésité à me recevoir, mais je l'ai appâtée en précisant que je tenais des renseignements importants au sujet de Stéphane. Elle a d'abord été étonnée, puis suspicieuse. En apprenant que l'homme qu'elle fréquentait était marié, sa réaction a été éloquente : surprise totale, tout comme ça avait été le cas pour Julie et Louise. La colère est venue tout de suite après. Enfin, un large sourire a éclairé son visage lorsque je lui ai expliqué ce que nous complotions. Elle était heureuse de participer aux réjouissances.

Le maître d'hôtel a fait la bise à Sylvie et nous a dirigées vers notre table, ravi de servir un groupe de femmes aussi ravissantes. À ma grande surprise, j'ai entendu quelqu'un prononcer mon nom. En me retournant, j'ai aperçu François qui me faisait signe. Je me suis approchée de la table qu'il partageait avec une femme qui, visiblement, n'était pas la

sienne. Le regard fuyant, le sourire crispé : cette femme
était une conquête récente, c'était évident. François me
souriait, l'air presque aussi mal à l'aise que sa compagne.

— Allô ! Content de te voir ! Je te présente Cynthia, une
amie. Tu vas bien ?

— Oui, merci, toi aussi, on dirait ! Tu as finalement eu
ton divorce ?

Bitch. T'avais pas besoin de dire ça de même devant
sa blonde !

François n'a pourtant pas eu l'air démonté et m'a
répondu, presque en souriant :

— Non, pas encore, mais c'est en train de se régler.

Pourquoi m'avait-il interpellée, au juste ? Pour me présenter sa copine ? Me rappeler au bon souvenir de Gilles ? Je
ne me suis pas éternisée.

— Eh bien, on m'attend, désolée… Bonne soirée et bon
appétit !

Une amie. Franchement !

Un autre courailleux.

Dommage, quand même, parce qu'il est fin, lui…

Fin ? Ça, ça reste à vérifier. Pas sûre que sa femme, ou
ex-femme, ou whatever dise la même chose !

Tant qu'à ça…

Plusieurs des membres de notre groupe ne se connaissaient que de nom ; j'ai cependant été étonnée de ne percevoir
aucun malaise. Je dois dire que Sylvie a brisé la glace de façon
tout à fait géniale. Elle a embrassé chaque femme comme s'il
s'agissait d'une amie et leur a dit, le plus sincèrement du
monde : « Merci d'être là. Je n'ai pas la moindre colère envers
vous, au contraire. Vous m'avez permis de voir mon mari
sous son vrai jour et votre présence ici me prouve qu'il est

encore possible que des femmes se montrent solidaires devant la stupidité des hommes. Maintenant, trinquons ! » Il n'a fallu que quelques verres de vin millésimé pour que nous devenions presque des copines. Nous sommes même rapidement arrivées aux blagues douteuses voulant que Stéphane ait au moins eu le bon goût de choisir des femmes aussi belles qu'intelligentes et pas seulement les premières greluches disponibles. Les rires fusaient, quelque peu cyniques, mais tout à fait sincères.

Quelle situation étrange ! Je me doutais que Sylvie n'était pas aussi sereine qu'elle le laissait paraître et je l'admirais de tout mon être. Aurais-je été à la hauteur, à sa place ? Elle jouait les hôtesses ; après tout, elle était chez elle, le resto lui appartenait toujours en parts égales avec Stéphane. Elle a commandé plusieurs bouteilles hors de prix, plus qu'il n'était nécessaire même pour six louves assoiffées de vengeance et jacassant comme de vieilles amies.

Le repas a été divin. Tartares, canard, homard, foie gras et autres délices, de même que les digestifs et les desserts décadents. Nous savions toutes que le moment approchait où le chef viendrait faire la tournée de la salle pour recevoir les compliments des clients. Sylvie était assez éméchée et, dans les circonstances, c'était sans doute une bonne chose. J'avais peur qu'elle se dégonfle, mais elle tenait bon. Elle me serrait la main, de temps à autre, pour se donner du courage sans toutefois montrer le moindre signe d'anxiété. De toute manière, il était trop tard pour reculer.

C'est elle que Stéphane a vue en premier. Il lui a fait un large sourire, s'est avancé pour l'embrasser ; puis, son sourire s'est figé lorsqu'il a vu les autres convives. Ses lèvres se sont crispées en une grimace. C'était presque comique, sordide, mais jouissif à la fois. Le maître d'hôtel s'était approché, comme il le faisait chaque fois que le chef était dans la salle, sans toutefois comprendre l'attitude de son patron. Sylvie s'est fait un plaisir de lui expliquer :

— Mon cher Pierre, c'est une soirée très spéciale. Vois-tu, mes copines et moi, on a quelque chose à célébrer, puisqu'on a quelque chose en commun de très particulier. Sauf Maryse, mais puisqu'elle est intimement liée à notre présence ici, c'est tout comme. Je te présente Julie, Louise, Jessica et Maude, mes nouvelles amies. Nous nous sommes rencontrées parce que nous avons toutes eu un intérêt commun : mon cher mari.

Elle parlait assez fort pour que les autres clients l'entendent et qu'ils cessent de discuter.

— J'aimerais lever mon verre de ce délicieux Château Montrose de la cave privée du chef, à mon cher époux, mais surtout à ses quatre ex-maîtresses. Santé !

Sur ce, elle a levé son verre, mais pas pour en boire une gorgée. Elle l'a plutôt lancé au visage de celui qui serait sous peu son ex-mari, aspergeant le tablier bien empesé de Stéphane autant que ses traits figés. Puis, elle a rempli son verre, et nous avons trinqué ensemble, six femmes vengées, solidaires et très souriantes.

Sur la photo que Jessica a su prendre au bon moment, on peut voir Stéphane, les yeux exorbités, la bouche ouverte dans un rictus désopilant, le vin dégoulinant de son visage.

C'était parfait.

Boy, oh boy, quelle satisfaction!
Enfin. J'ai presque eu l'impression de faire chier Gilles
en même temps que Stéphane, ce soir.
J'aurais tellement aimé ça pouvoir lui jouer un tour du
genre… s'il était pas mort de son embolie, il aurait
sûrement crevé d'une crise cardiaque!
C'est presque aussi réconfortant.
Presque. Mais ça fait juste commencer.

30

Après ce succès retentissant, j'ai tenu à garder contact avec Sylvie, mais sa vie était, comme on pouvait s'y attendre, quelque peu chamboulée. Stéphane l'avait suppliée de lui pardonner, avait tenté de s'excuser et de lui donner des explications boiteuses sans qu'elle se laisse fléchir. Je la soutenais de mon mieux, mais elle était déjà bien entourée de quelques bonnes amies et de sa famille. C'était une très bonne chose, car ses filles étaient dans une telle colère contre leur père que Sylvie ne savait plus comment les calmer. Pauvres chouettes. Je me suis félicitée d'avoir épargné ça à mes propres enfants...

L'anniversaire de la mort de Gilles, au début de mai, avait été un moment empreint de tristesse autant que de paix pour Fanny et Oli. Ils avaient tous les deux tenu à ce que nous nous rassemblions, ce dix-huit mai, au moins le temps d'un repas. C'était la dernière chose dont j'avais eu envie, mais je comprenais que c'était important pour eux. Malgré ma bonne volonté, je n'ai cependant pas pu forcer des larmes. J'étais tout aussi ébahie que mes enfants de la vitesse à laquelle cette année était passée, de notre façon d'avoir plus ou moins comblé l'absence de cet homme qui avait pris tant de place dans nos vies. Mais pour moi, cette année marquait la fin d'un cycle. La fin de la colère ? Non, pas encore. Cependant, j'aspirais à une certaine sérénité, et ça, c'était nouveau.

Le projet d'aménagement paysager chez moi était presque terminé, je pourrais profiter de l'été qui s'amenait dans mon nouveau décor. Je comptais ralentir un peu mes activités de développement de Karma sutra pendant la belle saison et, une fois la poussière retombée, Sylvie et moi reprendrions le cours de cette amitié prometteuse. Entre-temps, nous avons continué à nous amuser de plus belle. Le cas de Stéphane avait nécessité beaucoup de temps et de préparatifs; je ne pouvais en consacrer autant à tous les autres futurs « cas », mais ce n'était pas grave, il faisait office de « jurisprudence » et ça me suffisait. Jessica a recommencé à faire le travail de terrain, tandis que moi, avec l'aide de Julie, je sélectionnais les « cas » à régler, tout en m'occupant des tâches de développement quotidiennes requises par le site et en mettant de l'ordre dans mes nombreuses idées.

J'ai bien fait quelques tentatives pour régler ma dispute avec Valérie, mais elle refusait obstinément de me voir. Elle avait confié à Julie qu'elle ne me reconnaissait plus, qu'elle n'était pas certaine de m'apprécier si j'étais capable de la traiter comme je l'avais fait. Et elle alors? D'accord, j'avais manqué de tact, mais elle n'avait fait guère mieux. Nous étions amies depuis plus de deux décennies, fallait-il vraiment qu'elle me boude ainsi?

Wow, super mûre, Val! Maudit bébé!

T'es pas mieux.

Au moins j'essaye, moi, je boude pas comme si j'avais huit ans!

Laisse-lui le temps.

Ben oui, je vais lui laisser le temps. Assez pour l'oublier.

Tant pis!

De toute évidence, quelque chose tracassait Julie. Un beau samedi après-midi, alors qu'elle et Jessica étaient venues m'aider à répondre aux messages sur Karma sutra, son malaise était palpable.

— Vas-tu bien le sortir, ce que tu veux me dire ?

Elle m'avait regardée avant de jeter un regard oblique à Jessica et j'avais compris qu'elle n'osait pas parler devant elle. J'en avais assez de ces enfantillages.

— Julie, Jess est au courant, et j'ai pas de secret pour elle.

— Ah bon ? Ben coudon, c'est bon à savoir.

Était-elle jalouse ? Devant les événements des dernières années, lourds en secrets de part et d'autre, ma remarque n'avait sans doute pas été très délicate. Jessica est intervenue :

— C'est beau, j'vais y aller, faut que j'aille chercher les enfants tantôt *anyway*.

— Non, reste, ai-je ajouté. Ju, tu m'as mal interprétée. C'est juste que j'haïrais pas ça avoir l'opinion de Jessica là-dessus. Je suis pas convaincue d'être la seule dans le tort, dans cette histoire-là.

Julie avait pris un air boudeur, mais tentait de le camoufler. Néanmoins, elle a fini par cracher un morceau que je ne pensais jamais entendre.

— Euh… ben… c'est parce que selon elle, si elle te voit, ça va être encore pire. Son esthéticienne lui a conseillé plein de patentes. Du collagène aux lèvres et autres traitements…

— Quoi ? ? ? Ça y est, elle est devenue folle.

— Ouain, je m'inquiète. Elle trouve que c'est beau, mais que ça paraît pas assez.

— Ben là, franchement, les filles, y'a rien là. Vous devriez vous voir l'air ! C'est comme si vous veniez d'apprendre qu'elle se faisait changer de sexe !

Jessica avait essayé de détendre l'atmosphère avec sa remarque, mais ça n'a fait qu'empirer les choses. Julie l'a regardée en haussant les épaules et a répondu, avec un sarcasme à peine voilé :

— Ouain, j'me doute bien que pour toi y'a rien là. Mais pour les femmes ordinaires, comme Maryse et moi, c'est comme pas s'accepter comme on est et se déguiser.

— Euh, tu veux dire quoi, par là ? Que je m'accepte pas parce que je trouve que c'est pas grave ?

Jessica était piquée et je sentais que ça allait dégénérer. Je suis intervenue, car leur petit crêpage de chignon m'agaçait au plus haut point :

— Jessica, Julie veut juste dire qu'on a toujours juré qu'on se ferait jamais « refaire » et que là, Valérie va à l'encontre de ses beaux principes. Et c'est pas la première fois qu'elle fait ça pour un gars. Hein, Ju, c'est ça que tu voulais dire ?

Julie a acquiescé à contrecœur avant de poursuivre :

— Ouain, mettons. En plus, elle pense à aller rejoindre Robert à Calgary pendant ses vacances, pour lui faire une surprise. Je suis pas sûre que ce soit une bonne idée.

— Quoi ? Aller le rejoindre ou lui faire la surprise ?

— Les deux… c'est pas juste la visite, sa surprise… Imagine-toi donc qu'elle veut se faire refaire les seins !

Bon ! On y était. Je le savais ! Le Botox, d'abord, les lèvres ensuite et là les boules !

Seigneur…

— T'es pas sérieuse, là, hein ? Dis-moi que tu me niaises ?

— Non, même si j'aimerais ça. Elle voudrait que je t'explique, mais je peux pas, je comprends pas moi-même !

C'est pas qu'elle veuille se promener en 36-D qui me dérange, ça, quelque part, c'est son choix. J'y ai déjà pensé moi-même, mais j'étais trop *chicken* pour le faire.

— Ah bon ? Miss Parfaite veut rien savoir du collagène, mais les implants mammaires, ça passe ? Ayoye, t'es dure à suivre !

Encore une fois, Jessica avait tenté de prendre un ton léger, mais sa remarque était tombée à plat. Julie a levé les yeux au ciel avec un peu d'exagération avant de répliquer :

— C'était y'a quelques années. Aujourd'hui, je suis contente d'avoir reculé, mais je l'aurais fait pour moi, au moins. Val, c'est pour toutes les mauvaises raisons. Elle est sûre que Robert s'est fait une blonde là-bas.

— Et elle pense qu'en se transformant en fille plastique, ça va changer quelque chose ?

— Je sais pas, Maryse, mais elle veut rien entendre. J'ai essayé de lui expliquer pourquoi t'avais autant réagi, mais elle dit que tu peux pas comprendre. Ça m'énerve ! Si tu veux qu'on comprenne, Chose, dis-nous de quoi !

Il va sans dire que Jessica n'était pas sur la même longueur d'onde que nous et n'osait plus rien répliquer. Elle a profité du malaise pour prendre ses choses et nous quitter. Julie s'est contentée de lui adresser un sourire narquois que je n'ai pas apprécié.

— Franchement, Julie, c'était vraiment nécessaire ? Si elle te tape tant sur les nerfs, t'as juste à le dire !

— Elle me tape pas sur les nerfs !

— Ah non ?

— Ah pis oui. OK, t'as encore raison. Elle m'énerve. Elle sait tout, elle connaît tout, elle est meilleure et plus smatte que tout le monde.

— Plus belle aussi, et ça te dérange, avoue !

— Arghhh ! Toi aussi, tu m'énerves ! Comment ça se fait que tu me lis aussi facilement ?

— Je sais pas, mais c'est pas important pour le moment. Là, faut s'occuper de Val. On peut pas la laisser faire. Viens, on s'en va chez elle.

— Ça sert à rien, elle veut pas te voir. C'est comme si elle avait peur de toi, j'comprends rien !

— Elle a peur parce qu'elle sait que j'ai raison et que j'ai des chances de la faire changer d'idée !

— Peut-être… Robert revient juste après-demain. On peut essayer, mais je t'aurai avertie !

Sans plus attendre, j'ai traîné une Julie réticente jusque chez notre amie.

Valérie nous a ouvert la porte en poussant un soupir d'exaspération et en jetant des regards meurtriers à Julie. Elle allait la refermer, mais j'ai mis mon pied à l'intérieur juste à temps.

— Val, arrête de niaiser !

— J'ai rien à te dire, Maryse. Et si t'es ici avec Julie, j'imagine que c'est parce qu'elle a pas pu garder sa grande gueule fermée, hein ?

— Faut qu'on se parle. C'est ben dommage, mais tu te débarrasseras pas de moi aussi facilement. Déjà que t'as passé ta fête sans m'avoir dans les pattes, une première dont je suis pas fière. C'est assez, là. Tu m'as pas endurée tout ce temps-là pour que je disparaisse quand ça fait pas ton affaire… ou quand t'en as le plus besoin.

— J'ai pas besoin de toi !

Elle avait presque crié, mais aussitôt, elle s'est mise à pleurer et s'est précipitée dans mes bras. Un sentiment troublant de déjà-vu m'a assaillie, me ramenant dix-huit ans plus tôt alors qu'elle était venue, jeune, enceinte et désemparée, chercher du réconfort auprès de moi. Je l'ai serrée, fort, comme je l'avais fait autrefois, et je l'ai laissé pleurer. Maman-Maryse était de retour en force. J'ai compris à cet instant que la mère de Valérie ne lui avait sans doute jamais prodigué autant d'affection que Julie et moi l'avions fait. Elle l'aimait, sa fille, j'en étais certaine ; mais c'était une femme distante, peu encline aux élans de tendresse. Sans doute parce qu'elle avait dû se débrouiller seule à une époque où les mères monoparentales n'étaient pas légion. Cette constatation m'a radoucie encore davantage.

Au bout de quelques minutes, mon chemisier était trempé. Valérie en était à son huitième mouchoir lorsqu'elle a vidé son sac :

— Je m'excuse, Maryse ! J'ai été tellement épouvantable ! C'était pas vrai, les horreurs que je t'ai dites. Je m'excuse tellement !… Je m'excuse, Maryse… je sais pas ce qui m'a pris, je file pas, je m'excuse…

— Chuuut, ma chouette, tout est beau. Moi aussi je m'excuse. Ça a sorti tout croche, mon affaire. On oublie ça et on recommence, OK ?

— Oui, OK.

Valérie a essuyé ses yeux, et ce n'est qu'à ce moment-là que j'ai remarqué ses lèvres. Le résultat n'était pas aussi dramatique que je l'avais cru, mais là n'était pas la question. Je n'approuvais toujours pas, même si, j'en convenais, ça ne me regardait pas.

— Commence donc par le commencement, d'abord…

Valérie s'est enfin dégagée de moi et nous a entraînées au salon. Un bouquet de tulipes fanées trônait sur la table basse à côté d'une bouteille de vin bien entamée même si nous n'étions qu'au milieu de l'après-midi.

Tiens, tiens. Y'en a d'autres à qui ça arrive !

Oui, et y'en a déjà presque la moitié de partie. Oh boy !

Valérie nous a servi du vin et a débouché une autre bouteille. Je n'avais pas d'autres plans pour la journée, Julie non plus. Au nombre de bouteilles que j'avais vidées, seule avec moi-même et mes chagrins, je n'allais pas faire de cas de celle-ci. Comme le dit si bien le vieil adage, il devait être l'heure de l'apéro quelque part dans le monde. Nous avons donc pris place par terre, blotties l'une contre l'autre, laissant la parole à Valérie.

— Je sais, Maryse, que ta vie était pas aussi parfaite, avec Gilles, que tu nous le laissais croire. Tu nous as caché des choses et je te comprends mieux que tu peux le penser…

— J'avais peur que vous me jugiez, que vous me trouviez tarte d'accepter tout ça… j'aurais dû vous le dire. C'est con, je sais, mais il fallait que je sente que j'avais le contrôle sur quelque chose, je pense, t'sais ?

— On a toutes des secrets, a ajouté Julie. Y'a des choses que je vous ai cachées moi aussi, les filles, mais je ressens de plus en plus l'envie de tout vous raconter. C'est pire, en vieillissant, je pense.

— Oui, plus ça va, plus j'me rends compte que dans ma vie, vous êtes ce que j'ai de plus fiable, j'en ai encore la preuve aujourd'hui, a ajouté Val entre deux séances de mouchage intensif.

Nous sommes restées songeuses toutes les trois, buvant et ressassant sans doute ces fameux secrets, pour la plupart déplaisants. Valérie a poursuivi :

— Je me suis jamais sentie aussi bien qu'avec Robert. C'est la première fois que je suis vraiment amoureuse. C'est pathétique, hein ? Passé quarante ans, je ressens des choses que j'avais jamais pensé sentir un jour. J'avais pas le droit...

— Comment ça, pas le droit ?

— Parce que le seul homme que j'ai aimé, c'est mon père et il est parti en se foutant de moi. Ça fait que...

— Tu sonnes comme une psy de poste de radio, Val ! Je comprends quand même. Ça a pas dû être évident. Mais les autres ? T'as eu un chum après l'autre pendant des années ! Tu les aimais pas ?

— Non... je pensais que oui, que c'était ça aimer, mais c'est juste quand j'ai rencontré Robert que j'ai compris que c'était une *joke*. Au lit aussi, d'ailleurs. Allez-vous me croire si je vous dis que c'est avec lui que j'ai eu mon premier vrai orgasme ? *My God !*

— Hein ? ? ? T'as baisé avec tous ces gars-là et t'avais jamais joui ? Ben voyons donc !

Julie était abasourdie. Pour elle, c'était évidemment la pire chose qui pouvait arriver. J'ai souri, me souvenant de toutes les fois où je m'étais satisfaite d'une bien piètre « performance » de mon mari et à quel point j'avais été ébahie par la puissance des orgasmes que je me procurais moi-même. En somme, Gilles n'avait jamais su me faire jouir de la façon exubérante que j'avais découverte depuis peu ou ne s'en donnait tout simplement pas la peine. Val a continué :

— Ben non, j'te jure. Mais faut dire que j'ai jamais vraiment aimé ça me retrouver dans un lit avec un gars. C'est pour ça que ça toffait jamais, mes histoires. Mes chums me trouvaient plate, frigide, mais en réalité, j'étais juste trop pognée dans des affaires qui me sont arrivées.

— On dirait que t'as fait du ménage dans ta tête, toi, là, ou bien tu sais tout ça aussi clairement depuis un bout de temps et t'en parlais juste pas ?

— J'en ai parlé avec Robert. Je lui ai dit plein de choses que j'avais jamais confiées à personne. Comme l'enfer à la maison avant que mon père parte, comment je l'avais pogné deux fois avec une fille différente en revenant de l'école pendant que ma mère travaillait. Comment il pouvait devenir méchant... Il me menaçait de m'envoyer vivre dans une autre ville si je m'ouvrais la trappe. Il m'a même déjà fait vraiment mal à un bras en me disant que ça serait dix fois pire si je le *stoolais*. Enfin, ma mère l'a pris sur le fait, mais il a toujours pensé que c'était de ma faute. Quand il est parti, il a dit : « J'me débarrasse de deux folles pour le prix d'une ! » Wow, hein ?

Ni Julie ni moi ne savions quoi dire. Nous nous sommes contentées de serrer Val contre nous encore plus étroitement. Elle a repris son récit :

— Après, ma mère a tout fait pour être là pour moi, mais on a jamais réussi à être heureuses, j'pense. J'imagine que j'ai toujours cherché des gars qui me trouvaient plus fine que mon père... et c'était pas toujours des *winners,* comme vous savez. Le pire, ça a été le père de Sabrina. Avec les autres, je réussissais à trouver des excuses pour retarder le moment où on coucherait ensemble, ou à garder ça à un minimum. Ça me tentait juste pas ; les seules images que j'avais de ça, c'était les pitounes de mon père, et je voyais le sexe comme quelque chose qui rendait le monde méchant. Ça sonne niaiseux, de même, mais c'est ça pareil. Là, j'ai rencontré Steeve, et comme d'habitude, j'étais pas super entreprenante. Au bout de trois ou quatre sorties, il était un peu soûl, il s'est tanné. Je voulais pas, en fait j'avais plutôt l'intention de lui dire que j'avais plus envie de le voir – c'était ma tactique quand ça devenait trop difficile de dire non –, mais… il l'avait dans la tête. Il était beaucoup plus grand que moi, plus costaud, aussi, et il m'a traitée d'agace, de frigide. Il me disait que c'était parce que j'avais jamais été avec un gars comme lui que je voulais pas alors que c'était exactement ce dont j'avais besoin. Il m'a forcée. J'étais encore vierge à vingt-trois ans, vous imaginez ? J'ai pensé mourir tellement il m'a fait mal. Et trois semaines plus tard, j'apprenais que j'étais enceinte.

— Hein ? ? ? Pauvre chouette, mais il t'a violée ! me suis-je exclamée, outrée.

— Oui, j'imagine. Mais je le croyais quand il me traitait d'agace, je me disais que j'étais pas correcte de lui faire ça… en tout cas. Vous connaissez la suite.

— Et t'as accepté qu'il fasse partie de ta vie et de celle de Sabrina pendant trois ans malgré tout ça !

Julie était aussi choquée que moi.

— Ben oui. Je tenais pas à ce que Sabrina ait un père comme lui, mais au début, je me disais qu'il changerait et qu'en attendant, j'étais capable de me débrouiller. J'avais vu ma mère le faire, je me suis convaincue que je pourrais moi aussi.

— Et tu l'as fait, comme un chef, ai-je conclu.

Ah le chien saaaaale ! Un autre ! ! !

Eh, que j'étais dans le champ, moi là.

Ouep, solide. Ça explique ben des affaires, hein ?

Trop.

— Merci, Maryse. J'pense que dès l'instant où j'ai su que j'étais enceinte, je pouvais plus reculer. Je voulais cet enfant-là comme j'avais jamais voulu quelque chose dans ma vie. Et j'ai jamais regretté, au contraire. Sauf que c'était pas évident avec Steeve qui vivait dans un trou avec des colocs et moi chez ma mère ; je voulais partir de là au plus vite. Elle le faisait pas exprès, mais ses commentaires du genre « tu serais mieux toute seule qu'avec ce gars qui est même pas capable de garder une job et de faire vivre ta fille ! On est condamnées à ça, nous autres, avoir des enfants avec des *losers,* pis faire des sacrifices ! » me rentraient dedans. Je voulais pas finir comme elle ! Quand Sabrina a eu trois ans et que j'ai pu déménager, Steeve en a profité pour lever les pattes et je l'ai plus jamais revu. J'ai entendu dire un moment donné qu'il avait fait de la prison. Mais ça faisait quasiment mon affaire qu'il disparaisse, je l'avais jamais aimé et c'était l'enfer, *anyway.* Je me disais que je me ferais un nouveau chum gentil, doux et pas trop fatigant, que tout irait mieux, que je pourrais avoir une vie différente de celle de ma mère. Quand je rencontrais un gars qui me trouvait belle, courageuse, intelligente, c'était juste... irrésistible. Je me faisais croire qu'avec lui je pourrais être heureuse, que Sabrina pourrait avoir un père qui avait de l'allure, que tout serait « normal », finalement. Mais ça s'est jamais passé comme je voulais. Après un bout de temps, ils se tannaient de moi au lit, c'était toujours le même *pattern.* J'ai jamais été capable d'aimer ça. Je vous entendais en parler, surtout toi, Julie, et j'arrivais juste pas à comprendre c'était quoi l'affaire.

— Eh *boy,* je comprends tant de choses, maintenant ! Tu devais tellement me trouver obsédée !

Julie était atterrée et triste pour Val. Honteuse, aussi.

Valérie a eu un petit rire désabusé :

— Oui, un peu ! Mais surtout, je t'enviais. J'aurais aimé ça être plus comme toi. Je savais que mes chums vous faisaient pas triper, je suis pas épaisse au point de pas avoir compris depuis longtemps que ça nous empêchait de faire des choses ensemble avec toi et Danny ou avec Maryse et Gilles.

— Ça aurait pas changé grand-chose pour nous, Val, ai-je précisé.

— Ni pour nous, a ajouté Julie. T'avais ta fille, nous on était toujours partis d'un bord et de l'autre, on avait pas la même vie.

— Je sais, mais bon. *Anyway,* c'est de l'histoire ancienne, tout ça. Là, j'ai rencontré Robert et pour la première fois, j'aime ça être avec un gars, au lit comme ailleurs. Il me fait sentir bien, en sécurité, et je l'aime pour vrai. Ça fait un peu peur… j'avais jamais fait le lien entre aimer et la maudite peur de perdre qui vient avec !

— Tu dois avoir un sérieux problème avec l'abandon, étant donné ce qui est arrivé avec ton père et le père de Sabrina…

— Merci docteure Julie, j'pense que t'as raison !

— Hey ! Riez pas de moi, j'essaie juste de comprendre pourquoi on a jamais vu ou compris ça !

— Vous auriez pas pu, Julie, je cachais tout ça ben loin. Mais c'est plus important. Là, par contre, il se passe quelque chose avec Robert et je capote. Il me cache des affaires, il a changé dernièrement, et je panique. Je veux pas, je PEUX pas le perdre. Faque j'essaie d'être fine, d'être *low profile,* mais en dedans, je *freake.* Comment je peux être certaine qu'il a pas une autre femme qui l'attend, dans l'Ouest, quand il part d'ici ? Une espèce de Jessica contre qui je serai jamais de taille ? D'ailleurs, elle, j'ai bien vu comment elle le regarde, mon Robert. Si elle fait un *move* pour me le piquer, je te jure, je la tue !

À ma grande surprise, Julie s'est portée à la défense de ma voisine :

— Elle oserait pas, Val. Elle peut avoir l'air un peu *bitch,* et on sait qu'elle a pas tant de scrupules envers les gars qui sont déjà pris, mais quand même, elle irait pas jusque-là.

— Comment tu peux être sûre de ça, toi ?

— Je peux pas, c'est juste un feeling. Je pense qu'elle est juste moins pire qu'on le pense toi et moi, c'est tout.

— Ah bon ? ai-je demandé. Comme ça vous l'aimez pas ni l'une ni l'autre ? C'est quoi votre problème avec elle ?

— C'est pas important, Maryse, a déclaré Julie. On en reparlera peut-être une autre fois, mais là, on s'occupe de Val. Allez, continue, Cocotte.

Valérie a pris une longue gorgée et a poursuivi :

— Je sais qu'il aime les belles femmes, c'est normal. Je veux qu'il me trouve belle et c'est pour ça, le Botox et le reste. Avant, je changeais mes intérêts, je m'arrangeais pour aimer les mêmes choses que mon chum, vous me l'avez fait remarquer et vous aviez raison. Avec Robert, j'ai jamais eu besoin de faire ça, on a les mêmes goûts, on pense pareil, c'est presque *weird.* Sauf que je vieillis… Et lui prend tellement soin de lui que je peux au moins faire la même chose. C'est pas si épouvantable que ça, me semble ? Mais là, vous me tombez dans la face comme si j'avais volé une banque ou quelque chose du genre !

— Écoute, Val, dis-je de la voix la plus douce possible, je savais pas tout ça. Je comprends un peu mieux, mais… je continue à croire que tu devrais pas te sentir obligée d'aller aussi loin pour quelqu'un. C'est ça qui m'achale… tu vois la différence ?

— Oui. C'est comme si je poussais mes anciennes tendances un peu plus loin, à vouloir me transformer de même, un peu trop radicalement. Mais c'est pas tout à fait ça… Un peu, c'est ben certain et il faut que je l'avoue, mais pas totalement. Je sais plus quoi faire ! Ça me tue, les filles ! Aidez-moi, parce que là, je suis sur le bord de la crise de nerfs !

— Bon. Mettons. On reviendra à tes raisons plus tard. Qu'est-ce qui t'inquiète tant que ça de la part de Robert ?

Je voulais de tout cœur l'entendre dire des choses faciles à écarter du revers de la main, des inquiétudes insignifiantes et simples à expliquer pour la rassurer. Mais ce qu'elle nous a dit a fait sombrer mon moral jusque dans mes talons :

— Ben d'abord, la dernière fois qu'il était ici, il a ajouté un mot de passe sur son téléphone. Avant, ça m'arrivait souvent de prendre son cell pour appeler ou texter Sabrina, il le laissait traîner partout et plutôt que de chercher le mien, vous savez comment je sais jamais où il est…

— Sans commentaire. Mais ça veut rien dire, Val.

Je n'aimais pas ça, mais en soi, ce n'était pas un drame.

— Ensuite, quand il est à Montréal, on va TOUJOURS faire toutes nos commissions ensemble. Que ce soit pour des vêtements, l'épicerie, même mettre de l'essence dans son auto, on fait TOUT ensemble.

— On avait remarqué !

La remarque de Julie s'était voulue taquine, mais il s'y trouvait tout de même une pointe de sarcasme que Val n'a pas relevée. Elle a plutôt précisé :

— Là, il part souvent seul, une heure ici et là. Il me dit qu'il va juste faire des commissions ou voir un chum, mais je pense pas.

— En une heure, Valérie, il peut pas tellement faire de niaiseries !

— Je sais, mais c'est pas tout… en réalité, il va se faire pomponner. Je vous jure, il est plus poupoune que moi ! Il se fait épiler le dos, s'est même fait faire un pédicure, se fait couper les cheveux chaque mois, c'est un peu *too much*… Il a même commencé à aller au gym, ce qu'il n'a jamais aimé faire. Il m'a dit qu'il y a pris goût dans l'Ouest parce qu'il y a un beau gym à côté de chez lui, là-bas, mais ça lui ressemble tellement pas !

Je ne savais pas quoi dire. Ces signes me rappelaient trop de souvenirs de la période de transformation de Gilles pour que je ne fasse pas de lien. Le salaud. C'était tellement typique ! Mais je ne voulais tout de même pas sauter aux conclusions trop vite. Jusqu'à ce qu'elle ajoute le détail qui ne trompe pas :

— Le pire, c'est qu'au lit aussi, il est… différent.

— Comment ça, différent ?

Julie avait sursauté elle aussi. Elle a regardé Val dans les yeux et lui a demandé :

— Est-ce qu'il en veut plus que d'habitude ou moins ? Qu'est-ce qui est différent ?

Son ton était fébrile, elle devait aussi faire des liens. Avec Danny, sans doute.

— Ben… il a tout le temps envie de faire l'amour. Avant, il avait le goût souvent, surtout quand il revenait, les premiers jours ; après, ça se calmait un peu. Mais là, c'est tout le temps. Et il essaie des nouvelles façons de faire, là…

Elle était écarlate. Elle n'avait jamais été très à l'aise de parler de sexe en détail, elle en révélait déjà beaucoup, mais nous devions en savoir plus.

— Il te demande des choses qu'il t'a jamais demandées avant ?

— Oui… mais c'est surtout qu'on dirait qu'il en fait trop. Il est trop gentil, me gâte trop, je sais pas comment vous expliquer…

— Comme s'il voulait se faire pardonner quelque chose, genre ? a demandé Julie.

— Genre. Mais on a pas eu de chicane, rien…

Misère. Tout est là. Comportement classique du gars qui a une double vie.

Fuck. On fait quoi, là ?

Ben là, allume ! T'es pas la détective du siècle, toi ?

Ah ben oui, hein ?

Tu peux aller faire un tour dans l'Ouest et checker ça.

Oui. J'avais justement comme un goût d'aller me promener au Kanada.

Lui aussi. J'peux pas croire !

Fuck.

J'étais dans une colère incroyable. Toute la hargne et la douleur que j'avais ressenties à cause de Gilles sont revenues d'un seul coup. C'était trop. Robert n'aurait pas dû s'en prendre à Val, il regretterait amèrement cette erreur.

J'étais tellement fâchée que je voulais trouver la vengeance ultime pour lui et ça méritait réflexion.

Un peu charriée, ta colère, là.

Oui, mais on parle de Val, là. Ma Val.

Mom's back !

Oh oui. Je veux bien faire payer des étrangers comme Stéphane. Mais lui ?

Oh, il va souffrir.

Pas question d'agir impulsivement et de manquer mon coup. J'étais convaincue qu'après ça, après lui, je pourrais enfin me sentir mieux. Je pourrais tourner la page une fois pour toutes. En mourant subitement, Gilles m'avait privée du plaisir de me venger ; et de me défouler sur Stéphane n'avait qu'attisé un feu qui s'intensifiait chaque jour. Valérie, elle, ma douce amie si vulnérable et fragile, serait vengée. Ça bouclerait enfin une boucle.

Calgary, here I come.

Robert revenait à Montréal incessamment, je ne pouvais donc rien faire pendant qu'il était en ville, sinon que d'inciter Valérie à noter tous ses comportements étranges durant son séjour. Comble de malheur, son horaire était chamboulé par une nouvelle acquisition et il ne retournait pas à Calgary avant plusieurs semaines. Valérie devrait se montrer patiente, colliger les données et accumuler le plus grand nombre d'éléments de preuve possible. Elle pouvait y arriver, malgré ses doutes et sa peine, puisqu'elle savait maintenant qu'il ne s'en tirerait pas indemne. Ma détermination et ma rage lui donnaient force et courage.

— Il va être ici deux semaines, je vais en profiter. C'est pas si difficile… Il a beau être dégueulasse, je l'aime quand même, c'est fou, hein ? Je peux continuer à jouer les innocentes même si ça me crève le cœur…

— Oui, c'est fou, Val. Mais on peut rien faire tant qu'il retournera pas à Calgary. Ça peut juste être là que ça se passe et, crois-moi, après ça, on va pouvoir lui payer une méchante traite. Il aura rien vu venir.

Non, rien du tout. Ce serait long, pénible pour Valérie, mais dès qu'il retournerait là-bas, à sa vie cachée, j'allais être là, patiente et, surtout, implacable.

Attache ta tuque, mon salaud.

31

Jessica avait pris le relais du courrier de Karma sutra pendant quelque temps, je n'avais pas la tête à ça. Julie, de son côté, s'était excusée auprès de Jessica et faisait des efforts louables pour l'apprécier sans toutefois obtenir des résultats convaincants. Elles avaient mis de côté, à mon intention, leurs lectures les plus intéressantes. Je trouvais qu'il s'agissait d'offenses bien « mineures », mais Jessica refusait, pour des raisons nébuleuses, de traiter les cas lourds, et Julie n'était pas très motivée. Je rongeais mon frein et j'aurais bien aimé m'en mettre quelques-uns sous la dent, question de patienter quelques semaines jusqu'à la crucifixion de Robert.

Il sait pas ce qui l'attend, lui !

Non, et c'est tant mieux, ça va faire encore plus mal.

Tu voudrais lui arracher la queue, hein ?

Oui, et la lui faire avaler ! ! !

Ishhh. Tu bascules, là !

Y'a de quoi, non ? On parle de Val, là ! Elle ferait pas de mal à une mouche !

Je sais, je sais. Fais ce que t'as à faire, d'abord...

J'ai laissé Jess choisir les cas dont elle avait envie de s'occuper, je trouverais bien les miens. Elle a retenu celui d'un certain Jean-François. Trois femmes nous avaient écrit pour nous parler de ce spécimen tout à fait charmant, qui s'exprimait bien, semblait intelligent et honnête. Âgé de quarante et un ans, il disait rechercher une femme dans la trentaine ou au début de la quarantaine, ayant des intérêts variés, sportive, cultivée. Il se disait « beau bonhomme », drôle, aimant les spectacles de toutes sortes et surtout d'une franchise à toute épreuve. Les trois membres qui nous avaient alertées disaient qu'il omettait cependant un léger détail : les photos de son profil dataient de plusieurs années et, depuis qu'elles avaient été prises, il avait grossi de façon prodigieuse. En soi, ce n'était pas la fin du monde, on est comme on est. Toutefois, il avait dit la même chose aux trois femmes qu'il avait rencontrées au cours du même mois : « Je me donne la peine de dire que je cherche une femme sportive, ça veut dire mince, même très mince. Je pense que vous avez mal lu ! C'est pas compliqué, me semble ! » Puis, il avait « planté là » ses *dates* et était parti, sans même se donner la peine de boire un verre. Depuis, elles avaient constaté qu'il avait ajouté, sur sa fiche, la mention suivante : « Photos récentes seulement, et pas seulement du visage. Femmes rondes s'abstenir. »

Je trouvais ça si ridicule que je n'avais pas envie de donner suite à ce genre de cas qui n'en était pas réellement un. Jessica, cependant, était exaspérée.

— Ils se prennent pour qui, coudon ? Il a pas remarqué qu'il a l'air d'une baleine échouée ? Et il voudrait une pitoune maigrichonne ? J'en peux pus de ces épais-là !

Elle l'a donc rencontré après lui avoir envoyé plusieurs photos qui ne laissaient pas de place à l'imagination. Elle a joué le jeu, encore une fois, mais je la sentais de plus en plus dépitée, elle devenait hargneuse. Quand il est arrivé sur les lieux de leur rendez-vous, Jess a attendu de voir sa réaction. S'il lui offrait un verre, elle pourrait se vider le cœur.

— Jessica ? Wow, t'es vraiment belle ! On va boire un verre ?

Elle lui avait fait un petit sourire méchant, avait sorti son téléphone et s'était préparée à prendre une photo.

— Ah, je suis assez maigre pour toi ? Cool. Mais moi, t'sais, les ronds, j'aimerais mieux qu'ils s'abstiennent. Mets donc tes photos à jour, sur le site ! J'ai écrit que je cherchais un homme en forme, pas en forme de ballon de plage. C'est pas compliqué, me semble !

Clic !

Trois autres clientes satisfaites.

Le suivant était Julien, monsieur « j'ai oublié mon portefeuille ». La première fois que Jessica est allée souper avec lui, je devais lui téléphoner vers neuf heures. Le repas tirait à sa fin, elle s'était gavée de fruits de mer et de médaillons d'agneau tout à fait succulents. Elle a décroché après la deuxième sonnerie :

— Allô ?

— Salut, Jess. C'est moi…

Silence au bout de la ligne. Puis, d'une voix presque paniquée digne d'un prix d'interprétation :

— Oh mon Dieu ! Il est à quel hôpital ? J'arrive !

Je riais ! Je l'imaginais trop bien se lever précipitamment, le regard affolé, et dire à Julien quelque chose comme :

— Mon Dieu, mon père a eu un accident d'auto ! Faut que j'y aille, je suis vraiment désolée, mais je suis certaine que tu comprends ! On s'appelle, OK ?

Et juste au moment de partir, elle se retournerait.
Clic !

Je m'amusais bien, mais c'était de la petite bière, compa-rativement à ce que nous avions fait à Stéphane et à ce qui attendait Robert. Par contre, alors que j'allais implorer Jessica de passer à un niveau supérieur, elle m'a annoncé qu'elle fréquentait un homme qui lui plaisait beaucoup avant de m'avouer, à contrecœur, qu'il s'agissait de son patron. Je n'approuvais pas ; d'abord, il était marié, ensuite, elle semblait plus entichée de lui que de tous les autres hommes qu'elle avait côtoyés depuis sa séparation. Je savais qu'elle combattait plusieurs démons, que son quotidien avec les enfants une semaine sur deux était lourd et son travail exigeant, je ne voyais donc pas d'un très bon œil le fait qu'elle mêle son patron à tout ça. Mais elle n'aurait que faire de mes mises en garde.

— Tu peux pas comprendre, Maryse… Il me fait hallu-ciner ! Il est super gentil, généreux et attentionné, mais en plus il baise comme un dieu !

— Donc, c'est un *trip* de cul…

— Non ! Ben oui, mais pas juste ça. Tu devrais voir comment il est. C'est fou. On a passé une nuit complète-ment folle ! J'ai eu de la misère à marcher pendant deux jours, j'ai des bleus…

— Il t'a frappée ? ? ?

— Non, c'est juste qu'il me serrait tellement fort, c'était vraiment intense… ouf, j'en ai des chaleurs ! Je trouvais Stéphane *hot,* mais lui !

— Coudon, moi qui entends toutes les femmes se plaindre de mauvais baiseurs, j'te trouve pas mal chanceuse, t'as l'air de toujours tomber sur l'amant du siècle !

— Non, c'est juste que les autres, j'en parle pas… mais y'en a eu des innocents qui viennent en deux minutes et font rien pour compenser, tandis que d'autres savent juste pas te toucher comme du monde, t'sais le genre qui te pince les seins si fort que tu veux juste le frapper ?

— Euh… non, je sais pas vraiment, mais c'est pas grave !

— Ou l'autre qui se donne même pas la peine de te faire lubrifier un peu avant de vouloir tout de suite rentrer là, pis qui dit que c'est ta faute si « ça glisse pas » ? Celui qui a mauvaise haleine ou qui t'embrasse trop et vraiment mal en te barbouillant la face pour la rendre plus mouillée qu'après une douche ? Ah, et il y a ceux qui parlent vraiment trop en baisant… Un peu, c'est l'*fun,* mais y'a des limites !

— Ark ! OK, c'est bon, j'ai compris ! Mais ton boss, là…

— Oui, y'est parfait, j'te dis. Avec lui, j'me sens aussi parfaite, il m'excite juste à me regarder parce que j'sais qu'il va me faire jouir comme une folle… c'est assez spécial !

Elle avait fermé les yeux un instant, revivant sans doute un épisode particulièrement agréable. Elle était heureuse… Il était cependant flagrant que mon petit *hobby* ne l'enthousiasmait plus autant ; elle était de moins en moins disponible et ne s'intéressait qu'aux dossiers « imbéciles légers ».

Moi, par contre, je commençais à me sentir comme un lion en cage. Je voulais être aux premières loges pour constater la déconfiture de ces idiots et il me tardait de pouvoir me pencher concrètement sur le châtiment de Robert. Je n'avais pas encore d'idée précise sur la façon de m'y prendre avec lui, mais j'avais confiance : mon séjour à Calgary me fournirait des idées intéressantes. Je trépignais d'impatience. En attendant, malgré mes journées remplies de rendez-vous et de dîners d'affaires, j'ai jeté mon dévolu sur les hommes dont nos membres nous révélaient les travers et sélectionné, avec l'aide précieuse de Julie, les candidats dont je pourrais m'occuper moi-même.

Il y en avait plusieurs, des tonnes, même. Cependant, je ne voulais pas ridiculiser des cons de petite envergure. Je voulais rétablir des torts, démasquer des tricheurs, dénoncer des situations inadmissibles. Un soir où Julie était venue à la maison partager avec moi un délicieux repas de sushis et une bouteille de champagne, nous sommes tombées sur le parfait coupable.

Gregory était un homme de cinquante-cinq ans, marié, qui cherchait une femme dans la même situation que lui pour une amitié durable. Et quoi encore ? Un autre salopard que je pourrais faire payer avec le plus grand plaisir. La femme qui le dénonçait nous avait écrit le message suivant :

« Ne me jugez pas, S.V.P. Mon mari me trompe depuis des années… et je n'ai pas le courage de le quitter, pour toutes sortes de raisons. Mais j'en ai eu assez et j'ai eu envie de lui faire la même chose. Peut-être pouvez-vous me comprendre… »

Oh que oui. Plus que tu le penses, ma belle !
Je te dirais même : bravo !

« Par contre, je ne suis pas du genre à me payer une aventure d'un soir, et cet homme cherchait justement autre chose.

Quelque chose qui me plaisait et me rejoignait. Il habite dans la région de Toronto (supposément, je ne suis plus sûre de rien…) et vient à Montréal régulièrement pour son travail. Il disait vouloir connaître quelqu'un ici, développer une relation à long terme sans toutefois avoir l'intention de quitter sa femme. C'était parfait pour moi. Je l'ai rencontré, et c'était super. Après notre première nuit ensemble, il n'a plus jamais donné de nouvelles. Je lui écrivais à l'adresse courriel qu'il m'avait donnée, mais mes messages ne passaient plus. Sur le site, c'était la même chose, j'imagine qu'il m'a bloquée. Pourquoi mentir de la sorte? Pourquoi me dire qu'il voulait développer quelque chose avec moi alors qu'il ne voulait qu'une baise passagère? »

Pourquoi, en effet?
Parce que c'était ça que tu voulais entendre, chérie.
Parce qu'il savait que tu serais pas intéressée par une baise d'un soir.
Voyons, allume!

Elle l'a cru, parce que c'est ce qu'on fait, nous les personnes bonasses. Il l'a sans doute remplacée lors de son séjour suivant, et il y en a sûrement eu d'autres depuis. Aucune autre femme ne nous a écrit à cet effet, mais ce n'était pas nécessaire pour que j'en sois convaincue.

Sans tergiverser, j'ai modifié mon profil, changé mon statut de « célibataire » à « mariée », et j'ai joint ma meilleure photo au message que j'ai fait parvenir le jour même à ce cher Gregory. J'étais intriguée, car dès la première réponse, il m'a envoyé quatre photos me révélant un bel homme, grand, athlétique et grisonnant, à l'allure distinguée et au sourire étincelant. S'il n'avait pas été marié, j'aurais sans doute souhaité en savoir plus long à son sujet. Que notre correspondante soit tombée sous le charme n'était pas étonnant ! Ce genre d'homme était beaucoup trop rare sur les sites et j'aurais facilement pu mordre à l'hameçon. D'autant plus que la disette que je m'imposais depuis ma rupture avec Daniel se faisait sentir. J'avais beau avoir recours à mes petits accessoires, mon corps réclamait des caresses plus humaines et surtout différentes de celles que je lui prodiguais.

J'étais curieuse. Je voulais savoir ce qui poussait un tel homme à rechercher ce genre d'aventure. Ce n'était pas sorcier, je le savais bien. Mais au-delà de la nouveauté, qu'est-ce que ce type de relation pouvait apporter de bon dans un mariage ? Du mensonge, des cachotteries, de la douleur. Quoi d'autre ?

C'est juste baiser un soir, qu'il veut !

Ah oui. C'est ben trop vrai.

Encore mieux.

J'ai rencontré Gregory dans le bar d'un hôtel chic du centre-ville à peine quelques jours plus tard, par une douce soirée de mai. Il s'exprimait avec un fort accent anglophone. Il m'a expliqué qu'il habitait dans une banlieue de Toronto, mais il devait venir à Montréal une ou à deux fois par mois. Il espérait trouver une amie, une compagne, une complice pour passer ses soirées et ses nuits loin de chez lui en agréable compagnie.

Blablabla. Qu'est-ce qu'il penserait si je lui disais :
« Dommage, moi je veux juste baiser un soir ! »
Ça serait drôle… mais moins amusant.

Il m'a servi le même baratin qu'à la femme qui nous avait écrit. Au moins, il était constant dans ses mensonges.

— Et toi, ma belle, qu'est-ce que tu recherches ?

Je n'avais pas prévu ce genre de question et je me suis trouvée idiote. J'ai réfléchi à toute vitesse, cherchant désespérément quelque chose de crédible. Avec un large sourire, je lui ai répondu :

— Eh bien, je suis mariée depuis plus de vingt-cinq ans. Mon mari me trompe depuis plusieurs années, mais je fais comme si je ne le savais pas. Pourquoi ? Parce que je vis dans le confort, je suis attachée à lui et c'est avec lui que j'ai l'intention de finir mes jours. J'ai deux merveilleux enfants qui viennent à Montréal dans quelques jours pour la fête des Mères. Une chance que je les ai ! Cependant, j'ai envie de revivre certaines émotions, certains émois, si tu vois ce que je veux dire…

Mon alliance, sortie pour l'occasion du fin fond de ma boîte à bijoux, me brûlait comme si elle avait été chauffée à blanc, et je sentais mes joues s'empourprer à chaque mot que je prononçais. Ça avait pourtant été plus facile que je l'aurais cru, de lui raconter tout ça. Était-ce parce que j'aurais sans doute fini par tenir ce genre de discours si Gilles n'était pas aussi « commodément » décédé ? Je n'en savais rien. Gregory a poursuivi :

— Je te comprends tellement ! Je pense que les hommes et les femmes ne sont pas faits pour vivre ensemble aussi longtemps de manière exclusive. J'aime aussi ma femme, je veux la même chose que toi. Peu de gens le comprennent…

Oui, très peu, en effet. Il disait tout ça de manière si évidente, je le croyais presque. Au moins, il ne disait pas qu'elle était malade, lui ! Écœurant quand même. J'imaginais beaucoup trop facilement sa femme qui l'attendait à la maison, sûre que son homme faisait ce qu'il avait à faire pour son travail, sans plus. Tous des salauds.

Nous avons fini un premier verre, puis un deuxième. Champagne, rosé comme il se devait, l'endroit s'y prêtait parfaitement. Malgré mon mépris envers lui, j'aimais la façon dont Gregory me regardait pendant qu'il me confiait ses doléances et je me suis félicitée de mon choix de vêtements. Je me sentais belle, dans cette robe turquoise à la fois sobre et élégante qui mettait mes yeux en valeur. Mes cheveux étaient fraîchement coiffés, mes ongles manucurés à la perfection. L'ancienne Maryse ne se serait pas sentie adéquate, aurait douté de sa capacité de séduire un tel homme. Mais là, je n'étais plus la même. Aurait-il été aussi charmé par mes cheveux poivre et sel, mes chandails amples et mes jeans d'autrefois ? Sans doute pas. Était-ce si mal de vouloir se sentir plus belle, plus attirante ? Non, pas du tout. Quoi qu'il en soit, je n'en ressentais pas la moindre gêne, au contraire. Je n'en oubliais pas ma « mission », mais tant qu'à y être...

Avec un naturel qui m'a étonnée, j'ai répondu par l'affirmative lorsque Gregory a proposé que nous mangions au restaurant de l'hôtel. C'était une table réputée, au menu raffiné, et le décor feutré me plaisait. Jusqu'où étais-je prête à aller pour m'acquitter de mon devoir ? Avec lui, jusqu'où il le faudrait tant son comportement m'enrageait. La vengeance n'en serait que plus amère pour lui, satisfaisante pour moi. Quelque chose en lui me faisait beaucoup trop penser à Gilles pour que je le laisse s'en tirer à bon compte. Il me parlait de son mariage, de ses années heureuses avec cette femme, son amour de jeunesse, de leurs enfants. Il m'a même montré des photos. C'était beaucoup trop proche de ma réalité.

Étrangement, même si je lui aurais lancé le contenu de mon verre de bulles en plein visage, mon corps et mes sens s'éveillaient d'heure en heure. Je comprenais comment Jessica avait pu se laisser tenter par Stéphane. Si elle avait pu garder le cap, je le pourrais tout autant. L'attaque ne serait que plus efficace.

Nous avons mangé, discuté et bu, et tout ça était fort agréable. Gregory se montrait de plus en plus charmeur et je m'en délectais. Il y avait si longtemps! Depuis Daniel, j'avais été trop prise par le site et ma «renaissance» pour m'occuper de mes désirs et des besoins de mon corps. Sans que je puisse y résister, ceux-ci prenaient vie sous le regard de cet inconnu et, même si je trouvais ça un peu puéril, je m'en régalais comme une petite fille.

Gregory déclarait avoir envie de me connaître; il m'assurait qu'il ne recherchait pas une simple aventure, mais plutôt une relation faite de séduction, de plaisir intellectuel autant que charnel, et d'amitié. Tout ça sonnait merveilleusement bien, mais je n'étais pas la première à l'entendre. Sauf que moi, je savais qu'il mentait.

À d'autres, trou de cul.

Beau trou de cul, quand même!

Ouain, j'avoue. Mais trou de cul pareil, je vais pas l'oublier…

Je le regardais sans l'écouter, me demandant de quelle façon je pourrais le piéger. Il serait sans doute facile de découvrir son nom complet et pour quelle compagnie il travaillait; de là, la détective en moi ferait le reste. Rien ne pressait, toutefois. Je n'avais pas de plan précis, mais ça viendrait.

Lorsque nous avons pris le digestif, au bar de l'hôtel où un trio de musiciens jouait un jazz «corporatif» discret, j'étais légèrement éméchée. Pas soûle, loin de là, juste dans cet état béni où le rire est facile, le flirt délicieux et l'insouciance à son comble. L'envie, aussi. Envie de le voir s'empêtrer dans ses mensonges, de le voir payer… et envie d'autre chose de plus viscéral, tant qu'à y être. Tant pis.

Envie de baiser, dis-le donc.

Euh… ah pis oui, envie de baiser.

Bon ! T'es pas finie, ma vieille !

Oh, non. Pas finie pantoute. Je commence !

Gregory m'a invitée à danser sur un air lascif et je n'ai pas hésité une seconde. Dans ses bras, je flottais. Était-ce les bulles ou le vin qui me donnaient la soudaine envie de déboutonner sa chemise et de toucher cette peau d'homme si tentante ?

Il m'a embrassée et je n'ai manifesté aucune objection, au contraire. Il embrassait divinement bien, tellement que je ressentais de drôles de picotements dans mon ventre, tout en bas. Étrange, mais savoureux. Il y avait d'autres couples sur la minuscule piste de danse, mais j'avais l'impression que nous étions seuls. Je *voulais* être seule avec lui. Jamais je n'avais eu autant envie d'un homme, même pas Daniel. Étais-je en danger ? Non, pas le moins du monde. Pour une fois, j'avais envie de m'abandonner dans les bras et dans le lit d'un homme sans m'inquiéter de ce qui arriverait par la suite. Gregory ne se doutait pas de la raison pour laquelle j'étais avec lui, offerte et souriante, et c'était tant mieux. Quand il m'a entraînée vers les ascenseurs, je l'ai suivi sourire aux lèvres et cœur battant.

Dès que les portes se sont refermées derrière nous, il m'a embrassée de plus belle, son corps m'écrasant contre la paroi de la cabine, ses mains m'empoignant les hanches. Je me sentais folle, allumée, tout à fait vivante. Il était si excité que ça m'excitait tout autant. Ma foi, j'étais en train de faire une Julie de moi-même ! Les mains de Gregory glissaient sur mes fesses, sous ma robe, tandis que sa bouche mordillait la peau frissonnante de mon cou. J'aurais même voulu qu'il se débarrasse de son pantalon et me pénètre là, dans cet ascenseur où nous pouvions être interrompus à tout moment.

Attagirl! Oui, Julie aurait été fière de toi!

J'ai réussi à patienter jusqu'à ce que nous atteignions sa chambre. Là, j'ai cessé de me contrôler et je me suis attaquée à son veston, l'ai laissé retirer sa cravate et sa chemise, tandis que je me bagarrais avec son pantalon. Ma robe a glissé sur le sol, mes bas et mes sous-vêtements ont quitté mon corps presque par magie et je me suis retrouvée sur l'immense lit, Gregory flottant au-dessus de moi, puis, presque instantanément, en moi. C'était exactement ce dont j'avais eu envie. Les préliminaires avaient assez duré. Faits de paroles, de sourires, de confidences plus ou moins explicites, ceux-ci avaient été aussi efficaces que n'importe quelle caresse. Même ses soupirs étaient charmants. Il me murmurait son appréciation, son excitation, avec ce savoureux accent et j'accueillais tout ça comme... comme si j'en avais manqué pendant trop longtemps. Gregory manipulait mon corps comme un virtuose. Ses grandes mains caressaient ma poitrine, mes côtes et mon dos avant d'empoigner mes fesses pour me renverser et m'asseoir sur lui. Là, je me sentais comme une amazone irrésistible, je laissais ses doigts habiles caresser mon sexe moite et je jouais du rythme comme d'une arme redoutable, réduisant la cadence pour glisser son membre tout doucement jusqu'au fond de mon ventre avant d'accélérer pour atteindre un galop des plus intenses. Avais-je été aussi entreprenante avec Daniel? Je ne m'en souvenais déjà plus, mais il me semblait que j'avais été plus passive, recevant ses hommages plutôt que les lui offrant comme je le faisais, là, dans cette chambre anonyme.

Serrant les muscles de mon ventre, je l'ai emprisonné en moi, n'insérant que son gland tuméfié quelques instants avant de l'engloutir en entier. Puis, posant mes pieds sur le matelas de chaque côté des hanches de mon amant, je lui ai asséné le coup de grâce et me suis empalée sur son membre tendu à l'extrême. Vite, fort, comme si je voulais lui faire payer d'avance une partie de son châtiment. Je profitais de cet instant pour être celle que j'avais envie d'être, et ce soir-là, j'étais conquérante. Il haletait, en proie à un plaisir aussi vif que le mien, à un point tel qu'il m'a de nouveau renversée, et après avoir caressé mes fesses un moment d'une main impatiente, il s'est enfoui au plus profond de mon corps, me servant la même sentence que je lui avais imposée, ses coups de boutoir me projetant avec une force délicieuse vers l'avant, mes bras me retenant de heurter la tête massive de ce lit malmené. Il a joui dans un grognement et un sourire s'est dessiné sur mon visage.

C'est typique, ça, non ? De se réjouir d'avoir bien fait
jouir son homme ?
Mais toi, t'as même pas joui…
Pas grave, je vais jouir de le voir souffrir.
Bientôt.

J'ai été submergée par un sentiment de fierté et de victoire, une satisfaction tout égoïste qui devait faire écho à sa propre virilité. Nous nous sommes écroulés sur les draps humides, j'ai lentement repris mon souffle et mes esprits. Quelques minutes plus tard, Gregory est parti se rincer sous la douche. J'en ai profité pour sortir son portefeuille de son veston et noter son nom de famille ainsi que son adresse sur mon téléphone : Gregory Prentiss, 90003 Brookside Drive, Oakville, Ontario.

Voilà.

Quand il est sorti, je faisais mine de prendre mes messages et lui ai fait mon plus beau sourire. Il m'a embrassée et a commandé du champagne. Au moins, il avait de la classe.

En aurait-il autant lorsqu'il devrait affronter sa femme ?

J'aimerais ça être une mouche pour voir ça.

En attendant, je suis une mouche qui a beaucoup trop aimé ce qui vient de se passer.

Ouain, pis ?

32

(En parlant des femmes) :
« On peut vous battre et vous trahir et vous chasser...
On peut même vous pardonner...
Mais redoutons votre vengeance
Quand nous commettons l'imprudence
D'aller vous rire au nez ! »
SACHA GUITRY

Je suis repartie de l'hôtel le lendemain matin sur une promesse de nous revoir très bientôt, puisque Gregory devait revenir à Montréal deux semaines plus tard, à peu près en même temps que Robert repartait pour Calgary. Je n'avais pas eu l'intention de passer le reste de la nuit avec Gregory, mais, devant son insistance, j'avais accepté. Je n'avais à peu près pas fermé l'œil, mais je sentais que le jeu en valait la chandelle.

— Tu vas pas partir maintenant... Je t'ai dit que je veux pas une aventure d'un soir. J'aimerais te connaître vraiment, et que tu restes serait une belle façon d'y arriver un petit peu, en attendant la prochaine fois, non ?

Wow, convaincant. Pourquoi pas, au fond ?
T'es sûre que ça va être correct ? Tu vas pas t'imaginer
toutes sortes d'affaires et avoir le goût de le revoir, là, hein ?

Nooooon ! J'ai pas oublié le genre de gars qu'il est. Il s'est d'ailleurs pas obstiné quand je lui ai fait mettre un condom… Mais y'a pas de mal à se faire du bien, c'est tout.

T'as ben raison !

Au matin, il m'avait donné son adresse courriel « personnelle », j'avais fait de même, lui donnant une adresse générique que je n'utilisais qu'à ces fins, en promettant que j'attendrais de ses nouvelles avec impatience.

Évidemment, il n'a donné aucune suite à notre « relation » au cours des semaines suivantes. J'en ai profité pour passer une merveilleuse et paisible fête des Mères avec mes enfants qui étaient venus seuls, par miracle, et pour vaquer à mes occupations : réponses aux nombreux messages, recherche de partenaires publicitaires pour le site, spa avec Julie, Val et Jessica, fondue aux fruits de mer, beaucoup de champagne et sombres complots pour débusquer Robert.

J'ai écrit un message à Gregory à la fin mai, la veille de son retour en ville. Et tout comme la femme qui l'avait dénoncé, j'ai reçu un message m'informant que mon courriel n'avait pu être envoyé, l'adresse n'étant « pas valide ». Quelle surprise. J'ai tenté de le joindre sur le site de rencontre, en vain. Ce soir-là, voyant qu'il était en ligne, je lui ai envoyé une demande de « chat ». Toujours rien.

Il venait de se pendre.

Sa page Facebook ne dévoilait pas grand-chose, le contenu étant réservé à ses « amis ». Dommage. J'aurais bien aimé y inscrire quelques commentaires enamourés qui auraient sans doute bien plu à sa femme ! Pas grave. J'ai facilement trouvé son numéro de téléphone grâce au répertoire téléphonique en ligne et à l'adresse que j'avais notée. Puis, j'ai fait un premier appel, utilisant mon cellulaire. Une voix de jeune homme m'a répondu. Son fils, sans doute.

— *Hi, is Gregory there, please?*

— *No, sorry, he's out of town for a few days. May I take the message?*

— *Sure, please just tell him that Linda called. Thank you!*

Linda. Je ne connaissais pas de Linda, mais ça ferait l'affaire pour semer le doute. Il était donc sûrement à Montréal, comme prévu. Excellent.

Ce soir-là, j'ai invité Julie à boire un verre de champagne à l'hôtel où nous avions fait connaissance, Gregory et moi. J'ai choisi une petite table en retrait qui me donnait une bonne vue sur l'entrée. Julie était curieuse :

— Vas-tu me dire ce qui s'est passé ? Il était correct ou c'est un vrai de vrai moron ?

— Oh, il était correct, très correct, même. Mais ça l'empêche pas d'être un moron…

— Beau ?

— Tu vas voir par toi-même !

— T'es ben mystérieuse, Maryse ! C'est pas cool, moi qui t'ai toujours donné plus de détails que t'en voulais…

— C'est vrai, t'as toujours été généreuse de même. Tu m'as fait rire et, surtout, tu m'as fait tellement de bien !

— Ouain. Et dire que je me doutais même pas à quel point t'étais malheureuse…

— C'est le passé, ça, ma chouette. J'ai changé, je suis plus du tout la même, t'en reviendrais juste pas. Imagine-toi donc que…

Je lui ai tout raconté. Enfin, presque. Je lui ai donné juste assez de fragments croustillants pour qu'elle se fasse une bonne idée de qui j'étais devenue. Alors que je croyais qu'elle serait fière, qu'elle exulterait, même, sa réaction m'a étonnée :

— Euh, Maryse, dire que t'as changé, c'est l'*understatement* du siècle. Mais j'avoue que je suis un peu sceptique. Tu me racontes ça, là, et j'ai beaucoup de misère à t'imaginer en train de faire ce genre de choses, même si je suis contente pour toi, et...

— Et ?

— Ben, ça m'inquiète, un peu... Tu vas vraiment me faire croire que tu ressens rien pour ce gars-là ? Que t'as passé la nuit avec lui et que t'espérais pas, même secrètement, qu'il t'écrive pour que vous remettiez ça ?

— Très franchement, Julie, non. OK, s'il m'avait proposé une autre nuit dans le genre, j'aurais sûrement dit oui. C'était plus que le temps de me laisser aller un peu et, comme tu dirais, « laisser sortir la cochonne en moi ». Mais c'est juste mon *body,* qui parle. Cet homme-là, c'est le même genre d'écœurant que Gilles, et ça, j'ai pas pu l'oublier, même dans le feu de l'action. Trop de petites choses me faisaient penser à Gilles. Je me suis servie de Gregory comme il s'est servi de moi. J'aurais jamais pensé, moi non plus, pouvoir faire ça, mais faut croire que tout est possible, hein ?

Elle m'a regardée avec une moue dubitative, loin d'être convaincue. J'ai ri :

— Coudon, toi là, es-tu en train de prendre la place de l'ancienne Maryse et de jouer à la mère ? Les rôles sont inversés, c'est moi la courailleuse et toi la môman ? Qui aurait cru ?

— Hey, j'étais pas courailleuse, je cherchais quelque chose, je me cherchais moi-même. Mais toi, ce que tu fais, c'est malsain. Y'a quelque chose qui m'achale profondément.

Ce que vous faites, Jess et toi, me semble que c'est pas correct, ou en tout cas, que vous vous en prenez pas aux bonnes personnes ou pour les bonnes raisons. Je te ferai pas la morale, là...

— Merci, j'apprécie et j'en ai pas vraiment besoin.

Cette dernière remarque était sortie bien plus froidement que j'en avais eu l'intention. C'est qu'elle m'agaçait, avec ses beaux principes sortis de nulle part. Elle pouvait bien parler, elle ! Ma réflexion a été interrompue par l'arrivée de Gregory. J'ai donné un petit coup de pied à Julie, sous la table, et lui ai désigné du menton le bel homme qui venait d'arriver.

— Ouhhh. Pas mal du tout. OK, je comprends mieux certaines choses, mais pas toutes.

Gregory a pris place au bar, après avoir jeté un bref regard à la pièce. J'ai retenu mon souffle et me suis penchée comme si je fouillais dans mon sac à main. Je ne voulais pas qu'il me voie, du moins pas tout de suite. Il s'est commandé un verre et a attendu en consultant son téléphone. Quelques minutes plus tard, une femme est arrivée et j'ai su tout de suite qu'elle allait le rejoindre. C'était une femme dans mon genre, somme toute. Le genre de celle que j'étais devenue : élégante, d'un style sobre mais de bon goût, elle portait une jolie robe noire et sa tenue était impeccable. Elle s'est approchée de lui, ils se sont fait la bise et elle s'est assise au bar près de Gregory. Il était manifeste qu'ils ne se connaissaient pas encore intimement. Une certaine gêne était visible, même d'où nous les observions, une grande curiosité, aussi.

Julie et moi avons commandé plus de champagne et avons continué de papoter tout en les observant du coin de l'œil.

— Et là, tu vas faire quoi ? m'a demandé Julie.

— Je vais commencer par voir si ça clique, ça a l'air bien parti.

Je ne pouvais pas distinguer le visage de Gregory, mais celui de la femme était captivé. Elle le regardait avec intensité, riait trop facilement, ses pommettes étaient rouges. J'imaginais ce qu'il devait lui raconter et je répétais chaque phrase à Julie. J'aurais pu tout lui dire à elle, l'étrangère, ça lui aurait épargné temps et déception, mais je m'amusais.

Après plus d'une heure de conversation, Gregory a mis sa main sur le bras de sa compagne, la faisant sourire. C'était gagné, ils finiraient la nuit ensemble, j'en étais certaine. Et moi, j'en avais assez. Nous avons vidé notre verre et, juste avant de partir, j'ai pris une photo du nouveau couple en devenir. Je m'étais déplacée pour que le visage de Gregory soit bien reconnaissable, celui de sa compagne, à peine. Ce n'était pas nécessaire. La main de Gregory était toujours posée de manière un peu possessive sur celle de la dame. Parfait. *Clic !*

Le soir même, je me suis créé une nouvelle page Facebook sommaire avec un nom fictif. Ensuite, j'ai visité de nouveau celle de Gregory. Peu de renseignements m'étaient accessibles, mais dans l'onglet « Membres de la famille », il y avait un Brendon Prentiss et une Clarice Prentiss. En visitant leur page, j'ai trouvé le nom de leur mère, Lucy.

Pleased to meet you, Lucy ! En-chan-tée !

Cute, ton accent anglais.

Pas sûre que Lucy dirait la même chose.

Too bad !

Sur la page de l'épouse de Gregory, j'ai pu voir plusieurs photos d'elle et de son mari, avec ou sans leurs enfants. Des photos de voyage, de soirées en couple, de plats que Lucy avait amoureusement concoctés pour sa famille. Elle semblait aimer cuisiner, faisait partie d'un club de lecture, s'adonnait au tennis et à la marche. Elle avait l'air gentille, quoique assez *straight*. Oui, ça aurait pu être moi il n'y avait pas si longtemps. J'étais désolée de crever sa bulle de mère de famille de banlieue, mais je n'avais pas le choix. Elle me remercierait un jour. J'ai cliqué sur l'onglet message et j'ai écrit :

Hi Lucy, I don't know you, you don't know me, but I thought you should know.

Oui, elle devait savoir. Et là, j'ai joint la photo que j'avais prise quelques heures plus tôt à l'hôtel en ajoutant "Montreal, *last night*". Envoyer.

Une heure plus tard, je recevais un message sur ma nouvelle « fausse » page Facebook. Très bref, mais pas très poli :

Who the hell are you ? What is this ? Damn you ! What do you want from me ?

Pauvre femme. Il fallait que je lui réponde. Qui je suis, demandait-elle ? Une femme qui a passé la nuit avec ton mari, quelques semaines plus tôt. Désolée d'être aussi brutale. Qu'est-ce que cette photo ? Celle d'une autre femme avec ton mari, ce soir. *Damn you ? Damn your husband, sweetie !* C'est lui que tu devrais engueuler, pas moi ! Ce que je veux ? Simplement te faire connaître la vérité. Ton mari fréquente un site de rencontre, prétend vouloir une relation amicale et stable en dehors de son mariage. Il dit t'aimer et vouloir finir ses jours avec toi, mais tout porte à croire qu'il te trompe à chacune de ses visites dans la métropole. Je suis désolée. Je suis passée par là et je n'accepte plus ce genre de connerie.

J'ai rédigé ce message en anglais le mieux possible ; si Julie avait été là, elle aurait pu me donner un sérieux coup de main, mais la forme importait peu, seulement le contenu. Quelques minutes plus tard, la femme m'a répondu :

I don't believe you, I can't believe it. You're lying. Why ?

Je comprenais qu'elle ne veuille pas me croire et m'accuse de mentir, mais je ne me suis pas laissé démonter. J'ai riposté :

Your husband has a big birthmark on the left side, on the hip. It looks like a half moon.

Oui, cette tache de naissance sur la hanche en forme de demi-lune devrait la convaincre. Sinon, j'avais d'autres preuves, moins concluantes, mais tout de même valables. Il avait une trousse de toilette bordeaux, de marque Hugo Boss. Ses *boxers* étaient en soie noire, des Calvin Klein. Il dormait sur le ventre, les bras le long du corps, les jambes écartées.

Je me sentais mal, car Lucy avait su me transmettre toute sa détresse en quelques mots. C'est pourquoi j'ai continué à lui écrire lorsqu'elle m'a demandé plus de détails. Comment je l'avais rencontré, ce qu'il m'avait dit, qui était cette autre femme et s'il y en avait eu d'autres qu'elle et moi. Je ne voulais pas trop lui en divulguer, elle souffrait bien assez comme ça, mais je savais que tout ce que je lui disais serait utilisé contre Gregory. Sur la simple base de la photo, il pourrait se défendre, dire que cette femme était une cliente, qu'il ne s'était rien passé avec elle, ou que sais-je encore. Mais en dévoilant à Lucy tous les détails de son *modus operandi,* je lui donnais des munitions. Pour finir, je lui ai dit que je ne pouvais pas être plus précise sur la date à laquelle j'avais connu son mari, car ça lui révélerait trop facilement qui j'étais et je tenais à garder l'anonymat. Par contre, je lui ai suggéré, si elle manquait de preuves, de visiter son profil sur le site de rencontre. Je lui ai expliqué comment j'avais obtenu des photos de lui, la facilité avec laquelle il répondrait si elle lui envoyait elle-même une photo d'une belle étrangère. La preuve était béton.

Karma sutra venait de faire une autre victime.

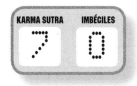

33

J'ai trouvé cette victoire particulièrement satisfaisante. Je m'étais attendue à recevoir un message d'injures de la part de Gregory, sûrement assez intelligent pour savoir d'où venait la « fuite », mais il s'en est abstenu. J'imagine que ça n'aurait été qu'une preuve de plus que je me serais empressée de transférer à Lucy. Quoi qu'il en soit, il a fait le mort. Moi, cet épisode m'a tout à fait éveillée. Surtout quand Lucy m'a écrit pour me remercier :

It was all true. Bastard. Thank you for letting me know. I hate you, but I'm grateful.

Elle me détestait, soit. Je pouvais comprendre, mais elle était reconnaissante parce que j'avais levé le voile sur les agissements de son mari.

Bastard. Comme j'aime ce mot !
Oui, je suis fière de moi.
J'avais raison de le faire et c'était juste un entraînement pour Robert.
Oui, faut se préparer comme il faut.

Pendant que je m'amusais avec Gregory, la relation de Jessica avec son patron s'intensifiait et ma voisine était toujours aussi réticente à s'engager activement dans notre mission. Elle me parlait souvent de lui, précisant combien il était attirant, intelligent, et tout le reste. Je ne voyais pas où elle voulait en venir; elle adorait son travail et n'avait certainement pas l'intention d'amener son employeur à tromper sa femme pour ensuite le dénoncer. Elle jouait avec le feu et elle y perdrait au change. Qu'arriverait-il s'il choisissait de mettre fin à leur liaison? Ou si elle se lassait et le quittait? Ça m'inquiétait, car elle avait l'air vraiment entichée. Elle m'a même confié que c'était, selon les dires de son amant, la première fois qu'il commettait l'adultère, qu'il y avait entre eux bien davantage que la baise. J'étais persuadée qu'elle se dirigeait tout droit vers la catastrophe, mais je n'y pouvais rien et je ne comptais pas intervenir. L'instinct maternel que j'avais toujours déversé avec générosité sur mes amies semblait tari. En fait, j'en avais assez d'essayer de les prévenir, de les empêcher de faire des bourdes et de les protéger. Elles n'en faisaient, de toute manière, qu'à leur tête, Jessica tout autant que Julie. Au sujet de cette dernière, justement, je voyais bien que quelque chose n'allait pas de son côté non plus. Elle semblait déprimée, songeuse, et je ne l'avais pas vue dans un tel état depuis... depuis Simon, son avant-dernier béguin plus ou moins sérieux. Là encore, je n'avais pas envie d'aller au-devant. Si elle choisissait de m'en parler, je lui offrirais l'oreille attentive et compatissante à laquelle elle était habituée, mais sinon, j'allais me préoccuper de... moi.

L'épisode Gregory avait été révélateur à plusieurs égards. Non seulement j'avais tout fait seule, de la planification au dénouement, mais cette pseudo-relation m'avait procuré un très agréable sentiment. Celui de constater que je plaisais, que j'étais toujours désirable, même si ce crétin aurait sans doute trouvé désirable n'importe quelle femme croisée sur son chemin ce soir-là. J'étais tout de même insultée qu'il n'ait pas cherché à me revoir ; notre nuit ensemble avait selon moi été mémorable. Pas pour lui, apparemment. Certains hommes comblent leurs besoins sans chercher plus loin. C'était frustrant, comme constatation, mais ça m'a emmenée à comprendre combien il était facile de rencontrer une femme, la séduire, lui faire l'amour et passer la nuit avec elle sans que la moindre parcelle de sentiment puisse s'installer.

C'était tellement triste ! Dans ce cas précis, peu m'importait, car il en avait été de même pour moi. Mes belles valeurs en prenaient pour leur rhume ! Il avait suffi qu'un homme séduisant et charmeur me fasse de l'œil pour que tous mes beaux principes se retrouvent à la poubelle.

Pas fort, franchement.

Euh, au contraire, il était temps !

Tu crois pas vraiment ça, hein ?

Oui, totalement. Je l'ai déjà dit : ça va faire !

Par contre, je devais avouer que cette nuit avec lui avait été différente et beaucoup plus satisfaisante que les moments passés avec mes jouets à la maison. Enfin presque. Car j'avais désormais faim. Une faim tenace et implacable de me faire toucher par de vraies mains, me faire remplir par un véritable organe, sentir mon corps littéralement exploser de jouissance et me faire dire de belles choses, quitte à ce qu'elles ne soient qu'à moitié sincères. Mon matelot et sa bouteille de champagne pouvaient aller se rhabiller ; ce fantasme-là venait d'être mis au rencart pour un moment !

C'est pour cette raison que je n'ai pas cherché à en savoir davantage sur la situation de Jessica, et que je n'avais pas d'objection à poursuivre mon combat toute seule, avec l'aide, plus ou moins efficace et sincère, de Julie.

Pendant ce temps, les travaux allaient bon train à la maison, et j'étais prête à envisager la construction de la serre. Sylvie m'avait conseillé un sous-traitant qui saurait répondre à mes souhaits précis. Elle m'avait néanmoins mise en garde :

— Je ne sais pas à quel point c'est vrai, mais il paraît qu'il demande souvent à se faire payer en *cash*. Comme ça, il ne déclare pas tous ses revenus. C'est une question de pension alimentaire pour ses enfants, d'après ce que m'a dit ma comptable. Il travaillait pour nous, jusqu'à il y a quelques mois, mais il a eu des problèmes avec son ex-femme et s'est organisé pour se faire renvoyer. Il était content... disait à qui voulait l'entendre que comme ça, « la folle aura pas une cenne ! » La folle en question a la garde de ses trois enfants, alors j'avoue que je le trouve pas très sympathique et que j'hésite à lui refiler des clients à cause de ça, mais je veux pas juger trop vite. Je la connais, en plus, son ex. Elle est tellement *sweet* ! Mais elle arrive pas à être assez solide, elle le croit quand il lui dit qu'il ne travaille pas et n'a pas d'argent. Ça m'enrage !

Moi, au contraire, ça m'enchantait. C'était parfait pour me faire patienter jusqu'à ce que je puisse régler le compte de Robert, le mois suivant. J'ai demandé à Sylvie de me donner ses coordonnées et de demander à l'ex en question si elle accepterait de me rencontrer.

Elle n'a pas hésité.

Sandra était une jolie blonde au début de la quarantaine, maman de trois enfants de six, neuf et onze ans. Elle vivait dans un petit appartement impeccable, travaillait soixante heures par semaine et avait appris à économiser le plus possible. Ses enfants passaient au premier plan, ça sautait aux yeux. Ils ne manquaient de rien, mais Sandra aurait bien aimé s'offrir certains petits luxes de temps à autre... Son ex, lui, déclarait être sans emploi et vivait dans la maison de sa nouvelle conjointe, une hygiéniste dentaire avec qui il trouvait le moyen de s'envoler vers le Sud deux fois l'an. Ça me mettait hors de moi.

Avant de monter sur mes grands chevaux, j'ai tout de même eu la présence d'esprit de demander des preuves à Sandra. Elle m'a fourni tous les documents nécessaires pour que je puisse constater qu'elle n'avait reçu aucun paiement de soutien aux enfants depuis plus d'un an. Il n'y avait aucun doute, on avait affaire à un véritable « cent-pour-cent-trou-de-cul », comme je les aimais. J'ai expliqué à Sandra de quelle façon son ex gagnait très bien sa vie sans devoir lui verser un sou : la grande majorité de ses revenus n'était pas déclarée, il travaillait au noir tout en recevant de l'assurance-emploi. Furieuse, Sandra a adoré mon plan.

Il voulait être payé comptant pour les travaux chez moi ? Pas de problème.

Je me suis fait construire une très jolie serre et j'ai joué les clientes fortunées et exigeantes, ce que j'étais, finalement. J'avais l'espace, j'avais l'argent, Martin-trou-de-cul avait les compétences. Je lui avais déclaré que je préférais ne pas avoir de facture, que j'avais un certain montant à « camoufler » aux impôts, et il a avalé ce mensonge sans poser de question ni mentionner que ça lui convenait tout autant qu'à moi. Je lui ai fait ajouter une foule d'extras, des matériaux spéciaux, plus coûteux. Je ne souhaitais avoir que les garanties écrites pour certaines des composantes ; pour le reste, mon nom ne devrait figurer sur aucun document. Martin était aux anges, car ce contrat lui garantissait un joli montant. Sept mille deux cents dollars, plus précisément.

Je lui ai versé un dépôt correspondant au quart de cette somme, pour le sécuriser et lui permettre d'acheter la majeure partie des matériaux. Il m'a installé tout ça avec minutie et application. Il en a mis des heures ! Je dirais deux grosses semaines à temps plein. Le résultat, spectaculaire, me comblait. Quand est venu le temps de payer à l'entrepreneur-fraudeur la somme résiduelle, je lui ai précisé que j'avais acheté des billets d'avion pour son ex-femme et leurs enfants. Le reste, elle l'utiliserait pour acheter des vêtements neufs aux petits et leur offrir des sorties amusantes.

Il était hors de lui mais n'avait pas le moindre recours. J'étais consciente de prendre un risque, mais j'avais calculé qu'il ne ferait pas d'histoire ; il avait bien plus à perdre que moi. Je trouvais le pouvoir de l'argent merveilleux. Ça, c'était une noble utilisation de ma fortune. En véritable trou de cul sans colonne vertébrale, Martin n'a pas fait de vagues. J'ai eu ma serre, Sandra et les enfants ont fait un magnifique voyage – les deux plus jeunes voyaient la mer pour la première fois ! – et Martin-le-crétin a eu une bonne leçon. Je le croyais tout à fait capable de vandalisme sur ma maison ou ma serre, c'est le genre de choses que les lâches comme lui font pour se venger, il me semble, mais je n'étais pas inquiète outre mesure ; j'avais un système d'alarme dernier cri et une police d'assurance complète. Irait-il jusqu'à s'en prendre à moi physiquement ? Encore une fois j'en doutais, mais je me suis tout de même promis d'être vigilante et ça m'a procuré la motivation nécessaire pour poursuivre le karaté. Ce n'était sans doute qu'un sentiment de sécurité bien illusoire, mais c'était mieux que rien.

Quant à Sandra, comme elle voyait maintenant clair dans son petit jeu, elle a menacé son ex-conjoint de le dénoncer à l'assurance-emploi et de le traîner en cour s'il ne l'aidait pas à subvenir aux besoins des enfants. Elle n'avait aucune objection à se faire payer comptant, pourvu qu'il s'acquitte de la somme convenue avec une régularité sans faille. Elle avait, pour la première fois, le gros bout du bâton, et ça, c'était beau à voir. Décidément, j'allais de victoire en victoire !

Moi, Maryse Després, redresseuse de torts, défenseure de la veuve, de l'orphelin et de l'ex qui se fait fourrer. Tin, toé.
Il te manque juste le spandex et la cape !
Et Julie qui trouve que je m'attaque pas aux bonnes personnes et pas pour les bonnes raisons ? Pfff. Lui, c'était PARFAIT, complètement justifié.
Yesss.

34

Jessica était décidément amoureuse. La gaffe ! Elle avait passé quatre ou cinq nuits avec son patron, et là, en ce magnifique début de juin, elle partait trois jours à Los Angeles en sa compagnie pour un congrès de marketing. Je la trouvais un peu idiote. Comment avait-elle pu tomber dans le panneau aussi facilement ? Plus je la questionnais, plus j'étais perplexe.

— Tu comprends pas, Maryse, c'est comme si je l'avais attendu toute ma vie. Il est... parfait. Au lit comme ailleurs. Si tu savais ! Il me traite comme une reine, il me gâte comme j'ai jamais été gâtée de ma vie. Et les enfants l'adorent !

— Quoi ? Tu lui as présenté tes enfants ? !

— Oui, lui et moi, c'est pas juste une aventure, t'sais. Il va laisser sa femme bientôt, il est en train d'organiser ses affaires pour ça.

— Quelles affaires ? Il fait comme Stéphane et cache des revenus ou des biens pour pas être obligé d'en donner la moitié à sa femme ?

— Ben non, au contraire ! T'es donc cynique ! Les hommes sont pas tous pareils, tu sauras. Il est différent, il veut s'arranger, justement, pour qu'elle soit à l'aise, qu'elle manque de rien.

— Il a des enfants ?

— Non.

— Bon, c'est déjà ça…

— Il adore Thierry et Clara, tu devrais le voir avec eux, c'est tellement *cute* !

— Peut-être, mais… tu penses pas que c'est un peu vite ?

— Ben là, je le connais quand même depuis trois ans. C'est pas comme si c'était un étranger !

— Peut-être, mais t'étais pas en couple avec lui tout ce temps-là. Donne-toi encore quelques mois, non ?

— Non. C'est parfait comme ça. Y'a rien qui arrive pour rien, Maryse. Il le sent lui aussi que c'est le bon moment. Ça fait douze ans qu'il est avec sa femme, elle peut pas avoir d'enfants et lui, il en voudrait…

— Ah bon ? Parce que toi aussi tu veux avoir un autre enfant ? Seigneur, c'est pas ce que tu me disais y'a pas longtemps !

— Tu le disais toi-même, on change, les situations changent et j'ai une chance incroyable d'être heureuse, je vais pas la laisser passer !

Je me suis tourné la langue sept fois avant de répondre. À bien y penser, ce qu'elle m'avait dit de son patron correspondait en effet à ce qu'elle semblait vouloir. L'homme en question, Pierre-Louis, était beau, riche, solide, et pâmé sur Jess comme elle en avait besoin. Pourquoi pas, au fond, c'était ses affaires. Mais ce que j'avais eu beaucoup de mal à m'empêcher de dire était: « Oui, t'as une chance d'être heureuse et, en même temps, d'achever Mathieu… », car son ex avait manifesté, au cours des dernières semaines, les regrets qu'elle avait tant espérés. Rien n'allait plus avec sa nouvelle conjointe ; les trois enfants, c'était trop, finalement. Il se rendait compte qu'il avait fait une erreur, d'autant plus que sa flamme, obsédée par le tic-tac de plus en plus assourdissant de son horloge biologique, s'était mise en tête, elle aussi, d'avoir un autre bébé. C'est sans doute ce qui avait fait paniquer Mathieu.

Et là, Jessica pouvait enfin savourer sa vengeance en lui mettant sous le nez son propre bonheur. Est-ce que Pierre-Louis allait *réellement* quitter sa femme pour Jess ? Je n'en savais rien. Jess était-elle *réellement* amoureuse de lui ou lui fournissait-il simplement l'outil dont elle avait besoin pour faire souffrir davantage un Mathieu dépité ? Je n'en savais rien non plus et, bien honnêtement, je n'arrivais pas à m'en préoccuper. Je trouvais qu'elle précipitait les choses, qu'elle se mettait, avec ses enfants, dans une situation périlleuse. Au lieu de tenter de la raisonner, j'ai abdiqué. Jessica était une grande fille, c'était à elle de prendre les rênes de sa destinée, pas à moi. J'avais donné.

— Ben alors, je suis contente pour toi, ma belle.

— Tu m'en veux pas de t'abandonner avec le site ?

— Non, Julie me donne un bon coup de main et j'avoue que j'ai pas mal de *fun*. J'me paie la traite, comme tu l'as fait, et j'y prends goût…

C'était tout à fait vrai, mais comme l'appétit vient en mangeant, j'étais plus affamée que jamais.

— Regarde-moi ça, ma Julie ! J'en reviens pas. Ça serait bon comme prochain dossier !

J'ai rencontré Surmon36pourtoi il y a deux mois. Je me suis laissé prendre par sa fiche, vous pouvez rire de moi, mais c'était trop tentant. J'ai cinquante-trois ans, je suis divorcée, et la solitude me pèse lourd. Comment résister ? Ce gars, Guillaume, est charmant. Il m'a vraiment fait un bien fou… jusqu'à ce que je découvre qu'il était fiancé et voulait se payer son fantasme de « femme d'expérience » avant de se caser. Il m'a dit ça froidement après notre deuxième nuit ensemble. J'ai été tellement conne ! J'ai honte de vous avouer ça et d'instinct j'aurais gardé le silence, mais j'ai compris qu'en me taisant, je lui permettais de faire la même chose à d'autres, ce qui est le cas parce qu'il est toujours sur le même site et il est en ligne chaque jour. Vous pouvez faire quelque chose ? Si je connaissais son véritable nom, je pourrais le dénoncer à sa fiancée, mais j'ai été trop naïve pour chercher à le savoir. C'est tellement insultant…

Nous étions au tout début de juin, et Martin-le-crétin bâtissait ma serre sans se douter que son travail serait bénévole. Je n'avais pas fini de lire le message que Julie recherchait déjà Surmon36pourtoi sur le site mentionné par notre correspondante. Elle n'a pas tardé à le trouver :

Jeune homme de quarante ans, recherche une femme de cinquante ans et plus qui sait ce qu'elle veut dans la vie et dans le lit. Une vraie femme, quoi. Je suis à l'aise financièrement et je recherche quelqu'un qui l'est aussi pour s'offrir des restos, des sorties et des escapades inoubliables. Je suis ici dans un but sérieux. Allez, osez !

Étaient jointes trois photos d'un homme assez séduisant. Rien qui fasse tourner les têtes, mais tout de même attrayant, avec un corps qui semblait splendide. Il ne m'attirait pourtant pas, je trouvais qu'il manquait de maturité, mais je ne pouvais pas faire autrement que d'imaginer son corps athlétique, nu comme au jour de sa naissance, devant moi. Voilà la Julie en moi qui refaisait surface ! J'étais curieuse. Julie, elle, avait un drôle d'air.

— C'est quoi, cette face-là ?

— Oh, rien… c'est juste que…

— Crache !

— Après Simon, comme tu le sais, j'ai fait quelques niaiseries. J'avais comme perdu le cap, je pense. Parmi ces fameuses niaiseries, il y a eu un Maxime, tu t'en souviens ? Je t'avais raconté… il me fait penser à lui, c'est tout.

— Oui, je m'en souviens. Mais il était pas mal plus jeune et me semble que ça avait été cool, non ?

— Oui, pas mal plus jeune, et assez cool, en effet. Mais impersonnel, t'sais ? Il était super gentil, doué, mais y'avait pas de chaleur, pas de réel désir de me plaire, c'était comme une performance. Oui, c'est ça, une performance. Comme s'il faisait un *show* et voulait m'impressionner ou se convaincre qu'il était *hot*.

— Il l'était pas ?

— Oui, tout à fait ! Il avait même pas trente ans à l'époque… et j'avoue que c'était quelque chose de me retrouver avec un *body* de même, ferme, performant, beau… a-t-elle ajouté en soupirant.

— Julie, t'as un peu de bave qui te coule de la bouche, là…

Elle a ri.

— Oui, il était quelque chose, mais j'ai pas pu l'apprécier, je filais pas dans ce temps-là. Même là, je sais pas si j'aurais pu le revoir. D'abord, c'est épuisant, un jeune fringant de même, mais aussi parce que, je sais pas… le côté « baise qui veut rien dire », j'en ai eu assez, tu comprends ?

— Oui. Mais moi, j'ai jamais connu ça, ou presque. Juste avec Gregory et j'avoue que ça a ses bons côtés. Je me moquais un peu de toi quand tu disais à quel point t'avais peur de vieillir, de dessécher comme une vieille sacoche sans plus jamais connaître la passion et les nuits de sexe débile… Là, je ris moins. Puis ce Guillaume a juste douze ans de moins que moi, c'est pas un jeunot, là. On est loin de la cougar !

— Tu vas pas me dire que t'es rendue là, toi ? Non, Maryse ! Pas toi ?

— Non, pas vraiment, mais j'avoue que d'avoir une preuve que mon corps fonctionne bien, réagit encore comme il faut aux caresses et à tout le reste, c'est rassurant… J'ai pas envie que ça soit fini, tout ça, pas plus que toi, finalement ! J'utilise peut-être juste des méthodes un peu différentes des tiennes

— Y'a d'autres moyens de te rassurer. Si tu veux un gars qui va te donner cette preuve-là mais qui jouera pas avec ta tête ou ton cœur, je peux t'aider. T'as pas besoin d'aller chercher ça avec un *player* de quarante ou de cinquante-quatre ans !

— Peut-être bien, mais avec les *players,* comme tu dis, j'ai pas besoin de me casser la tête, d'essayer de leur faire confiance ou d'être gentille avec eux. Ils le méritent pas et c'est clair que je me ferai pas avoir, mais eux oui. Et ça, c'est tout un feeling, je te jure !

— Donc, t'es en train de me dire que c'est toi, la *player,* et que t'aimes ça. C'est dur à croire. N'importe qui, mais pas toi…

— Pourquoi pas moi, justement ? Toute ma vie j'ai été la maman, la sauveuse, la gentille, la généreuse. Et tu vois où ça m'a menée ? Ben là, plus question de me faire avoir !

— Mais c'est pas juste toi qui t'es fait avoir, ce sont d'autres femmes et tu te venges pour elles autant que pour toi. Tu te rends pas compte que, malgré ce que tu dis, t'es encore en train de sauver le monde et de rendre justice à plein de femmes qui sont pas toi ? Tu te contredis. Tu veux plus être fine, mais tu venges toutes celles qui souffrent…

— …

Avait-elle raison ? Cette réflexion était désagréable. J'ai repensé à ma dernière année avec Gilles. Elle avait été faite d'introspection, d'examens de conscience, de ménage intérieur. Ça avait été épuisant. Et c'était fini, non ? Oui. J'étais ailleurs, là où j'étais forte, autonome et satisfaite. Si ça voulait dire que pour m'émanciper je devais faire des gestes que j'aurais cru impossibles l'an dernier, soit. J'aimais mieux la Maryse que j'étais devenue que celle que j'avais été trop longtemps.

Euh, mais es-tu bien sûre de savoir c'est qui, cette nouvelle Maryse-là ?

Ben oui ! Euh… tu veux dire quoi ?

Que Julie a peut-être raison ? La nouvelle Maryse est pas si différente de l'ancienne, finalement. C'est ça que tu veux ?

Non ! Peut-être…

Ah, et puis la paix !

Guillaume paraissait mieux en personne que sur ses photos, ce qui était rare. Il n'était tout de même pas Johnny Depp, mais il était assez bien de sa personne pour que je n'aie pas envie de reculer. Il était charmeur, attentionné, séducteur. Lors de notre première rencontre, il n'avait cessé de me complimenter :

— T'as tellement de classe... tu es vraiment belle et bien dans ta peau, hein ? Ça paraît. Je le sentais déjà quand on s'écrivait, mais tu l'es encore plus que je pensais !

Il savait s'y prendre. Oui, j'étais bien dans ma peau quoi qu'en pensent mes agaçantes voix intérieures. J'avais soigné mon apparence et je me sentais plus femme que jamais, au point où j'avais presque oublié l'emballage morne et terne de l'ancienne Maryse. J'avais l'impression de m'élever au-dessus des autres femmes dans ce bistro branché, surtout des jeunes écervelées qui se pavanaient en robe beaucoup trop courte et qui compensaient leur manque de profondeur et de vécu par un décolleté avantageux. Elles étaient belles, leur peau était lisse, leur chair ferme. Mais il leur manquait, selon moi, ces cicatrices qui ajoutent l'humanité, une sensibilité qu'on bâtit à coups d'épreuves et qui nous rend plus ouvertes, plus empathiques, plus authentiques. Elles se ressemblaient toutes alors que moi, j'étais unique, différente dans mes imperfections et mon âge. Ça ne m'incommodait pas le moins du monde, au contraire. Je n'enviais pas ces femmes qui ignoraient ce qui les attendait. Comme moi, comme nous toutes, elles seraient aussi forcées de faire face aux premières rides, aux premiers signes de déclin. Elles seraient trompées, on leur mentirait alors qu'elles se croyaient invincibles, irrésistibles, à l'abri de toute blessure. Elles apprendraient et elles survivraient à la trahison comme je l'avais fait. Certaines mieux que d'autres. Moi, je m'en tirais plus que bien, et pas seulement grâce aux crèmes hors de prix, aux traitements de luxe et aux vêtements griffés qui faisaient désormais partie de mon quotidien. Dans ma tête, aussi. Et dans les yeux de Guillaume, je ne voyais que désir et convoitise, même si je savais pertinemment que la réalité était sans doute très différente. Je m'en foutais. Je prendrais de lui ce que je pouvais prendre et le reste lui éclaterait au visage un bon jour, c'était une question de karma. Ce visage bien dessiné et assez viril aux yeux presque noirs et perçants commençait d'ailleurs aussi à perdre sa belle vigueur, ça ne ferait que s'amplifier. Mais lui, en regardant derrière, il ne verrait que duplicité, mensonge et méfait. Moi ? Je voyais des années gaspillées que je m'évertuais à récupérer d'une manière ou d'une autre.

J'ai donc joué le jeu et l'ai laissé me courtiser. Je me découvrais des talents d'actrice remarquables : je minaudais comme une ingénue, battait des cils en rougissant au bon moment, souriais avec aplomb et assurance le reste du temps. Il voulait une femme mûre et autonome ? Il en aurait toute une. Il a payé le champagne, moi le repas dans un restaurant chic et au menu intéressant. Il y régnait une atmosphère parfaite pour le petit jeu de séduction auquel nous nous prêtions. Cependant, il n'y avait pas de pression, c'était gagné d'avance puisque je n'avais pas à l'éblouir. C'était presque trop facile.

J'ai été étonnée de sa vigueur. Il y avait longtemps que je n'avais éprouvé une rigidité masculine aussi… impétueuse. Je n'avais pas l'intention de l'emmener chez moi et il m'avait d'emblée indiqué qu'il était hors de question d'aller chez lui, puisqu'il vivait avec un colocataire et que nous ne serions pas très à l'aise. J'ai donc loué une suite à l'hôtel tout à côté du restaurant où nous avions mangé et c'est là que nos ébats ont eu lieu. Curieusement, je ne ressentais pas la moindre gêne ni le moindre embarras.

T'es rendue une pro, Maryse. Tu couches avec des gars sans penser à demain.

*C'est toi qui trouvais ça triste que ce soit si facile de
baiser avec n'importe qui ?*
Ben, bravo, c'est ça que tu fais toi-même.
Non, c'est pas pareil, moi c'est pour « la cause ».
*Cause, mon cul ! T'es pire que les gars de qui tu veux te
venger. Julie a pas tort et tu le sais.*
La paix ! ! !

Guillaume prétendait être attiré par mes rondeurs, mon
corps de « vraie » femme et mon abandon. Comment ne
pas capituler devant ces mains et cette bouche qui, de toute
évidence, ne connaissaient aucune retenue ? Nous nous
sommes glissés dans l'immense baignoire à remous de
la chambre ; un nuage de bulles nous chatouillait de son
délicieux parfum. J'adorais voir mes seins s'alléger dans l'eau
merveilleusement chaude ; ils flottaient là, ronds et tendres,
comme je ne les avais pas vus depuis longtemps. Guillaume
leur rendait des hommages attendrissants, léchant, tétant
et massant ; jamais je n'avais soupçonné que ces seins,
que je connaissais pourtant si bien, puissent être la source
d'autant de plaisir. Il est vrai que je n'avais jamais connu
d'hommes qui les vénéraient autant que celui-ci le faisait.
Je frissonnais, attendrie de voir mon amant s'en régaler avec
autant d'enthousiasme, m'émouvais de voir ses larges mains
les pétrir et caresser leurs pointes dressées. Rien ne pressait,
nous avions tout notre temps. Dans l'eau, j'étais une plume,
nos mouvements fluides permettaient à nos corps de glisser
l'un sur l'autre avec aisance. Comme un serpent, j'ai ondulé
sur son ventre avant d'écarter les cuisses pour l'aspirer
en moi. Les vagues que nos mouvements provoquaient
me faisaient sourire ; offrant mes seins à sa bouche, je le
chevauchais lentement, en apesanteur, ne songeant même
pas à quel point je devais être échevelée. J'agrippais les

épaules de Guillaume pour me hisser davantage, lui lavant le visage de ma poitrine savonneuse tandis que, m'empoignant les fesses, il guidait mon mouvement de balancier. Ce n'était pas renversant, comme performance, mais l'expérience était intéressante. Lorsqu'il m'a retournée pour me pénétrer par-derrière, j'ai souri de voir l'inondation provoquée au sol. Tant pis. Agenouillée dans cette immense baignoire, appuyée sur le rebord, je n'avais que faire de telles considérations. Je bombais les fesses comme une professionnelle, me délectais des coups de boutoir de cet homme que je connaissais si peu, tandis que le miroir me renvoyait l'image d'une femme en proie au vertige, avec un sourire de conquérante. Étrange. Qui était cette femme, au juste ? Je ne me reconnaissais pas, mais je m'aimais bien, à la fois offerte et dominante. Car même si son membre me fouillait le ventre sans m'émouvoir, même si sa main broyait mon sexe sans lui procurer les frissons espérés, même si ses dents laissaient des traces sur mon épaule, c'était moi qui menais cette danse érotique somme toute banale. Moi qui propulsais mes hanches contre son bassin, qui caressais de mes lèvres son membre impatient d'achever sa tumescence, qui léchais sa bourse et glissais ma langue entre ses testicules gorgés. Moi qui l'avais entraîné ici. Pour mon propre plaisir ? Oui, bien sûr. Mais surtout pour profiter de ce qu'il avait à offrir avant de le mettre K.O.

Toute la nuit a été faite d'explorations. Son membre, plutôt petit et épais, ne m'épatait pas outre mesure et il jouissait trop vite à mon goût. En revanche, il compensait en me faisant des choses que jamais je n'aurais permises à Gilles et que je découvrais avec un intérêt détaché. Ses doigts s'immisçaient dans des orifices jusque-là vierges ou presque, et j'en ressentais un plaisir insoupçonné. Sa langue dansait tout le long de ma fente, sa main se faufilait entre mes replis avides et j'en redemandais. Encore une fois, j'ai pensé à Julie. Qu'aurait-elle dit de cet homme ? Elle l'aurait sans doute qualifié d'amant « ordinaire », mais je ne comptais pas faire ma difficile. Et puis, je l'ai tout de même bien épaté avec mes orgasmes particuliers. Pour cette nuit, j'entendais extraire de lui tout le sperme qu'il serait capable de produire avant de lui soutirer autre chose. J'ai exploré moi aussi son corps dans ce qu'il avait de plus secret et je l'ai fait grogner de plaisir. Je l'ai utilisé comme pour une expérience anatomique, testant tel toucher pour jauger sa réaction. C'était donc ça, l'avantage de ne rien ressentir d'autre qu'une absence de sentiments ? Peu m'importait qu'il ait envie de me revoir ou non, je le guidais comme il le faisait, lui soutirant des trésors de touchers inédits. Intéressant.

Le lendemain, j'étais fourbue. J'avais des ecchymoses sur les bras et les épaules, des traces de morsures ici et là dans le cou et sur la poitrine. Une conquérante après la bataille, oui.

Il est parti tôt, après m'avoir embrassée. Moi, j'ai dormi. À mon réveil, j'ai trouvé un petit mot : « Merci pour la magnifique soirée, à bientôt, j'espère ! G. xx »

Mignon. Il était habile, je devais le lui accorder.

Ça n'en serait que plus amusant.

Guillaume m'a téléphoné deux jours plus tard. Il était gai, charmant, m'a répété combien il avait aimé notre soirée et notre nuit. Mon enthousiasme n'était feint qu'à moitié. Il voulait me revoir et m'a offert d'aller le rejoindre à « notre hôtel », chambre 326. Autre nuit torride. Il était infatigable et, vers trois heures du matin, n'en pouvant plus, j'ai demandé grâce. Pendant qu'il dormait, j'ai fouillé dans son portefeuille comme je l'avais fait avec Gregory. Un jeu d'enfant.

À nous deux, Guillaume Bertrand.

Puis, j'ai retiré les couvertures, exposant son corps nu dans toute sa splendeur ; j'ai déposé mon soutien-gorge tout à côté de ses hanches et ma culotte dans sa main. Il ronflait doucement.

Clic ! Une autre jolie photo.

Il a presque été trop facile, par Facebook, de le retracer, puis de communiquer avec sa fiancée. Comme les résultats avec Lucy avaient été concluants, j'ai fait la même chose avec Isabelle, sa promise. Deux jours plus tard, le statut de Guillaume est passé de « fiancé à Isabelle Brodeur » à « célibataire ».

Je n'ai plus entendu parler de lui.

Y'a même pas eu de challenge !
Non, c'est un peu plate.
Il reste Robert.
Tu vas quand même pas coucher avec ? ? ?
Ben non, quand même. Mais comme victime numéro
10, c'est bien choisi !
Et je vais être plus douce en remettant ce genre de
preuves à Val.
Beaucoup plus douce.

35

Après Guillaume, j'ai eu besoin d'une pause. Pas parce que les « cas » se faisaient rares, au contraire, ils se multipliaient. Le bouche-à-oreille, j'imagine. L'efficacité de Karma sutra pour rendre une « vraie » justice faisait jaser plus que jamais ! À ce rythme, je n'arriverais plus à répondre à tous les messages dans un délai raisonnable et j'en étais réduite à ne faire que ça à longueur de journée alors que j'aurais dû me consacrer au développement du site, aux commanditaires et aux demandes de franchise qui s'accumulaient. Mais surtout, le temps était enfin venu de m'attaquer au cas Robert. J'attendais depuis si longtemps ! Valérie, même si elle ne le montrait pas, était dans tous ses états. Elle n'en pouvait plus de douter, et je me suis promis que tout serait réglé bien avant la Saint-Jean-Baptiste. Moi, je ne voulais pas me contenter de lui fournir des preuves pour qu'elle le quitte, je voulais qu'il paie de l'avoir embobinée de la sorte. Les vengeances que j'avais brillamment exécutées touchaient des femmes envers qui je ne ressentais pas d'affection même si elles m'avaient permis de faire naître une amitié discrète, mais bien réelle avec Sylvie. C'était tout autre chose en ce qui concernait ma petite Valérie.

Julie trouvait malsaine ma soif de faire souffrir, elle s'inquiétait plus que jamais de me voir aussi machiavélique. Je n'y pouvais rien. Si j'avais pu trouver une façon de détruire

Robert, lui faire perdre son emploi, le blesser physiquement, je l'aurais fait sans hésiter, mais je n'arrivais pas à trouver de pistes intéressantes en ce sens. Dommage. Il me fallait néanmoins passer à l'action.

C'était fantastique de pouvoir quitter la ville comme ça, sachant que j'étais libre et sans me soucier de combien cette petite escapade me coûterait. Trois jours à Calgary devraient suffire. Cependant, le fait que je n'avais toujours pas de plan précis m'agaçait. J'allais dans une ville que je ne connaissais pas, tenter de suivre un homme dont les horaires variaient, sans réellement savoir comment m'y prendre. Je me lançais dans cette aventure beaucoup trop aveuglément, mais l'urgence de la situation l'exigeait. Au pire, ce serait une première visite « exploratoire ».

Valérie m'avait donné les renseignements dont j'avais besoin, soit l'adresse du studio où Robert logeait et celle de l'endroit où il travaillait. Elle avait évoqué un café adjacent à son logement où il se rendait presque chaque matin. La compagnie qui employait Robert, une entreprise d'ingénieurs ayant comme principal client une pétrolière comptant des milliers d'employés, louait le studio dans un grand immeuble du centre-ville. Sans ce café que Valérie avait mentionné, je ne sais pas comment je serais parvenue à le garder à l'œil.

La ville me semblait assez quelconque, je n'y trouvais pas de charme particulier; la proximité des Rocheuses représentait, selon moi, son principal attrait, mais je n'étais pas ici pour faire du tourisme. Quel genre de tricheur était Robert? Avait-il une copine régulière ou multipliait-il les conquêtes? Après tout, rien ne l'en empêchait, sa situation était idéale pour un tel fourbe: il avait une copine sérieuse à l'autre bout du pays et ici, il pouvait faire ce qui lui plaisait en toute impunité. Avait-il agi ainsi en Europe ? Depuis les débuts avec Valérie ? J'étais dégoûtée. Je n'avais plus la moindre poussière d'indulgence envers ce genre d'hommes. Val ne méritait pas d'être éprouvée de la sorte.

C'est juste une question de temps, ce dossier-là va faire mal, mais il va être réglé.

Mal ? Oh, oui.

J'ai repéré Robert au café où il avait ses habitudes dès le lendemain. Je me suis contentée de le suivre jusqu'à son lieu de travail ce matin-là. Il était seul, et j'étais presque déçue. J'aurais aimé le prendre en flagrant délit rapidement, comme ça j'aurais pu retourner à Montréal au plus vite. La voiture de location m'assurait l'anonymat requis et mon hôtel avait été choisi en fonction du quartier où logeait ma proie. Je ne tenais pas à ce que Robert me repère, du moins pas avant que j'aie quelque chose de concret sous la main. Cependant, cette mission n'était pas aussi simple qu'elle l'avait été avec Stéphane, loin de là. Ses horaires de travail étaient aléatoires et, surtout, il me reconnaîtrait facilement s'il m'apercevait. Évidemment, il se demanderait ce que je faisais là et ça gâcherait tout. Le deuxième jour, je me suis trouvée ridicule. Je n'arriverais à rien à ce rythme. J'ai poursuivi mes recherches de manière plus ou moins organisée toute la journée. Puis, le lendemain, j'ai enfin eu l'idée de demander à Val le numéro de téléphone de Robert pour lui laisser un message. Val était terrorisée, mais c'était selon moi le meilleur plan.

— Allô Robert ! Je suis à Calgary quelques jours, ça s'est décidé à la dernière minute. Je me demandais juste si tu avais envie d'aller boire un café. Sinon pas grave, on se reverra à Montréal. Voici mon numéro, juste au cas. Ciao !

Il m'a téléphoné à peine une heure plus tard et m'a

demandé si j'avais envie d'aller souper avec lui le soir même. C'était parfait. Il avait au moins la décence de se montrer disponible pour l'amie de son amoureuse, qu'il se réjouissait de revoir, disait-il, surtout depuis la récente réconciliation avec Valérie. Un bon point pour lui, mais ça ne me le rendait pas moins ignoble.

Robert m'a donné rendez-vous dans un restaurant thaïlandais tout près de son studio. Et là, j'ai fait ce que je faisais de mieux en mieux : j'ai joué la femme heureuse de le voir, celle qui ne se doute de rien, et je l'ai laissé parler. Rien de tel pour tendre un piège infaillible. Il m'a parlé de son travail, des contraintes que ce genre d'emploi lui occasionnait avec Valérie, entre autres.

Oui, j'imagine ! Grrr.

— Elle est si compréhensive ! Jamais elle m'a demandé de changer quoi que ce soit ni même laissé entendre que ça la dérangeait ! Elle est la première femme que je rencontre qui s'accommode de tout ça sans se plaindre. C'est vraiment merveilleux…

Non, elle se plaint pas. Et toi non plus, hein ?
T'as pas idée combien ta vie va changer d'ici quelques
heures, mon boy !

— Elle est comme ça, Val. C'est une fille extraordinaire. On s'est enfin réconciliées, c'était ridicule, notre chicane…

— Ah ! Je suis tellement content ! Écoute, Maryse, je suis un peu inquiet. Je vais sûrement avoir l'air con, là, et t'es son amie, tu me le diras peut-être pas si mes inquiétudes sont fondées, mais… euh…

Ah ! Monsieur est inquiet ! Mais de quoi donc ?
Dites, dites !
Enwèye donc, champion ?

Tu t'inquiètes peut-être de savoir si elle se doute de ce que tu fricotes quand t'es ici ?

Mouhahaha ! Ouep, on a toute une longueur d'avance, mon beau !

— Je t'écoute.

Mon ton avait été plus froid que je l'aurais voulu et il s'en est rendu compte. Il s'est tout de même jeté à l'eau.

— C'est que… je suis en train de lui préparer des surprises, parce que ça va faire deux ans qu'on est ensemble… Ah, j'ai peur que tu me trouves épais, on se connaît pas vraiment, au fond. Mais tu connais Valérie mieux que quiconque, alors… T'sais, elle a commencé à se faire faire toutes sortes de traitements et de patentes. Elle a pas besoin de ça, pourtant ! Elle est belle telle qu'elle est, je comprends pas. Penses-tu qu'elle est dans sa crise de la quarantaine ou quelque chose du genre ?

Hein ? Ah ben.

Regarde donc qui parle !

— En fait, ma vraie question c'est… elle voit pas un autre gars quand je suis ici, hein ? Parce que si c'est le cas, j'aimerais mieux le savoir. Je l'aime comme j'ai jamais aimé une femme avant. Et s'il fallait qu'elle m'aime plus, je capoterais. Mais je trouve qu'elle change. J'ai l'impression qu'elle me cache des choses. Je sais, t'es son amie, tu me dois rien, mais…

De quessé ? ? ?

Devant mon silence étonné, il a poursuivi :

— En fait, c'est un peu nono, parce que j'ai essayé de préparer mes surprises, les dernières fois où j'étais à Montréal, mais c'est pas évident, on fait tout ensemble… Je veux tellement lui faire plaisir ! J'ai quand même réussi à trouver une auto pour Sabrina qui va avoir dix-neuf ans. C'est pas une neuve, mais ça va faire la job pendant plusieurs années et avec l'emploi qu'elle s'est trouvé pour l'été, ça va être plus pratique pour Val.

Une quoi ? J'ai bien entendu, moi, là ?

Oui, une auto. Pour Sabrina.

...

Il continuait sur sa lancée, les yeux brillants :

— Et puis je suis en train de lui ouvrir un compte de banque pour payer son hypothèque. Ça fait deux ans que je vis chez elle et elle a jamais accepté que je paie ma part... Je me disais que je pourrais rembourser ce qui lui reste d'hypothèque, t'sais ? La maison resterait à son nom, mais j'aurais au moins l'impression d'être *fair*... Mais si tu penses que je vais trop vite ou que c'est pas le bon moment, j'aimerais que tu me le dises...

Ah ben, on aura tout vu.

T'es sur le cul, là, hein Maryse ? Tu comprends ce qu'il est en train de te dire, là ?

Il la trompe pas pantoute.

Comment tu peux en être sûre ?

Regarde-lui la face et écoute ce qu'il te dit !

Il dit peut-être juste ce que je veux entendre...

Ayoye !!!

OK, Maryse. Rends-toi à l'évidence. Ce gars-là est pas du tout ce que tu pensais.

Euh, non, pas pantoute.

J'ai eu besoin d'un long moment avant de pouvoir lui répondre. Enfin, j'ai réussi à articuler de façon à peu près intelligible :

— Euh... Robert, Valérie voit personne d'autre que toi. Mais elle manque tellement d'assurance, j'ai l'impression qu'elle fait ça parce qu'elle a peur de te perdre… Oui, elle est inquiète, parce qu'elle t'aime aussi et qu'elle avait jamais pensé que cette peur-là viendrait avec. Wow ! Tu fais tout ça pour vrai ?

— Peur de me perdre ? Si elle savait ! Oui, tout est réglé. Ha ! ha ! c'est drôle, au fond.

— Quoi, au juste ?

— Ben, je fais comme elle, quand on y pense. Je m'entraîne, j'essaie de prendre soin de moi pour bien paraître, je suis tellement fou d'elle que je suis pas capable de la lâcher quand on est ensemble. Et elle a quand même peur de me perdre ! Vraiment, si elle savait…

— Si elle savait quoi ?

— As-tu quelques minutes ? J'habite tout près, je voudrais te montrer quelque chose.

Nous avons marché jusqu'à son studio où il m'a fait entrer en s'excusant de la simplicité des lieux. Il n'avait pas à s'en formaliser, c'était le minuscule logement d'un homme qui vivait seul et qui n'y venait que pour dormir. Il n'y avait certainement aucune trace de présence féminine ici ! Rien dans le frigo, ni dans la salle de bains, ni sur les comptoirs. Une tasse sale, pas deux. Une seule assiette, également. Pas de photos ni d'objets personnels, c'était tout à fait comme une chambre d'hôtel avec cuisinette. Ni plus, ni moins.

J'ai laissé échapper un soupir de soulagement. Robert a fouillé dans un tiroir et m'a présenté une petite boîte dont la forme ne laissait aucune place à l'imagination.

— J'ai eu d'la misère à faire ça en cachette ! Je voulais pas acheter ça ici et je voulais que ça soit spécial, alors j'ai fait plusieurs bijouteries à Montréal. Fallait pas que Val sache, je veux lui faire une surprise, mais en même temps, j'ai jamais été aussi nerveux de ma vie ! Je me suis fait offrir un nouveau poste qui me permettrait de rester à Montréal tout le temps. Fallait que je passe des entrevues, et je voulais rien dire à Val avant d'être certain que ça marcherait. Ça non plus, c'était pas évident… En tout cas.

Une magnifique alliance ancienne. Un diamant étincelant. Robert voulait épouser Val.

Oh my Gooooood!

Elle va capoter.

Toi aussi, on dirait!

Mets-en!!! Oh, j'vais brailler, je le sens!

En effet, mes yeux se sont remplis d'eau. J'ai regardé Robert et lui ai sauté au cou.

— Es-tu en train de me dire que tu penses qu'elle va être contente et qu'elle va dire oui, Maryse?

— On peut dire ça, oui!

J'ai passé le vol du retour avec un grand sourire au visage.

Un grand sourire niaiseux!

Oui, vraiment. Est-ce que je vais arriver à rien lui dire?

Il le faut. Tu lui dis que t'as soupé avec Robert et tu lui racontes votre conversation. Jusqu'au bout important, et là, tu FERMES TA GUEULE!

Tu viens quand même d'avoir toute une leçon, hein?

On dirait bien, oui.

Genre, il en reste des bons gars. Probablement plus que tu penses.

J'aime ça des leçons de même!

J'étais si heureuse pour Valérie que je refusais d'entendre la petite voix qui continuait à me dire, malgré ma jubilation, que tout n'était peut-être pas aussi rose que je le croyais. Moi qui étais convaincue que plus jamais je n'arriverais à croire aux *happy ends,* je me voyais confondue d'une bien agréable façon. Comme quoi la Maman-Maryse naïve et romantique n'était finalement pas cachée aussi loin que je l'avais cru… Alors je faisais quoi, là ? Je la faisais repartir d'où elle était venue, de peur de me tromper et souffrir, ou je la laissais revenir et prenais des risques ?

Souffrir ou ne pas souffrir, là est la question.

C'est pas nécessairement ça qui se passerait…

Hmmm. À suivre, hein ?

Comme je m'y attendais, Valérie était aux anges. Je lui avais simplement dit que j'avais soupé avec Robert, qu'il m'avait fait visiter son studio et que j'étais convaincue, hors de tout doute, qu'elle n'avait aucune inquiétude à se faire. Je lui ai révélé ce qu'il m'avait dit au sujet des efforts qu'il faisait quant à son apparence, expliquant à mon amie qu'ils n'étaient destinés qu'à le rendre plus attirant pour elle, et pour personne d'autre. Nous avons fini par rire du malentendu… mais ce n'était rien comparativement à ce qui l'attendait quand Robert lui dirait tout. S'il n'avait pas été prévu qu'il revenait quelques jours plus tard, elle serait partie à sa rencontre. Les traitements chez l'esthéticienne se sont interrompus, de même que le projet d'implants mammaires. Soulagées, Julie et moi étions si heureuses pour elle que nous avons fêté ça en grand. Je les ai emmenées souper dans un des restos les plus coûteux de Montréal où nous avons dévoré des plats savoureux tout en nous soûlant au champagne d'abord et au rouge capiteux ensuite. Une vraie belle soirée comme nous n'en avions pas eu depuis longtemps, par ma faute, essentiellement.

Belle conclusion, hein ?

Ze best.

36

Ce dénouement inattendu avec Robert m'a déstabilisée. Ébranlée, même. Pour la première fois depuis le décès de Gilles, un homme me prouvait avec éloquence ce que je refusais d'admettre : il restait, en ce bas monde, des hommes honnêtes, capables d'aimer de la plus merveilleuse des façons. Je l'avais toujours su, bien sûr, mais j'en étais venue à me dire que les seuls qui croyaient encore à l'amour exclusif, et surtout presque inconditionnel envers une femme, étaient les tout jeunes qui n'avaient pas encore vécu les aléas du mariage et de son éventuelle monotonie, ou les incurables romantiques. Et même eux demeuraient suspects à mes yeux. On peut être romantique et tricheur à la fois. Casanova n'en est-il pas un exemple frappant ? Bref. Je m'étais confortée dans cette certitude, puisque ça expliquait mon propre échec sans toutefois me faire porter le moindre blâme. Là, par contre, j'avais affaire à un homme amoureux, qui souhaitait bâtir un avenir avec la femme qu'il aimait. Pas un avenir de conte de fées avec de nombreux enfants et tout le reste, mais un avenir à leur image, dans lequel ils investiraient à égalité et qui les mènerait, si la vie le voulait bien, à un âge d'or fait de tendresse et d'affection.

J'avais été tellement certaine que Robert était un « méchant » que je l'avais condamné d'emblée, sans même vérifier ce qui en était. Je n'aurais pas la vengeance tant attendue, celle qui, le croyais-je, serait la plus satisfaisante. Du moins, l'objet de cette vengeance ne serait pas celui que j'avais d'abord cru. Une vilaine déception m'a même traversé l'esprit. C'était trop con, d'être déçue de ne pouvoir jouer les méchantes... il valait mieux avoir affaire à une bonne personne, non ?

Oui, vraiment.

Mais tu sais que Robert, c'est l'exception, pas la règle.

Loin de là.

Vraiment ? Ou est-ce qu'à force de chercher – et de trouver – autant de pommes pourries, on s'imagine qu'il n'existe que ça ?

T'es un peu jalouse, avoue.

Merde, oui. C'est dégueulasse !

Regarde en avant, Maryse. Il est encore possible d'y croire, non ?

Come on ! Recommencer tout ça, la confiance, les compromis, la peur des mensonges et de la douleur.

Non. Trop tard.

Ouain, t'as raison. C'est mieux comme ça.

Oui, nettement mieux. J'étais heureuse pour Val, mais c'était comme si je n'arrivais pas à y croire, ou plutôt, comme si je le refusais. Les semaines passaient et je m'attendais à tout moment à ce qu'elle se présente chez moi, en sanglots, pour m'annoncer que c'était fini, qu'il avait changé d'idée ou était tombé amoureux d'une femme de Calgary, comme elle l'avait pensé, après tout. En attendant, je m'affairais à Karma sutra, je répondais aux messages de nos membres, j'envisageais des scénarios de vengeance, mais je manquais de motivation.

L'été me donnait bien davantage envie de sortir, de

voyager, de gâter mes amies et de voir mes enfants que de travailler, même si ça impliquait de faire tomber un idiot du piédestal de sa stupidité. Pourtant, ce genre de perspective aurait dû me réjouir ! Le cœur n'y était simplement pas. J'avais très envie de m'offrir une autre resplendissante vengeance, mais en même temps, je procrastinais. Fanny venait en août pour une semaine avant de partir en Gaspésie avec Félix. Je rêvais de passer cette semaine-là à Paris avec elle. Ce serait une surprise et j'étais excitée comme une puce. Olivier, lui, débarquait presque toutes les fins de semaine au chalet des parents de Josiane ; il me manquait terriblement et il me tardait de retrouver mon fils... si je le retrouvais jamais. Y songer me propulsait dans un cafard qui ne me plaisait pas le moins du monde. Je voulais l'emmener à Paris aussi. Accepterait-il ? Ce serait merveilleux ! L'idée d'un voyage avec mes deux poussins me semblait excellente, à moi, mais seraient-ils aussi enthousiastes que je l'étais ? Paris, c'est dur de résister, non ? Ils n'y étaient jamais allés. Mais avec leur mère ? Peut-être pas. Évidemment, inviter Félix et Josiane m'aurait garanti un succès instantané, mais les complications que ce genre de proposition engendrerait me décourageaient. Et je voulais mes enfants à moi toute seule. C'était pas trop demander ! Apparemment, si.

Alors, en attendant de savoir ce dont j'avais réellement envie, j'accomplissais de petites tâches mécaniques ou administratives pour Karma sutra, ou alors j'allais jouer dans les plantes que ma jolie serre à sept mille dollars avait abritées durant le printemps et qui étaient prêtes à garnir mes plates-bandes. Et je réfléchissais. Trop, évidemment.

Les doutes, encore. Sur ma conduite des derniers mois, sur ma vie entière, les enfants et tout le reste. Ces questionnements n'étaient cependant pas source d'angoisse. J'avais connu ça, l'angoisse, et c'était autre chose, à présent. Un sentiment diffus d'avoir peut-être fait fausse route, d'avoir pourchassé un but qui, en bout de piste, ne m'apporterait pas la satisfaction voulue. Qu'avais-je accompli, au fond, pendant tout ce temps ? Avais-je obtenu la satisfaction et l'apaisement que je cherchais tant ?

Oui, plus d'une fois. Plusieurs salauds étaient passés par mes bons soins ou ceux de Jessica et avaient, je l'espérais du moins, appris une bonne leçon. Mais encore ? Il me restait quoi, là, à part l'amertume et un éphémère sentiment de victoire ?

J'avais besoin d'aide pour gérer le site et il me fallait trouver une solution. Les demandes affluaient de toutes parts, et je n'avais plus l'énergie d'accomplir ce qui devait l'être. Il me fallait assurer ma « relève » et j'ai enfin décidé de discuter de tout ça avec Julie, ce que je reportais depuis des mois. J'avais une belle idée derrière la tête.

Elle était songeuse. Ma Julie, d'ordinaire si pimpante, positive et optimiste, me semblait lasse, mélancolique. Je l'avais remarqué, quelques semaines plus tôt, mais c'était pire que jamais. Elle essayait de s'intéresser à notre conversation, mais elle n'était pas entièrement attentive. Devant mon interrogation, elle est restée évasive :

— Je sais pas trop, je me sens comme... perdue, là. Depuis notre voyage en Espagne, l'été dernier, les choses ont changé entre Céline, Alain et moi.

— La lune de miel est déjà finie ? Pourtant, ça fait presque un an, ce voyage-là, et tout avait l'air de bien aller, non ?

— Ouain, j'sais pas trop. J'y croyais. Toi, pas tellement, hein ?

— Oui, j'y croyais, ma belle. J'y crois encore très fort, mais c'est pas banal, votre histoire, et je manque de… références, je pense !

Il y avait de quoi ! Après de nombreuses mésaventures de toutes sortes sur les sites de rencontre et ailleurs, Julie avait fait la connaissance d'un couple qui cherchait, à l'époque, à « élargir ses horizons ». Au début, Julie avait été plutôt hésitante, c'était tellement peu orthodoxe qu'elle ne savait trop qu'en penser. Mais elle avait dû s'avouer que l'attrait principal de Céline et Alain, outre leur incroyable ouverture et leur générosité sexuelle, résidait dans l'amour profond qu'ils se vouaient l'un à l'autre. Julie avait été d'abord jalouse de ce genre d'amour, puis conquise par les deux à la fois. En Alain, elle avait trouvé un amant, un complice, un amoureux patient, attentionné et sensuel ; en Céline, une amie, une amoureuse, une confidente et… une passion. Elle n'avait jamais soupçonné, avant de la connaître, qu'elle pouvait se repaître de cet aspect de sa sensualité. Le couple offrait à Julie un soutien, un confort, une proximité et une amitié hors du commun. Leur entente était bien particulière ; Céline et Alain vivaient ensemble, Julie s'ajoutait à leur dynamique et ça convenait à tout le monde. Qu'est-ce qui avait changé, au juste ? Curieuse, j'ai voulu en savoir davantage, mais Julie a évité le sujet :

— T'as dit que tu voulais me faire une proposition. Je devine que ça ne concerne pas mes amis ? De quoi tu voulais tant me parler ?

Je lui ai exposé mon idée : je voulais rendre le site bilingue, c'était la première étape. Ensuite, je voulais offrir à mes clients publicitaires le service de traduction de leur pub dans les deux langues, sans frais supplémentaires. Ce serait avantageux pour tout le monde.

— Mais c'est un contrat, que tu m'offres là, pas une job à temps plein. Une fois le site traduit, je ferais quoi ?

— Ben écoute, j'arrive plus à rencontrer les clients, et j'aimerais bien développer, en trouver des nouveaux, chercher des partenaires ailleurs, vendre d'autres franchises. Quand on a choisi le nom du site, on a même pas pensé à quel point il est « exportable ». On pourrait faire tellement plus !

— Mais Maryse, je suis formée comme traductrice, pas comme représentante ! J'ai jamais fait ça, moi, ce que tu me proposes. J'imagine que je pourrais apprendre, mais je sais pas si j'en ai envie.

— Et si je te donnais des parts de Karma sutra ? As-tu idée de ce que ça pourra valoir, d'ici quelques années ?

Julie est restée silencieuse. Je ne voulais pas la brusquer, mais j'aurais bien aimé être dans sa tête. Et finalement, après un long moment :

— Je pourrais continuer à faire de petits contrats de traduction payants, de temps en temps, hein ?

— Absolument. Tu pourrais travailler de chez toi, tu pourrais faire ton horaire.

— Oui, mais je verrais plus personne. Je sais pas si je suis faite pour travailler seule, j'ai peur de m'ennuyer ou de pas arriver à me motiver...

— Prends le temps d'y penser, mais attends pas trop !

— OK, mais y'a aussi Céline et Alain...

— Quoi, Céline et Alain ?

— Ben, ils m'ont demandé d'emménager avec eux...

— Hein ? Sérieux ? Wow, je m'attendais pas à ça !

— Moi non plus… mais si j'accepte, j'aurai pas vraiment d'endroit pour travailler.

— T'en as envie ?

— Oui ! Non… je sais pas, je suis toute mêlée ! Ça me tente, mais j'ai peur que ça *fucke* tout. Ça marchait bien parce que c'était clair, mais là, si on vit tous les trois ensemble, ça le sera plus… Oh, pourquoi ils pouvaient pas être bien et s'en tenir à ça ? Je commençais juste à être à l'aise dans notre patente !

— Ils seraient pas d'accord pour attendre un peu ?

— Peut-être, mais même là. Le fait qu'ils en parlent a déjà changé des choses…

— Ouain, c'est une grosse décision !

— Oui, pis je suis toute mêlée. Juste comme je commençais à me dire que c'était possible, les affaires simples, faut que je me remette à faire du ménage dans ma tête et ça me tente pas.

— T'as jamais eu peur de faire du ménage dans ta tête, Julie. T'es sûre qu'il y a pas autre chose ?

Elle est demeurée silencieuse et m'a regardée avec une drôle d'expression. Gêne ? Colère ? Embarras ? Un peu de tout ça. Puis elle a ajouté :

— Ouain. Simon m'a téléphoné hier soir…

— Oh *boy*. On est dans la marde !

— Qu'est-ce que tu veux dire ?

— Tu le sais comme moi, t'as jamais été capable de lui résister, à lui. Pis en même temps, il t'a tout le temps frustrée et déçue. Il est comme un aimant ! Il veut te voir ? T'en as envie ?

— Oui, il veut qu'on aille souper. Je sais que t'as raison, mais en même temps, il me dit qu'il a beaucoup réfléchi…

— Et tu le crois !

— Ben là, pourquoi pas ?

— J'sais pas, peut-être parce qu'il est comme un enfant de six ans : dans le *here and now*. Comme un chiot qui voit un nouveau jouet et qui veut jouer avec jusqu'à ce qu'il s'en fasse offrir un autre.

— Wow, les analogies volent bas !

— Tu vas me dire le contraire, peut-être ?

— Non, je peux pas, malheureusement. Mais je peux au moins entendre ce qu'il a à me dire, non ?

— Oh, c'est certain. J'te gage un vingt que tu finis par passer la nuit avec lui.

— T'es folle ? La dernière fois que j'ai parié avec toi, ça m'a coûté trop cher pour que j'aie envie de recommencer !

— C'est parce que j'ai toujours raison. Tu dis que j'ai changé, mais pas tant que ça !

— Peut-être que Simon aussi a changé…

— Arghhh, Julie ! Tu penses vraiment qu'il serait capable de se transformer, comme par magie, en ce que tu veux qu'il soit ?

— Ah ? Et je suppose que tu sais ce que je veux ?

— Oui, en fait. Tu voudrais qu'il ait envie d'être avec toi et pas avec toutes ses « amies » en même temps ; qu'il soit plus « là », pas juste au lit, mais ailleurs aussi. Que vous fassiez des choses cool ensemble, pas juste baiser. Je sais que tu veux pas nécessairement vivre avec lui ou même que vous passiez beaucoup de temps ensemble, mais tu voudrais pouvoir lui téléphoner quand t'en as envie ou le texter sans te demander si tu le déranges parce qu'il est avec une autre ou s'il va se donner la peine de te répondre. T'aimerais ça te sentir spéciale pour lui, irremplaçable…

— Tu m'énerves !

— Pourquoi ? Parce que j'ai raison ?

— Parce que j'aurais pas pu mieux l'expliquer moi-même. Comment tu fais ?

— Je sais pas. Je suis juste *hot* de même, qu'est-ce que tu veux ? Mais, pour en revenir à Simon, tu penses qu'il pourrait te donner ça ? Drette de même ?

— J'aurais sûrement besoin de travailler un peu...

— Beaucoup ! Même s'il voulait tout ça lui aussi, ça lui viendrait pas naturellement. Tu travaillerais pas un peu, mais vraiment beaucoup. Et longtemps. T'as envie de ça ?

— Ouf... vu de même... pas sûre.

— Ben du trouble pour pas grand-chose, si tu veux mon avis.

— Pas grand-chose ? Ça paraît que t'as jamais passé une nuit avec !

— C'est une suggestion ?

— Niaiseuse ! Quoique y'a plus grand-chose qui m'éton-nerait de toi !

— Quand même, exagère pas. Mais réfléchis, Julie. Il t'a gossée, ce gars-là. Tu vas faire comme tu veux, c'est comme ça que je t'aime, mais fais attention, OK ?

— Oui. Contente de voir que la môman en toi est toujours là, quelque part...

Nous avons alors vidé la bouteille de bulles rosées.

J'avais encore besoin de protéger Julie. D'elle-même, apparemment. Et contre toute attente, j'en avais soudaine-ment envie.

Avant de passer aux choses sérieuses avec Julie et le site, il me restait toutefois une dernière « mission » à mener à terme. Je ne voulais en aucun cas l'abandonner, car je sentais que celle-ci, la dernière peut-être, si elle s'avérait du calibre adéquat, avait une signification plus importante que les autres, plus directement liée à ma soif inextinguible de vengeance. Robert n'avait pas été ma dixième victoire, et c'était tant mieux car celle qui s'annonçait me convenait tout aussi bien. Mieux encore, même. Il s'agissait de François.

L'ancien ami de mon mari m'écrivait depuis quelques semaines, sur le site de Karma sutra. Dans son premier message, il m'offrait ses félicitations. Une copine lui avait parlé du site et sa visite lui avait plu.

Une copine, oui. Je suis certaine qu'il ne chôme pas, côté copines !

Tu sais pas de quoi tu parles.

Oui, je sais ! C'est un mou. Il l'a pas nié, il t'a même avoué qu'il était toujours marié !

Oui, mais séparé et ça fait des mois, de ça. Y'a rien de mal à avoir des copines ou à être sur les sites de rencontre si t'es séparé, quand même. T'es de mauvaise foi, là.

Je suis sûre qu'il était sur les sites avant de se séparer et que c'est lui qui a donné l'idée à Gilles de faire pareil. Faque, j'ai comme une crotte ben personnelle à régler avec lui.

Tu penses vraiment ça ?

C'est logique, non ? Il était dans le décor à l'époque et fréquentait les sites. L'autre épais a voulu voir et on connaît la suite. C'est pas sorcier.

Who knows ?

Personne encore, mais je vais le savoir.

Bref, il avait fallu un bon moment à François pour faire le lien entre Karma-Mamma et moi, et il avait été enchanté de me reconnaître lors d'une entrevue télévisée. Il n'en revenait pas de ma transformation et se disait heureux de cette belle réussite. Selon lui, il était temps que quelqu'un fasse la vie dure aux idiots qui gâchaient tout pour les nombreux hommes corrects et honnêtes qui cherchaient l'âme sœur sur les sites. Il se citait en exemple, m'expliquant combien il aurait aimé y rencontrer une compagne, mais qu'à force de rencontrer des femmes méfiantes, désabusées et craintives, il avait abandonné. Ça, c'était les passages plus superficiels.

Nous nous sommes envoyé plusieurs messages plus substantiels dans lesquels il m'a répété quelques fois qu'il aimerait me parler, qu'il avait quelque chose sur le cœur et qu'il n'arriverait à tourner la page que s'il avait la chance de s'en libérer. Accepterais-je de le voir ? Il ne voulait pas paraître insistant, après tout, il m'avait bien fait comprendre son désir de discuter avec moi et j'avais toujours trouvé une excuse. Que pouvait-il donc me vouloir ?

J'étais curieuse, mais aussi convaincue qu'il faisait plus intimement partie de mon ancienne vie que je le croyais. Mes soupçons quant à son implication dans la « corruption » de Gilles s'accentuaient chaque fois que François se manifestait. Il voulait me parler ? OK. Il ne se doutait pas que tout ce qu'il dirait pourrait être utilisé contre lui devant le juge que je prétendais être. Peut-être ressentait-il une forme de culpabilité et voulait s'en libérer ? Sans doute, mais je serais sans pitié. Il aurait pu être classé dans la section « Karma », sauf que j'étais tout à coup épuisée de tout ça.

Tannée.

Écœurée des histoires sordides qui ne règlent rien, en fin de compte.

T'as rien à perdre…

Oui, une soirée de ma vie !

Peut-être qu'il va te donner certaines réponses, aussi…

Oui, mais j'ai peur. Peur d'en savoir plus.

Chicken. Règle donc tout ça une fois pour toutes.

Ouain… OK.

Finalement, il m'a invitée, encore une fois, à boire un verre et, si j'en avais envie, à souper avec lui tout en s'attendant à ce que je refuse, comme je l'avais fait jusqu'alors.

Ah oui, hein ? OK, d'abord, mon chum. On va souper et on va jaser.

Mais si t'es comme je pense, tu vas juste me donner des outils pour te pendre toi-même.

J'aime ça de même…

Je me suis présentée à la terrasse du restaurant avec un peu d'avance. L'été était splendide, il faisait chaud, et cette magnifique soirée du début de juillet aurait dû m'inciter à la détente. Mais j'étais aux aguets, comme je l'avais été chaque fois que je m'apprêtais à démasquer un odieux personnage. Prête, déterminée et sans merci. Avec le temps, mon rôle était devenu si naturel que je savais déceler, dans chacune des paroles de mon interlocuteur, une arme potentielle à utiliser contre lui.

Le premier indice que les choses ne se produiraient pas exactement comme je l'avais prévu m'est apparu d'abord aux narines, lorsque François m'a embrassée. Il sentait merveilleusement bon. Rien de si exceptionnel ni de concluant. En quoi un bon parfum pouvait-il faire la moindre différence ? Mais ensuite, quand nous sirotions l'apéro, ses yeux presque tristes et surtout très humbles m'ont désarçonnée.

Attention, Maryse. Ces yeux-là pourraient te faire avaler n'importe quoi.

Oui, oui, t'inquiète. C'est juste un autre Gregory, avec une histoire différente, c'est tout.

Puis, François s'est mis à parler.

— La première fois que Sonia m'a trompé, c'était il y a quatre ans. Elle était partie en République dominicaine avec un homme qu'elle avait rencontré sur un site de rencontre.

— … La première fois ?

— Oui. Il y en a eu d'autres, depuis. Je savais, au fond de moi, mais je ne voulais pas de preuves. J'ai été tellement con !

— *Join the club,* François. Moi aussi, j'ai été conne, mais c'est du passé, tout ça.

— Oui, t'as raison. Sauf que…

— Sauf que ?

— Ça a duré pendant des années. Et moi, le cave, j'acceptais ses excuses, je la croyais quand elle disait que ça n'arriverait plus. Mais…

— Mais… laisse-moi deviner, t'as fait pareil ?

— Non. J'ai jamais trompé ma femme.

Ben non, c'est ça.

Mais regarde au fond de ses yeux, Maryse. J'pense qu'il dit la vérité.

OK, il est crédible, mais ça me fait quoi, à moi, ça ?

Écoute ce qu'il a à dire, on sait jamais…

— Je me suis finalement réveillé pour vrai l'année passée, pas très longtemps avant le décès de Gilles. Je l'ai suivie un bon soir et je l'ai vue avec un gars. Ils sortaient d'un restaurant en s'embrassant et ils sont partis ensemble. C'était juste… trop. Je lui ai dit que je voulais divorcer. Elle m'a supplié de lui pardonner, mais j'étais juste plus capable. Et là, je voulais me venger. C'est là que j'ai commencé à aller sur les sites de rencontre. Ça a marché, j'ai rencontré une femme, mais ça n'a pas duré. Pendant ce temps-là, je voyais Gilles aller et je le trouvais con. Un bon soir, j'ai pété les plombs. Je t'imaginais, à la maison, pensant qu'il était en formation alors qu'il était en train de te tromper et ça me rendait malade. Je voulais te le dire, mais je n'ai pas pu. Je ne voulais pas que t'aies mal comme j'ai eu mal… C'est con, hein ?

— … Je sais pas quoi te dire. Je sais pas si j'aurais voulu le savoir ou pas, honnêtement. Dans ce temps-là, je voulais rien voir.

— Oh, si tu savais comme je te comprends ! Mais c'est pas tout. Quand elle a vu que cette fois j'en avais vraiment assez, Sonia s'est mise à passer un gars après l'autre, et elle faisait exprès pour que je la voie ou que j'en entende parler. Elle s'amusait même à sortir avec des gars que je connaissais, juste pour me faire encore plus mal.

— Wow ! C'est pas fort… mais j'avoue qu'en matière de méchanceté, les femmes sont dures à battre…

Tu le sais, hein ? Mettons que tu laisses pas ta place !
Et tu vas lui faire quoi, à lui ?
Ben là ! Rien. On est ailleurs, là. Je l'ai peut-être jugé un peu vite.
Comme Robert, peut-être ?
Oui, mettons.
Fuck.

— T'as pas idée, Maryse. Parce que là, on arrive à ce que je voulais te dire…

François, mal à l'aise, avait du mal à me regarder dans les yeux. J'ai tenté de l'encourager avec un sourire et il m'a dit:

— Ce sourire-là, Maryse, j'en ai rêvé souvent. Je prends un risque incroyable en te disant ce que je vais te dire, mais je n'ai pas le choix. J'aimerais mieux fermer ma gueule, parce que franchement, ça serait plus facile, et parce que, surtout, j'aimerais ça te revoir et mieux te connaître. Depuis des années, je t'admire en silence, je te désire en me disant que l'homme que t'as épousé te mérite pas. Et là…

Coudon, là, il est en train de me cruiser, lui?
Wow! Parce qu'il a l'air assez sincère, merci!
Et, en fait, en d'autres circonstances, j'aurais presque envie d'être intéressée.
Mais tu peux pas, hein?
Non. Je suis pas maso, quand même.
Faudrait pas que tu prennes une chance, hein?
Une chance? De me faire blesser encore? No way.
Niaiseuse.

— Tu me flattes, François. Et t'as raison de dire qu'il ne me méritait pas, mais malheureusement, il m'a comme brisée. Je pense pas arriver à faire confiance à quelqu'un d'autre, plus maintenant…

— Je sais, c'est pareil pour moi. Mais j'avais espéré qu'on pourrait au moins être des amis, et peut-être souper ensemble ce soir si t'en as encore envie. En tout cas, tu me diras après…

— Après quoi?

— Après que je t'aurai dit que… la dernière aventure de mon ex-femme l'a calmée. Mais il était beaucoup trop tard pour réparer notre mariage. Sauf que pour elle, ça a été assez *heavy*. Et je te dirais que dans d'autres circonstances, j'aurais été content qu'elle ait à vivre ça. Mais là…

— Là ? Vas-tu arrêter de tourner autour du pot ?

— C'est elle qui était avec Gilles le soir où il est mort.

— …

Ayoye.

Madame « juste une amie, on se fréquentait depuis seulement trois semaines… »

Ah ouain ? ? ?

Fuuuuuck !

Je suis restée silencieuse un très long moment. Dans le regard de François, je ne lisais que de l'espoir, du désir, de la curiosité et un immense soulagement. Et dans le mien ? Peut-être juste beaucoup de confusion.

Dans ma tête, une tonne d'images, de pensées, de questions se bousculaient sans toutefois me perturber. Au bout de ce qui m'a semblé des heures mais qui n'a en fait été que des minutes, j'ai regardé François et j'ai souri. C'était le premier sourire empreint de douceur, de générosité et de bienveillance qui m'étirait les lèvres depuis… depuis quand, au juste ?

Beaucoup trop longtemps.

Assez longtemps pour que se boucle la fameuse boucle de ma colère. Car même si j'avais voulu imaginer un dénouement plus satisfaisant, plus digne de ma paix d'esprit, je ne l'aurais jamais trouvé. Là, il me tombait du ciel, balayant ce qui me restait d'amertume. Comme un gigantesque casse-tête qui se fait tout seul, je sentais mes sentiments s'alléger, se mettre en place, et un apaisement incroyable s'est répandu d'un seul coup dans toutes les fibres de mon corps.

J'ai fait un petit signe au serveur qui s'est approché et lui ai demandé, avec un sourire de plus en plus éclatant :

— J'ai besoin de porter un toast très important. J'aimerais quelque chose de spécial. Veuve Clicquot, rosé. Vous en avez ?

Tchin tchin, Gilles.

ÉPILOGUE

Mes activités professionnelles me pesaient un peu plus chaque jour. Je n'avais plus envie de tenir seule la barre du magnifique navire qu'était devenu Karma sutra. Plus maintenant. Avec François, je me sentais renaître. J'apprenais tout doucement à m'ouvrir aux petits bonheurs qui s'offraient à moi sans m'en méfier, sans les chasser de crainte de souffrir. Moi ? Eh oui. Robert avait fait la première brèche, François la seconde. Jamais deux sans trois ? Peut-être.

Julie avait revu son Simon. J'aurais bien voulu que cette histoire connaisse un *happy end,* elle aussi. Pourquoi pas ? Peut-être Simon était-il enfin prêt à s'investir dans une relation avec ma belle Julie ? Mais non. Il lui avait expliqué qu'elle lui plaisait beaucoup et qu'elle lui avait manqué, sans toutefois lui offrir le peu d'assurances dont elle avait furieusement besoin. J'en étais soulagée. Simon n'était qu'une source de déception… comme il l'avait prouvé plus d'une fois.

C'est du côté de Céline et d'Alain que ma Julie a réussi à trouver l'équilibre parfait. Elle n'emménagerait pas avec son couple « d'amis », mais ils s'étaient promis de faire au moins deux voyages par an, et de profiter de chaque occasion qui se présentait pour « cohabiter », de manière non officielle. Je les trouvais si courageux ! Les voir ensemble me procurait chaque fois une source d'émerveillement. Qui plus est, Julie avait accepté d'embarquer dans l'aventure du site avec moi et j'étais excitée à l'idée de collaborer étroitement avec elle.

Je n'avais plus beaucoup de nouvelles de Jessica ni de Val, et de manière tout à fait égoïste, je ne m'en plaignais pas. En fait, Val et Jessica avaient essayé de me joindre à plusieurs reprises, avec insistance, même, mais je m'étais permis de les ignorer. J'avais envie de voir ce que l'avenir me réservait sans m'inquiéter de mes amies. Elles devaient voguer sur un bonheur prometteur : Valérie avec ses préparatifs de mariage, et Jessica dans l'attente de former un couple officiel avec son Pierre-Louis. Elles n'avaient plus besoin de moi.

Et moi ? Je ne sais trop. François et moi vivons dans une espèce de bulle depuis le soir où il m'a tout raconté. Une bulle telle que j'ai troqué le voyage à Paris que je projetais de faire avec mes enfants pour une escapade à Venise en août avec lui. Nous en rêvions tous les deux depuis des décennies. Au programme ? Visites, *dolce vita,* et même après Venise, une croisière en Méditerranée sur un luxueux voilier... avec François comme capitaine. Hmmm. Ça me rappelle quelque chose, ça ! Pourquoi nous priver plus longtemps ?

Eh non, je n'arrive toujours pas à le croire. Moi, Maryse Després, cinquante-deux ans, veuve de feu Gilles Provost, je suis actuellement dans un immense lit aux draps défaits par les vigoureuses étreintes d'un homme que je connais somme toute bien peu. Comblée, essoufflée, enfin repue, je me vautre dans un bien-être que je croyais ne plus jamais ressentir. Mon amie Julie serait fière de moi : j'ai le ventre plein de sperme et de papillons, je viens de passer une nuit de sexe digne d'une nymphomane qui en aurait été privée trop longtemps, je me suis livrée à mon plaisir avec un abandon total...

Et ce n'est que la première.

Tchin tchin, Maryse.

NOTE DE L'AUTEURE

Puis, les bulles ? Moi, je dois dire que ça m'inspire… et que j'ai déjà hâte de vous revoir au prochain tome !

Hmmm. Plus proche que jamais de ses fidèles amies, Val devrait bien flotter sur un beau nuage de bonheur sucré, avec son Robert, non ? Oui, bien sûr. Mais avec un mariage dans l'air, des projets de toutes sortes, il y a aussi de quoi paniquer au moins un peu… surtout pour une spécialiste de l'autosabotage !

Jessica, elle, en plus d'avoir besoin de se faire brasser, devra faire face à ses démons. Qui est-elle et que veut-elle, au juste ? C'est qu'elle n'a pas tout dit, la belle Jess, et sa conscience est loin d'être tranquille. Comme Maryse, Julie et Valérie, elle a son propre lot de vérités bien cachées et de gestes dont elle n'est pas très fière…

Va-t-elle connaître un joli bonheur tranquille avec sa nouvelle flamme ? Et Val, pourra-t-elle accueillir sereinement la belle aventure qui s'offre à elle ?

Peut-être que oui, peut-être que non. J'espère que vous aurez envie de savoir…

En attendant, comme dirait Maryse : *tchin tchin* !
Marie xox

MARQUIS

Québec, Canada

Achevé d'imprimer le 27 mai 2015

Imprimé sur du papier Enviro 100% postconsommation
traité sans chlore, accrédité ÉcoLogo et fait à partir de biogaz.